Introduction à la phonétique du français

Fernand
Carton
Agrégé de grammaire
Docteur ès Lettres
Professeur à l'Université de Nancy II

Introduction à la phonétique du français

Série de Langue française
dirigée par Jean BATANY

Bordas

DU MÊME AUTEUR

Chansons et Pasquilles de François Cottignies dit Brûle-Maison (1678-1740), éd. critique, Arras, 1965.

Pasquilles patoises de J. Watteeuw (1848-1947), éd. critique avec glossaire étymologique, Tourcoing, 1re série, 1967; 2e série, 1973.

Exercices de français pour laboratoire de langues (en collaboration avec B. Combettes) : 1. *Phonétique, Phonostylistique, Morphologie, Syntaxe*; 2. *Le Verbe*, Nancy, 1968 et 1970.

Les Parlers d'Aubers-en-Weppes (en collaboration avec P. Descamps), Arras, 1971.

Recherches sur l'accentuation des parlers populaires dans la région de Lille (thèse d'Etat, 1970), Lille, 1972.

L'accent d'insistance (en coll. avec Hirst, Marchal, Séguinot), *Studia Phonetica*, no 13, Didier, 1976.

ISBN 2-04-15685-2. 1re Édition
ISBN 2-04-016497-9. Nouvelle présentation

ABRÉVIATIONS

anc. fr. = ancien français

dér. = dérivé

env. = environ

fr. mod. = français moderne

lat. class. = latin classique

lat. vulg. = latin vulgaire

moy. fr. = moyen français

pop. = populaire

> = évolue (phonétiquement) en...

< = vient (phonétiquement) de...

~ = marque une opposition phonologique

+ = suivi de...

INTRODUCTION

> « Pour apprendre à prononcer, il faut des années et des années. Grâce à la science, nous pouvons y parvenir en quelques minutes. »
>
> Eugène IONESCO, *La Leçon.*

Bien sûr, dans cette cocasse leçon de phonétique renouvelée de celle du *Bourgeois Gentilhomme*, le professeur dit le contraire de ce qu'il faudrait dire. Il est très long et très difficile de comprendre ces mystères de la parole que l'enfant met en œuvre dès le premier âge...

La phonétique du français n'est pas d'abord un art de bien parler, une matière de luxe. Les linguistes sont convaincus de la nécessité d'une initiation à cet important chaînon de la communication qu'est la phonétique pour qui veut fonder l'enseignement sérieux d'une langue. C'est bien plus que « l'étude des sons et des articulations », comme dit le *Petit Larousse* : c'est une science de pointe, c'est la discipline linguistique la mieux élaborée; c'est aussi la « face cachée » de notre langue.

Le divorce entre graphie et phonie s'accroît à mesure que le français évolue. On ne peut plus faire comme si le français était avant tout écrit. Il s'agit en réalité de deux codes, qui ne sont que partiellement interdépendants, de deux sous-ensembles dont ni la structure ni le fonctionnement ne se recouvrent. Un mot comme *vache* n'a pas deux syllabes orales. Les quatre lettres finales de *seau* et de *oiseau* sont semblables; mais leur prononciation diffère. Inversement, dans *seau* et dans *sauterelle*, les sons initiaux sont identiques. Notre système graphique est à la fois étymologique, morphologique, idéographique et phonétique ! On verra que la structure phonique du français est plus claire que sa structure graphique, même si celle-ci est moins anarchique qu'on ne le pense généralement. Autre différence : un message écrit est avant tout un monologue, alors qu'un message oral est avant tout un dialogue. Notre souci constant est de les distinguer avec soin.

L'enseignement de la prononciation française a été longtemps et exclusivement normatif et répressif. Nous ne traiterons le « comment faut-il dire ? » qu'après avoir montré le « pourquoi ? ». Science où s'illustrèrent anciens Hindous et anciens Grecs, la phonétique a fait depuis la dernière guerre des pas de géant. Progrès dans l'instrumentation, avec l'électronique, l'analyse et la synthèse des ondes sonores de la parole. Progrès théoriques, avec l'affinement de l'analyse phonologique et le traitement par ordinateur. Comme toutes les sciences, la phonétique est forcément multi-disciplinaire. La difficulté, pour elle, c'est de *mettre en relation* la physiologie, la physique et la linguistique. Car aujourd'hui on étudie l'émission, la transmission et la perception des sons avec les *méthodes propres* à chacune des sciences intéressées : il n'y a pas une « phonétique physiologique » qui utiliserait quelque méthodologie particulière pour phonéticiens.

Les chercheurs sont maintenant d'accord pour rejeter la vieille dichotomie positiviste entre phonétique (instrumentale et objective) et phonologie (linguistique et subjective). Il s'agit de savoir ce qui est le plus adéquat pour trouver ce qu'on cherche, et de mettre en rapport des analyses de types différents. « Un tracé de phonétique instrumentale n'est intelligible que lorsqu'on lui applique des concepts théoriques, par exemple le critère d'opposition. Ces concepts ne sont pas utiles en eux-mêmes, mais seulement dans la mesure où on les applique adéquatement aux données empiriques. »[1]

Nous avons apporté tous nos soins à la cohérence de la *terminologie* utilisée, car un mot engage toute une conception.

La phonologie se situe au plan de la langue, système linguistique appartenant à un ensemble d'individus. Il s'agit essentiellement des possibilités distinctives, mais, plus généralement, c'est un « système de systèmes » : syntaxe, phonologie, prosodie, sémantique. Une syllabe ou un accent, s'ils sont envisagés « en langue », sont étudiés pour leur fonction : on ne les voit pas sur un tracé. Schématiquement, on peut situer ainsi ces concepts fondamentaux : *langue* = code; *discours* = actualisation de ce code; *langage* = capacité; *parole* = actualisation de cette capacité (toute production émise par un humain)[2].

Ce qui importe, c'est de ne jamais employer ces termes sans les avoir définis, et de ne pas confondre les notions que l'école de Hjelmslev (linguiste danois) appelle « substance » et « forme ». Ainsi, on distingue la mélodie (courbe musicale, mesurable et perceptible, d'un énoncé) de l'intonation (ensemble de signes au sein d'une langue donnée) : le français a son système intonatif propre. Mais un phonéticien qui ne serait pas un phonologue n'aurait guère de justification pour ses recherches. C'est pourquoi on tend aujourd'hui à édulcorer la dichotomie de Hjelmslev, qui confinait le phonéticien dans des

---

1. H. Pilch, *La Théorie de la phonologie*, Communication au VIIe Congrès international des Sciences phonétiques, Montréal, 1971.

2. Cf. B. Pottier, *Systématique des éléments de relation* (1962). Selon l'analogie de Saussure, toutes les parties du système que constitue la langue sont *solidaires* et *dépendantes*, à la manière des pièces du jeu d'échecs.

études comme celles des propriétés élastiques de l'air : celles-ci n'ont aucun intérêt si on n'envisage pas à quoi cela correspond pour le fonctionnement de la communication orale. La phonétique se préoccupe, non du contenu, mais de *tous* les phénomènes d'*expression* de la parole et de la langue, dans la mesure où cette expression a une forme *parlée*. La phonétique a des implications à tous les niveaux de l'expression. L'étude *synchronique* envisage la langue à un moment déterminé, l'étude *diachronique* envisage l'évolution du système.

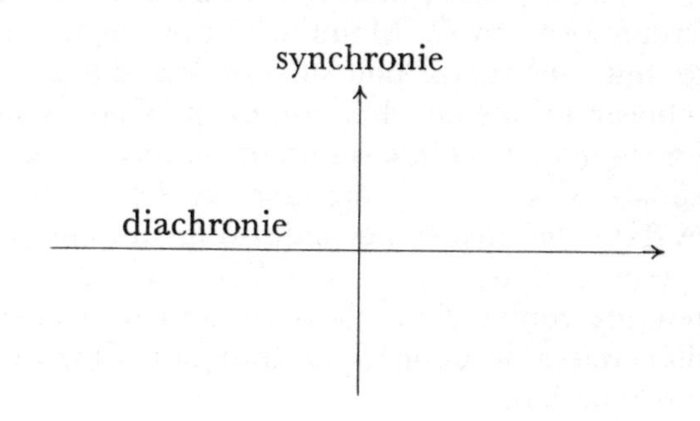

Phonétique générale ou particulière (d'une seule langue)
- descriptive
  - physiologie (phonation)
  - acoustique
  - audition
  - perception
- normative (orthoépie)
- phénomènes pathologiques (orthophonie)
- historique
- phonologie
  - synchronique
  - diachronique

Nous découperons cette initiation en trois parties :

I. DESCRIPTION DU PHONÉTISME FRANÇAIS.
II. FORMATION DU PHONÉTISME FRANÇAIS.
III. COMMENT PRONONCER LE FRANÇAIS CONTEMPORAIN.

Il y a là trois éclairages tout différents. Voilà pourquoi l'étude d'une question comme celle du *e* muet est reprise dans chacune des parties.

On s'apercevra vite que ce livre doit beaucoup à l'enseignement et aux travaux de notre maître Georges Straka, aux ouvrages capitaux d'André Martinet et à ceux d'amis chers, en particulier Pierre Léon et le regretté Pierre Delattre[1]. Nous disons toute notre gratitude à Jean Batany, particulièrement pour ses remarques concernant la partie historique[2]. Les méthodes et les techniques dont use la phonétique moderne étant très diverses, une initiation ne saurait se borner à l'exposé de la doctrine d'un seul spécialiste. Il fallait cependant éviter l'écueil d'une excessive disparité. Nous pensons que l'exposé détaillé d'une doctrine en chacun des domaines concernés, joint à quelques aperçus critiques, est préférable à l'émiettement. Il n'est pas question de s'enfermer à perpétuité dans une seule phonétique; mais mettre bout à bout des fragments de théories différentes est, dit G. Mounin, la pire façon de s'initier à la linguistique. Le but que nous poursuivons est d'aider le lecteur à s'orienter et à choisir lui-même ultérieurement. Cette synthèse à visée pédagogique, dont quelques points résultent de recherches personnelles, fut soumise pendant dix ans à l'épreuve de l'enseignement, tant à l'Université que dans des Ecoles normales d'instituteurs, avec le souci constant d'être précis et à jour sans cesser d'être entraînant, s'il n'est pas trop présomptueux de vouloir faire coexister ces trois exigences.

Un volume d'exercices de phonétique française viendra compléter et illustrer cette Introduction.

0.1. LA COMMUNICATION ORALE

La parole n'est pas seulement un acte de communication. Même s'il ne désire pas les communiquer, le locuteur fournit sur lui-même divers indices (âge, état d'esprit, etc.). D'ailleurs on parle parfois pour soi tout seul... Mais normalement et généralement, il s'agit bien d'une transmission de message. Le processus se déclenche chez le locuteur par le choix de mots appropriés : c'est l'étape conceptuelle (au niveau du cerveau) et linguistique (système grammatical, phonologique, etc.). L'action se poursuit au niveau physiologique, par l'activité des nerfs et des muscles, par l'émission et la propagation de l'onde sonore (transmission acoustique)[3]. Du côté de l'auditeur, l'action commence avec l'arrivée du son. Elle se continue au niveau physiologique par l'activité nerveuse des mécanismes d'audition puis de perception. Enfin la chaîne

---

1. Nous remercions les Presses de l'Université Laval à Québec de nous avoir autorisé à reproduire plusieurs planches de l'*Album phonétique* de G. Straka et les Editions Klincksieck pour le travail de Mme Brichler, *Les Voyelles françaises*.

2. On a recouru aussi aux travaux de G. Faure, de P. Simon, de M. Rossi, de B. Malmberg, d'I. Fónagy. Nous remercions nos collègues H. Naïs, J. Kooijman, F. Lonchamp, R. Berger, M. Remacle, M. Wajskop, J. Stefanini, F. Faussart, J. P. Zerling et P. Demarolle pour leurs remarques critiques.

3. Denes et Pinson, *La chaîne de communication verbale*, pp. 3-8.

se termine quand l'auditeur discerne les phrases prononcées par le locuteur. La chaîne de communication orale comprend donc trois niveaux, chez le sujet qui parle comme chez le sujet qui écoute : le niveau conceptuel et linguistique, le niveau physiologique et le niveau physique.

On peut considérer la transmission de la parole comme une chaîne d'actions dans laquelle un code d' « idées » se transforme d'un niveau ou d'un milieu à un autre (au moins six « transcodages »!). Mais on ferait une grande erreur si on croyait que les actions qui intéressent une *même étape* ont toujours les *mêmes résultats*. On ne produit pas forcément les mêmes ondes sonores en prononçant les mêmes mots. L'auditeur, pour percevoir la parole, ne dispose pas seulement de l'information que lui transmet l'onde sonore. Il a aussi à sa disposition un système de communication complexe assujetti aux combinaisons des systèmes linguistiques, ainsi que de nombreux indices fournis par la situation, le sujet dont on parle, la personnalité du locuteur, etc. Il ne faut pas majorer les risques de confusion : si, au café, j'entends « Vous prenez une pierre ? » au lieu de « Vous prenez une bière ? », je rétablirai sans peine ce qu'on a voulu me dire!

Ainsi donc, pour la communication orale, nous ne comptons pas vraiment sur la connaissance précise d'indices spécifiques. Au contraire, nous associons un grand nombre d'indices *ambigus* dans le cadre de ces divers systèmes compliqués qui sont « le français ». Quand on y pense bien, un fonctionnement efficace du langage ne pourrait s'obtenir autrement. Il n'y a pas deux personnes qui aient un canal buccal exactement semblable. Il serait invraisemblable que des millions de francophones, avec toutes leurs différences de prononciation et de timbre vocal, puissent arriver à émettre des ondes sonores identiques pour les mêmes mots!

0. 2. LA DESCRIPTION PHONOLOGIQUE

A proprement parler, les mots « consonnes, voyelles » devraient être réservés à la description phonologique. Quand il ne s'agit que des articulations et des sons, l'école américaine parle de « vocoïdes » et de « contoïdes ». Nous continuerons cependant d'employer les termes consacrés par une longue tradition : c'est peu dangereux si on prend soin de préciser qu'on parle d'un *son*, d'une *articulation* ou d'un *phonème*. Les avis divergent sur les priorités : certains pensent que l'analyse phonétique doit être *première*, d'autres que la phonologie *doit servir de fondement à la phonétique expérimentale*, car les données fournies par celle-ci sont devenues trop complexes et trop nombreuses. « L'interprétation des données de phonétique expérimentale présuppose la connaissance préalable des phonèmes du texte, et non l'inverse. »[1] Tout au moins une connaissance globale du système est nécessaire au départ. Il faut ensuite étayer l'analyse phonologique par l'analyse instrumentale et réciproquement. Un va-et-vient est indispensable. Il faut surtout éviter de couler trop tôt les unités phonétiques dans un moule phonologique.

De toute façon, le phonéticien doit annoter de façon « discontinue » les tracés « continus » que fournissent ses appareils. Une notation fine est nécessaire, mais il ne faut pas s'imaginer qu'une transcription, même bien différenciée et bien adaptée, permet de décrire une prononciation dans toutes ses subtilités. Il est impossible de représenter avec exactitude la parole à l'aide de signes, quels qu'ils soient. Une oreille, même exercée, ne saurait entendre *tout*, parfaitement. On entend toujours les sons de la parole par rapport à une certaine structure sous-jacente, à une sorte de « patron » préexistant *(pattern)*. « Aucune activité d'écoute ne peut être objective ou exacte. »[2] Comme disait Charles Bruneau, vouloir exprimer dans la graphie les nuances trop délicates, c'est vouloir peser au gramme près avec une bascule. Seul un tracé résultant d'une analyse instrumentale peut donner une représentation exacte, et encore à un seul point de vue! La phonétique instrumentale, au premier tiers du XXe siècle, a largement répondu aux espoirs que l'abbé Rousselot[3] avait fondés sur elle; elle a amassé un nombre considérable de renseignements, parfois contradictoires. Il devenait de plus en plus difficile de les appréhender rationnellement, d'en dégager les traits généraux. C'est pourquoi l'école dite « de Prague » dans les années 30, à la suite du courant structuraliste issu du célèbre *Cours de linguistique générale* de Ferdinand de Saussure (professé à Genève de 1906 à 1913), a défini les fondements de *l'analyse phonologique* pour « identifier les éléments phoniques d'une langue et les classer selon leur fonction dans cette langue » (Martinet).

Le mot *structure* a trop longtemps suscité des passions opposées. Tous pourraient admettre ceci : une structure c'est le contraire d'un agrégat informe. Un livre, un microphone sont des structures, mais un tas de poussière n'en est pas une. Le romaniste ne peut plus ignorer les apports de la phonologie. Les préventions qui persistent ne sauraient provenir que d'un conformisme terminologique.

Qu'est-ce qu'un *phonème* ? Une phrase comme : « La phonétique est facile » est décomposable en quatre unités : deux morphèmes (la, est) et

---

1. H. Pilch, *La Théorie de la phonologie*, Communication au VIIe Congrès international des Sciences phonétiques, Montréal, 1971. Cf. G. Bachelard : « Le sens du vecteur épistémologique va du rationnel au réel, et non de la réalité au général. »
2. Malmberg, *Structural Linguistics*, p. 169.
3. *Principes de phonétique expérimentale*, 1897.

deux lexèmes (phonétique, facile). C'est *la première articulation* du langage, dont certains éléments forment une liste ouverte. Je peux décomposer à nouveau le premier élément *la* en deux unités : c'est *la deuxième articulation du langage*, le domaine de la phonétique, dont les éléments constituent une liste fermée, celle des phonèmes. Selon A. Martinet, c'est cette double articulation qui, ne mettant en jeu que peu d'éléments, permet à la langue d'être un moyen d'expression sans limite.

Soient les deux transcriptions phonétiques suivantes :

[œ̃ dɛ] et [œ̃ de] *un dais* et *un dé*.

Le [ɛ] de *dais*, unité de deuxième articulation, est appelé « é ouvert », le [e] de *dé* « é fermé » parce que pour émettre un [ɛ] la langue est plus éloignée du palais que pour émettre un [e] : [ɛ] est un son qui a une plus grande « aperture » que [e]. Nous reconnaissons deux mots différents quand on les prononce successivement devant nous. La différence entre ces deux sons provient de la place de la langue par rapport au palais; mais n'existe-t-il que deux positions linguales possibles correspondant à [e] et à [ɛ] ? Non. Lorsque l'on passe de [e] à [ɛ] sans cesser d'émettre des sons, la langue passe par une infinité de positions différentes : physiologiquement et acoustiquement, il s'agit d'un *continuum*. Alors pourquoi les distinguer et ne pas prononcer indifféremment ces deux mots [de] ou [dɛ] ? La réponse à cette question permet de comprendre ce qu'est la phonologie fonctionnaliste de l'école d'André Martinet[1]. Il faut distinguer les sons en question parce que cette différence permet de distinguer deux mots qui n'ont pas le même sens; en effet, l'autre son, le [d], est le même dans les deux mots. Pour éviter de confondre *dé* et *dais*, il faut que le dernier son de *dé* soit plus fermé que le dernier son de *dais*.

[ẹ] très fermé . . . . [e] moins fermé . . . . [e̜] un peu ouvert	/e/
[ɛ̣] un peu fermé . . . . [ɛ] moins ouvert . . . . [ɛ̜] très ouvert	/ɛ/

1. Il existe d'autres conceptions, par exemple celle des générativistes.

Il pourrait théoriquement exister un troisième mot qui ne se distinguerait des deux autres que par l'aperture moyenne du dernier son. Mais un tel groupement de trois mots n'existe pas en français : on n'y rencontre que des paires (appelées minimales) comme thé/taie, été/était, ré/raie, etc.

Le terme *é fermé*, noté /e/ (on use de barres obliques lorsqu'on considère un son du point de vue phonologique), représente, dans la série continue, les sons les plus fermés, et /ɛ/ les sons les plus ouverts. C'est essentiellement relatif.

Les symboles /ɛ/ et /e/ désignent deux *ensembles* de sons. En français, il est parfois nécessaire d'opérer une distinction entre ces deux ensembles. L'*aperture* (I, 2.1.), qui est le trait permettant de distinguer les deux ensembles, est un *trait distinctif*[1] de ce que nous appellerons désormais les phonèmes /e/ et /ɛ/. Un *phonème* est une unité de « langue », non susceptible d'être dissociée en unités plus petites et plus simples, et A. Martinet le définit comme « un ensemble de traits distinctifs qui se réalisent simultanément ». Le terme qui désigne un trait distinctif doit être compris comme *conventionnel*, non comme descriptif : il faut le concevoir comme toujours « mis entre guillemets ».

Il ne faut pas dire : la position de la langue et la place des formants qui en résultent sur le spectre sont distinctives. Ce sont là des *manifestations* d'un trait qui caractérise partiellement ces unités que sont les phonèmes. Abstrait ne signifie pas « non réel ». « La question n'est pas de savoir si le phonème est réel ou non, si les deux A du français existent réellement ou fictivement », écrit H. Pilch[2]. La relation entre la description et les données décrites est une relation d'adéquation, pas de réalité ou de fiction! On a confondu longtemps ces deux ordres de faits, parce que — bien que cela ne soit pas dit explicitement — la notation phonétique est partiellement fonctionnelle. Une notation strictement phonétique s'occupe aussi de faits non distinctifs ou redondants. On use de crochets [ ] pour noter une réalisation particulière de phonème; les barres obliques / / sont plus restrictives et ne signalent que des unités dont la valeur fonctionnelle est bien établie.

« La phonologie se range parmi les disciplines empiriques. » On fait de la phonologie en étudiant p. ex. la distribution de /a/ et de /ɑ/ (grasse/grâce, aller/hâler), chez tel ou tel locuteur français. On fait en revanche de la théorie phonologique, poursuit H. Pilch, en étudiant les notions de catégorie, de critère, et en les appliquant à n'importe quelle

1. On dit aussi *pertinent* (anglais *relevant*). Mais ce terme est plus général, puisqu'il signifie qu'un trait a une valeur fonctionnelle. Tout sert à quelque chose dans une langue, même la *redondance* : ce terme n'est pas du tout synonyme d'inutile, c'est un surplus d'information qui facilite la communication. Un trait pertinent peut avoir une fonction d'opposition ou une fonction d'identification (Buyssens).

2. H. Pilch, *La Théorie de la phonologie*, 7e C.I.S.P., Montréal, 1971.

langue. « La théorie de la phonologie utilise des notions qui dépassent la phonologie même, p. ex. condition suffisante, condition nécessaire, hypothèse... Il s'agit là de notions épistémologiques qu'utilisent toutes les disciplines scientifiques. La phonologie... ne saurait les définir elle-même. Les prétendus universaux du langage sont des structures phonologiques trouvées dans de nombreuses langues (ex. la structure syllabique consonne + voyelle). Dire que le phonème est universel, c'est une façon de parler pour dire qu'il est une unité que la phonologie a utilisée pour l'étude de beaucoup de langues. »

Avant de revenir plus en détail à l'analyse phonologique du français, nous allons aborder l'étude de la production, de la transmission et de la réception des sons, car la phonologie emprunte ses traits distinctifs à la phonétique physiologique et acoustique. Il faut aussi chercher comment noter les sons.

0.3. LES SYSTÈMES DE NOTATION PHONÉTIQUE

Plusieurs humanistes du XVIe siècle (par ex. le lyonnais Louis Meigret) furent bien près de faire triompher une notation phonétique du français. Au XVIIe et au XVIIIe siècle, il y eut aussi des tentatives intéressantes (p. ex. Vaudelin). Au XIXe siècle, les notations phonétiques n'étaient pas toutes alphabétiques. Celle de A. M. Bell (dès 1867) ne représentait que des combinaisons de traits :

S = palais libre; I = sonore;] = lèvres fermées, etc.

Les symboles qui désignent les sons sont bien compliqués, mais il est curieux de noter que la phonologie générative, cent ans après, manipule aussi plus volontiers les traits que les phonèmes. L'Anglais H. Sweet (dès 1877) a révisé le système de Bell en utilisant l'alphabet latin. Le Danois O. Jespersen (en 1912) notait la position des organes, les lieux d'articulation, etc. : [γ3gεı] est *yod*! Il vaut mieux que chaque son soit noté par un seul signe, toujours le même, que chaque signe n'ait qu'une seule valeur phonétique, et que ne soit noté que ce qui est réellement prononcé.

Dès les premières tentatives, s'imposa l'idée d'un nombre restreint d'unités en opposition. Les paramètres établis par les phonéticiens « classiques » (Passy, Sweet, Sievers...) impliquent non seulement le caractère discontinu (= discret, en termes mathématiques), mais aussi l'idée d'une description en termes binaires (sourd/sonore, etc.). La description était articulatoire et cependant on partait de l'audition et de la structure des grandes langues européennes. On croyait à tort que ces systèmes symbolisaient toutes les possibilités phonatoires.

C'est le Français P. Passy (dès 1886) qui est l'auteur de l'alphabet de l'Association phonétique internationale (A.p.i.). Une commission le révise et le met constamment à jour, mais ses grandes lignes restent les mêmes. Créé pour l'enseignement, il est à base *fonctionnelle* dès ses origines. Il use des signes grecs, latins ou germaniques, minuscules ou majuscules, renversés ou non, qui existent dans les casses des imprimeurs. On y joint, mais moins que dans les autres alphabets, des signes diacritiques (points, crochets, tildes [~], cercles) en dessous, au-dessus ou à côté des lettres. Les signes sont tous séparés, d'où une certaine lenteur de notation.

Aux « classiques » ci-dessus, s'opposaient les « instrumentalistes » et les dialectologues. Nos actuels Atlas linguistiques régionaux utilisent encore l'alphabet de l'abbé Rousselot (1887-1890) adapté par Gilliéron (en 1902), puis par Dauzat (1941-1952), enfin par Straka (1956), et dit « système français ». Il a pour base notre alphabet, s'écrit cursivement et convient bien pour la représentation des parlers français, à condition d'user beaucoup des signes diacritiques[1].

Le système dit « des romanistes », créé par l'Allemand Boehmer, a été utilisé par des comparatistes (Meyer-Lübke dès 1890), et dans les manuels de E. Bourciez et en partie de P. Fouché. Il est commode pour une étude historique du français.

Mais l'emploi de l'alphabet de l'A.p.i. gagne du terrain, car c'est une sorte d'espéranto : on n'en utilise pas d'autre dans les Congrès internationaux de linguistique et de phonétique. Noter du français comme on note de l'anglais ou du japonais, c'est faciliter la pédagogie des langues et contribuer au rayonnement de notre langue hors de ses frontières. Appliqué au français, il présente quelques signes qui prêtent à confusion (y et j) et ne montre pas l'unité qui existe dans une même série ou un même ordre. Certains de ses diacritiques peuvent difficilement se combiner. Mais, d'autre part, ce système *dissocie* mieux sons et graphies, ce qui présente un avantage pédagogique. Il n'use pas de signes diacritiques ambigus : l'alphabet « français » écrit á/à avec les mêmes accents que é/è, alors qu'il s'agit d'une tout autre opposition. Sous réserve de deux modifications, signalées ci-après, nous adoptons l'alphabet de l'A.p.i. Les signes utilisés dans cet ouvrage figurent donc dans la colonne de gauche du tableau comparatif suivant.

1. Pour une étude détaillée, voir J. Chaurand, *Introduction à la dialectologie française*.

VOYELLES

A.p.i.	Transcription **Rousselot**	Transcription **Boehmer**	Exemples
æ	å	e̜̜	anglais *cat*
a	à	a, a̜	*A*nne
ɑ	á	â, ạ	*â*ne
e	é	ẹ	f*ée*
ɛ	è	e̜	f*ai*t
i	i, í	i, ị	l*i*t
o	ó	ọ	s*o*t
ɔ	ò	o̜	s*o*tte
u	ꞌu, ꞌú	u, ụ	l*ou*p
y	u, ú	ü, ụ̈	*lu*
ø	œ̇	œ̣, ọ̈	p*eu*
œ	œ̀	œ̜, ö̜	p*eu*r
ə	œ̇, ė	ẹ̥, e	l*e* (article, en fr. mod.)
–	ė	ẹ̮, e	l*e* (article, en anc. fr.)
ɑ̃	ã	ã	l*en*t
ɔ̃	õ	õ	l*on*g
ɛ̃	ẽ	ẽ	l*in*
œ̃	œ̃	œ̃	l'*un*
–	e͚	–	m*ê*me (e demi-nasal)

I. — *Durée des voyelles :* signes complémentaires.

A. Voyelles longues : A.p.i. : deux points après la voyelle : « dors » [dɔ:R].
Transcription française et romaniste : un trait au-dessus de la voyelle [dȍr].

B. Voyelle « semi-longue » : A.p.i. : un point après la voyelle : « entends » [ɑ̃·tɑ̃].

C. Voyelle brève : dans les trois systèmes, le caractère très bref d'une voyelle peut se marquer par [˘] au-dessus de la voyelle : ă, ĕ, etc.

II. — *Timbre des voyelles :*

A. Voyelle ouverte : L'A.p.i. prévoit un crochet [̜] au-dessous de la voyelle pour noter une nuance d'ouverture : « série » [se̜'Ri].

B. Voyelle fermée : L'A.p.i. prévoit un point [.] au-dessous de la voyelle pour noter une nuance de fermeture : « poupée » [pu'pẹ].

Diphtongues : une ligature : a͜e. Si on veut indiquer l'élément le moins proéminent, on souscrit [̑] : [ɔu̯] est une diphtongue décroissante.

CONSONNES

A.p.i.	Transcription française	Transcription des romanistes	Exemples
p, t, k	p, t, k	p, t, k	*p*ou *t*out *c*ou
b, d, g	b, d, g	b, d, g	*b*out *d*oux *g*oût
m, n	m, n	m, n	*m*ou *n*ous
ɲ	n̮	n̮, ñ	a*gn*eau

A.p.i.	Transcription française	Transcription des romanistes	Exemples
ŋ	ṅ	ṅ, ŋ	parki*ng*
f, v	f, v	f, v	*f*ou *v*ous
φ, β	p̩ b̍	φ, β; p̩ b̍	constrictive bilabiale sourde (japonais *f*uji) et sonore (esp. ca*b*allo)
θ	ṣ	þ, ṭ	angl. *th*ing
ð	ẓ	δ, đ	angl. *th*at
s, z	s, z	s, z	ro*ss*e ro*s*e
ʃ, ʒ	ɛ, j	š, ž	*ch*ou *j*oue
j	y	y, j	yod (sonore) : *y*eux
ç	ç	x'	all. I*ch*-Laut
x	c	χ, x	constrictive vélaire sourde : all. *Ach*-Laut
ɣ	g	ɣ	constrictive vélaire sonore : g relâché : esp. lue*g*o
c, ɟ	t̯, d̯	tˇ; dˇ	occlusives palatales : *qu*ai *g*ai dans une prononciation dialectale
l	l	l	*l*oup
ʎ	l̯	l̯	« l » dit mouillé : it. fi*gl*io
ɫ	ɫ	ɫ	« l » dit vélaire angl. o*l*d
r	r	r[1]	« r » apical (= roulé)
R	ṙ	R	« r » dorsal
ʁ	–	–	« r » dévibré
w	w	w	*ou*i
ɥ	ẅ ·	ẅ	l*u*i
h	h	h	all. *H*aus
t͜s, d͜z	ŝ, ẑ	ts, dz	mi-occlusives alvéolaires : ital. a*z*ione, me*zz*o
t͜ʃ, d͜ʒ	ɛ̂, ĵ	tš, dž	mi-occlusives prépalatales : angl. *ch*urch, *j*am

Signes divers pour les consonnes

I. — *Palatalisation.*

A.p.i. : à chaque son correspond un signe différent : [cɛ] prononciation dialectale de « quai »; [ɟɛ] prononciation dialectale de « gai ».

Transcription française : le caractère palatal d'une consonne est indiqué par le signe [̯] placé sous la consonne : [k̯] dans « quatre » en parisien populaire. La palatalisation incomplète est indiquée par l'apostrophe ['] placée après la consonne : [t'] et [l'] dans « tiens » et « lion ».

II. — *Assourdissement.*

A.p.i. : il est noté par le cercle souscrit [̥] : « médecin » [mɛd̥'sɛ̃].

Transcription française : cette nuance est indiquée par le signe [̭] : « médecin » [meḓsẽ] (marquant que les cordes vocales sont écartées).

1. Bourciez intervertit fâcheusement les signes de [r] apical et de [R] dorsal.

III. — *Sonorisation.*

A.p.i. et transcription française : la sonorisation est indiquée par un petit v souscrit : « dit(es) donc » [dit̬dɔ̃].

IV. — *Accentuation.*

A.p.i. : l'accent se note par le signe ['] placé avant la syllabe accentuée : « il est arrivé » [iletaRi've]. L'accent d'*insistance* est noté par le signe [''] devant la syllabe qu'il affecte : « c'est insensé » [sɛ''tɛ̃sɑ̃'se].

Dans la transcription française, l'accent est marqué par [ˌ] placé *sous* la voyelle : « il est arrivé » [ilétarivé̩].

Les romanistes représentent généralement l'accent d'intensité par un accent aigu sur la voyelle : « il est arrivé » [ilẹtarivé].

Une opposition phonologique s'écrit par une barre / ou par un tilde ~.

L'astérisque initial * désigne, en transcription, un nom propre (puisque les majuscules ont parfois une valeur particulière dans l'A.p.i.) et en phonétique historique, une forme non attestée dans les textes. La barre verticale simple / indique une pause; la double barre sépare les groupes de souffle.

L'adaptation de l'A.p.i. au français pose deux problèmes. Voici les solutions que nous adoptons :

1° Le signe [ə] n'est pas adéquat pour représenter le *e* « sourd » de l'ancien français et du moyen français. Nous écrirons [e̥] = e *sourd* non labialisé et [ə] pour *e* « muet » (caduc) du français moderne.

2° La série des palatales [t, d, n, l / ţ, ḑ, ņ, ļ / c, ɟ, ɲ, λ] masque le parallélisme de la palatalisation. Nous substituons dans la partie historique [t̮, d̮] à [c, ɟ] et nous usons de l'apostrophe pour indiquer la mouillure.

Il suffit d'un petit nombre de séances pour pouvoir noter convenablement un texte en transcription « semi-phonologique », dite *large*. Plusieurs solutions sont généralement possibles. Transcrire c'est choisir. Mais une dictée en notation *étroite* demande un long apprentissage (boucle magnétique, sons de référence, etc.).

On se contentera d'interpréter le plus fidèlement possible ce qui est perçu, p. ex. dans médecin un [d] assourdi ou un [t], sans oublier que toute transcription est une interprétation.

PREMIÈRE PARTIE

LE PHONÉTISME DU FRANÇAIS CONTEMPORAIN

1.1. L'ÉMISSION

1.1.1. *Généralités*

Quand nous parlons, il se produit dans notre organisme tout un enchaînement de mouvements. Ce n'est pas seulement notre langue qui agit! Nous comprenons mieux une interview télévisée qu'une interview radiophonique : les gestes accompagnateurs jouent un rôle important[1]. Mais considérons les trois étages physiologiques indispensables à toute production vocale.

1.1.1.1. La soufflerie sous-glottique : la respiration.

A cette étape, c'est une fourniture d'air, un soufflet qui intervient, grâce surtout à l'action complexe des muscles intercostaux. Une certaine quantité d'air s'échappe du réservoir constitué par les bronches, les vésicules pulmonaires et la trachée. En français, à part les cas exceptionnels (le « ah » de surprise), on ne parle que pendant *l'expiration*. Le terme traditionnel *h aspiré* est donc inexact; il faudrait dire « expiré » ou « soufflé ». Tant que dure la production orale, il est essentiel que soit maintenue une certaine pression de l'air sous-glottique. Le pouvoir élastique des tissus dilatés suffit à la maintenir constante durant cette phase. Il existe des sons indépendants de la respiration, les *clics*; en français ce ne sont pas des phonèmes comme dans plusieurs langues africaines : ils ne fonctionnent que comme des signaux, ou comme des sortes d'interjections (ex. : l'amateur de bon vin faisant clapper sa langue).

1.1.1.2. La source sonore glottique : la phonation.

Ou bien cette colonne d'air est arrêtée, ou bien elle est freinée, ou bien elle traverse, en bouffées tourbillonnantes, l'étroit passage (appelé

1. Cf. A. J. Greimas, *Pratiques et langages gestuels*, 1968.

glotte) constitué par les cordes vocales inférieures, sorte de vibrateur. Le son laryngien est une série d'impulsions, qui ne paraissent continues qu'à cause du faible pouvoir séparateur de l'oreille humaine. Des muscles « ajustent » le larynx et règlent en particulier le degré de tension des cordes vocales. On peut dire, en gros, que le larynx fonctionne comme un « oscillateur de relaxation » : il possède une source d'énergie, l'air issu des poumons (dit air phonateur) et un dispositif oscillant, les cordes vocales inférieures, qui ne possèdent pas de période propre (cf. 1.2.1.2.). C'est la conjonction de l'ensemble qui détermine la fréquence des vibrations.

1.1.1.3. Le pavillon supra-glottique : l'articulation.

En articulant, on constitue une série de résonateurs de forme et de volume très variés. Le canal vocal va de la glotte aux lèvres. L'air arrive au *pharynx* et dans la cavité buccale; des mouvements compliqués de la lèvre inférieure et surtout de la langue modifient la forme et le volume du canal vocal. Quand le voile est abaissé, il y a un résonateur supplémentaire, une cavité au-dessus du pharynx nasal, petite et tapissée de parois fermes, et un amortissement dans les fosses nasales. Si le passage reste ouvert, c'est une *voyelle*; si le passage se ferme complètement pendant quelques centisecondes, puis s'ouvre brusquement, c'est une *occlusive* (lat. *occlusum* « fermé »). Si le passage est resserré en un ou plusieurs endroits, c'est une *constrictive* (lat. *constrictum* « serré »). Contredisant le proverbe illustré par Musset, le phonéticien enseigne qu'une porte n'est pas seulement ouverte ou fermée, elle peut aussi être entrouverte. Ces mouvements qui déterminent les changements du canal vocal sont appelés *articulations*. C'est en quelque sorte le « moule » des sons.

L'épiglotte, languette cartilagineuse fixée à la partie supérieure du larynx, forme une sorte de soupape qui reste ouverte pendant la respiration, mais qui se ferme durant la déglutition, empêchant ainsi les aliments de pénétrer dans le larynx (ce qu'on appelle familièrement « avaler de travers » ou s'engouer). Quand l'épiglotte est relevée, le larynx communique avec le pharynx (sorte de carrefour : ce n'est pas un organe!).

1.1.1.4. Le jeu des cordes vocales.

La théorie dite « de la glotte ouverte » n'est sans doute pas très éloignée d'une réalité très complexe. On admet que la commissure interaryténoïdienne (fig. 1) entre les deux petites pyramides pivotantes (cartilages aryténoïdes) peut rester ouverte alors que la partie supérieure de la glotte vibre ou se ferme. Les cordes vocales sont plus épaisses pour les sons graves que pour les sons aigus.

1° La *sonorité* (terme auditif) produite par les vibrations des cordes vocales est le type le plus important, celui qu'on appelle la *voix* (terme

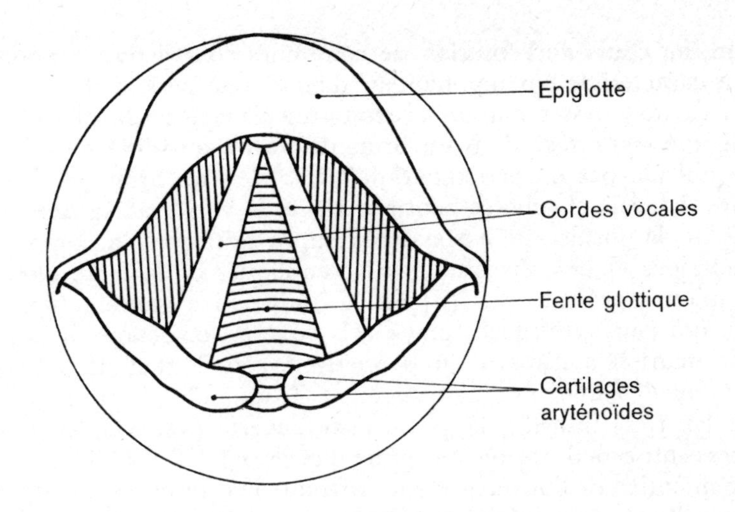

FIG. 1. — Image laryngoscopique
(cordes vocales vues de dessus) : respiration normale.

physiologique). Il y a alternance très rapide de la position d'écartement et de la position d'accolement, mais les bords ne restent pas raides : ils ondulent du haut en bas. C'est ce qui se passe pour les voyelles et les consonnes sonores : un son voisé est un son émis avec vibration des cordes vocales. On entend, quand on le prononce en se bouchant les oreilles, un bourdonnement régulier, alors que pour [s] ou [f], consonnes sourdes (non voisées), on n'entend que du bruit. On peut aussi sentir les vibrations glottales en appuyant légèrement le doigt sur la pomme

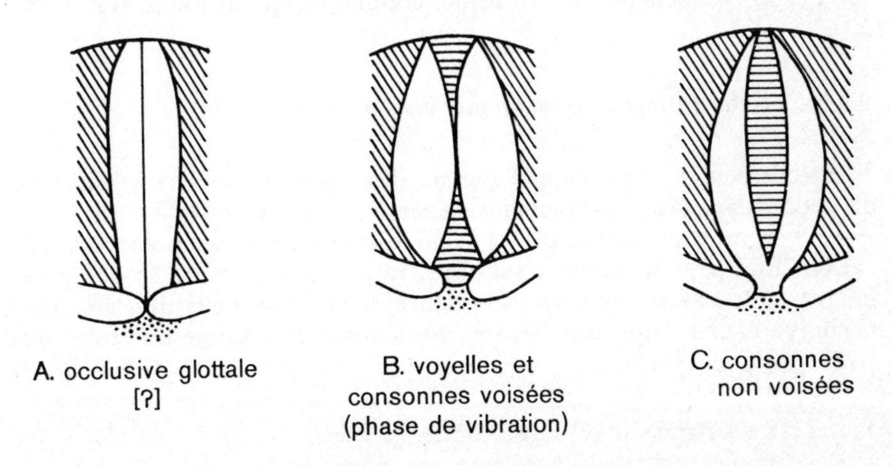

FIG. 2. — Schéma de trois positions des cordes vocales.

d'Adam, au cours de l'émission de consonnes constrictives sonores. La voix est caractérisée par une hauteur définie, une périodicité (fig. 2 B).

2° L'air doit passer par un endroit très resserré de la glotte : il se produit une *constriction*, d'où un bruit de *friction* qui diffère de la voix en ce qu'il n'a pas de périodicité définie : c'est un bruit relativement aléatoire. La voix chuchotée peut remplacer la voix grâce à des modifications de la forme des résonateurs supra-glottiques, accompagnant des occlusions et des rétrécissements compliqués de la fente glottique.

Ce qu'on représente par [h] est la constrictive glottale (fig. 2 C). Ce son, qui peut être sourd (glotte très ouverte) ou sonore, a existé en français, mais il a disparu du phonétisme actuel, sauf dans l'expressivité : « quelle *h*aine ! » et régionalement (Normandie, Lorraine).

Pour [p, t, k] français, la glotte reste ouverte (fig. 2 C) et se ferme quelques centisecondes après la rupture d'occlusion (cf. V.O.T., 1.2.3.3). C'est le maintien de l'ouverture qui provoque l'occlusive dite « aspirée », occasionnelle en français, p. ex. dans « un échec *t*otal » avec accent d'insistance [''t^hɔ'tal]. C'est ce qu'on appelle improprement un *t* « aspiré ». Le souffle peut aussi précéder une consonne initiale. En anc. francique, il existait p. ex. un [^{h}n] comme dans ^{h}*nap* « hanap », [^{h}r] comme dans ^{h}*rim* « frimas », etc. (cf. 1.2.6.2.).

3° On use parfois en français de *l'occlusive glottale*, notée [ʔ], p. ex. devant le [a] prononcé avec un accent d'insistance comme dans « *a*ttention ! ». Dans d'autres langues, cette consonne a la valeur fonctionnelle d'une démarcation (allemand : *eine ʔ Auto*; anglais : *co ʔ ordinate*) ou d'un phonème (une langue des îles Salomon oppose /ʔ abu/ « sacré » à /abu/ « flot »). Le *hamza* de l'arabe note l'occlusive glottale. Cette consonne est produite par un accolement brusque des cordes vocales, suivi d'un écartement aussi brusque, comme lorsqu'on tousse (fig. 2 A).

1.1.2. *Caractéristiques physiologiques des consonnes*

Introduisons ici la notion d'*aperture* (lat. *apertum* « ouvert ») distincte de celle d'ouverture (terme plus général) : c'est la distance minimale entre l'organe qui articule et le lieu d'articulation au point d'application. Elle peut se calculer sur films radiologiques, entre le dos de la langue et le palais, l'incisive supérieure et la lèvre inférieure, etc. Une occlusive a une « aperture zéro », une constrictive a une aperture plus petite qu'une voyelle.

1.1.2.1. Au niveau supra-glottique.

Des organes articulatoires obstruent partiellement ou totalement le canal vocal et en modifient la forme; l'un de ces organes au moins

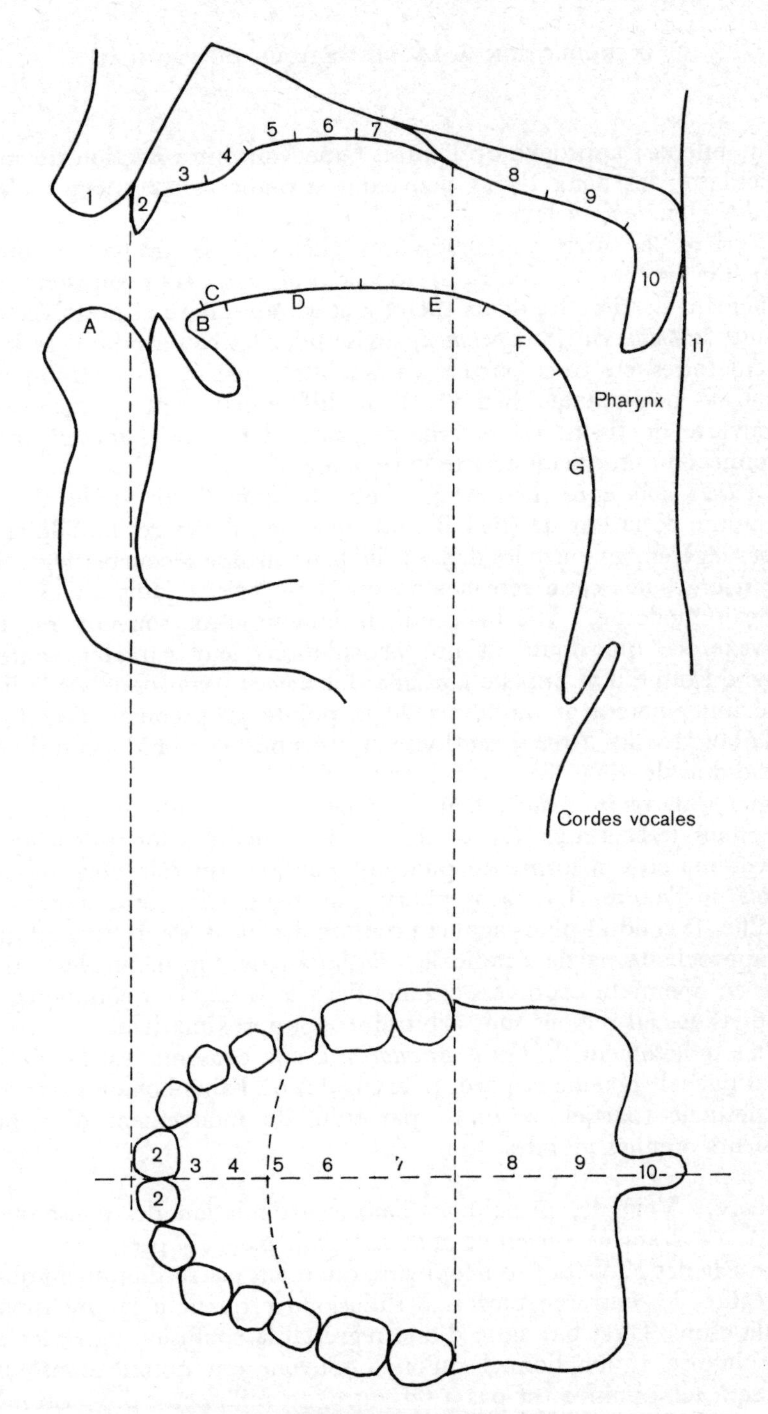

Fig. 3. — Coupe sagittale et coupe horizontale indiquant les lieux d'articulation.

est mobile et s'approche de l'autre. Grâce surtout à l'action du muscle orbiculaire, les deux lèvres peuvent s'arrondir et s'avancer : c'est la *labialité* (lat. *labia* « lèvres », lieu A et 1).

Derrière les incisives supérieures (lieu 2), se trouve ce que les phonéticiens (non les dentistes) appellent *alvéoles* : elles consistent en un renflement derrière les dents (lieux 3 et 4 : alvéolaire et postalvéolaire). Ensuite le *palais dur* (lat. *palatum*) divisé pour les besoins des descriptions articulatoires en trois parties (pré-palatal, lieu 5 — médio-palatal, lieu 6 — post-palatal, lieu 7). Tout différent de cette plaque osseuse recouverte de tissus, est le *voile du palais* (lat. *velum*), muscle mobile, déconnectant en quelque sorte le résonateur.

La *lèvre* inférieure (lieu A) joue un rôle dans l'articulation de [f, v]. La pointe de la langue (lieu B : lat. *apex*, *apicis*) est très mobile et peut passer légèrement entre les dents : elle peut aussi se recourber légèrement en arrière, mais cette rétroflexion qui a pu exister jadis est exclue du français moderne : vue de profil, la langue garde souvent une forme convexe, ce qui donne à nos articulations leur caractère antérieur caractéristique. On appelle *coronaire* (lat. *corona* « couronne »), le lieu C situé immédiatement au-dessus de la pointe proprement dite. Le dos de la langue (lat. *dorsum*) est divisé en trois parties : prédorsale (lieu D), médio-dorsale (lieu E), post-dorsale (lieu F). Enfin, la racine de la langue (lat. *radix*, *radicis*, lieu G) joue un rôle dans les articulations profondes, tels certains [R] parisiens : par la modification qu'elle apporte au volume et à la forme du pharynx, elle joue un rôle plus important qu'on ne l'a cru. La paroi pharyngale peut, elle aussi, agrandir ou modifier le conduit pharyngal et produire des bruits de frottement quand se rapproche la partie « radicale » de la langue. On définit les articulations en nommant ces divers organes deux à deux. C'est commode, mais ces divisions en régions sont arbitraires et approximatives.

Plus précisément, le *lieu d'articulation* d'une consonne est l'endroit du canal buccal (bouche et paroi pharyngale) où l'air phonateur rencontre un obstacle (partiel ou total) par suite du mouvement d'un ou de plusieurs organes mobiles.

1.1.2.2. Voici les principaux lieux d'articulation des consonnes du français ancien et moderne (voir page ci-après).

Le zèle des phonéticiens néophytes, qui n'ont pas suffisamment observé la réalité, les entraîne parfois à s'illusionner quant à la précision des localisations. C'est par suite d'une regrettable confusion entre les plans articulatoire et fonctionnel qu'on a souvent cru qu'une consonne se réalise à tel « point », et pas à tel autre, au millimètre près. En fait, ce qui compte, ce n'est pas un endroit déterminé une fois pour toutes, mais le *rapport* entre des zones où chaque type peut évoluer. On ne décrit la réalité concrète que *par référence* à des tranches arbitrairement

partie inférieure	partie supérieure	dénomination	exemples
A	1	bilabial	p b m
A	2	labio-dental	f v
B ou C	3 ou 4	apico-alvéolaire	t d n l r s z
D	5	dorso- ou pré-palatal	ʃ ʒ
D E	5, 6, 7	dorso-palatal	k g ɲ j
D E ou F	8 ou 9	dorso-vélaire	k g ŋ
F ou G	10 ou 11	radico-uvulaire	R ʁ

découpées et à des variantes considérées conventionnellement comme « exemplaires ». En phonologie, on peut dire « point » d'articulation, mais en sachant bien que ce n'est qu'une façon arbitraire de désigner un trait distinctif.

On utilise aujourd'hui pour les études articulatoires des films cinématographiques aux rayons X (la tête étant de profil) de phrases dites naturellement, tournés à 50 images-seconde. Leur complément indispensable, c'est la *palatographie*, p. ex. par photo du palais reflétée sur un miroir après une articulation qui laisse une trace (enduit colorant sur la langue) (fig. 4). Les zones touchées par la langue sont hachurées. La première technique fournit une coupe sagittale[1], la seconde une coupe horizontale. On n'oubliera pas que la langue se creuse et qu'un profil renseigne insuffisamment sur les lieux articulatoires et sur les cavités correspondantes. Lorsqu'on commença d'étudier les sons par la palatographie et la radiographie, on a cru qu'il existait des *positions types* où la langue s'arrêtait, des tenues articulatoires. P. Menzerath et A. de Lacerda (vers 1933) ont été trop loin en assurant que « tout bouge constamment ». Il y a certes enchaînement, mais il semble qu'au moins une partie de la langue reste *relativement* stable en français, en débit lent ou modéré, dans une zone déterminée. Mme P. Simon écrit (1967) : « Pendant les différentes réalisations articulatoires, nous n'avons pas observé de position d'arrêt au sens propre du mot : il n'y a ni fixité ni mobilité de l'ensemble des organes sus-glottiques durant la phase centrale — la tenue — d'une consonne ou d'une voyelle... Les organes restent en position uniquement à l'endroit du lieu d'articulation caractéristique..., mais en dehors de cet endroit précis, loin de rester figés, ils continuent à se mouvoir. »

1. Suivant un plan vertical de symétrie, du nez à la nuque.

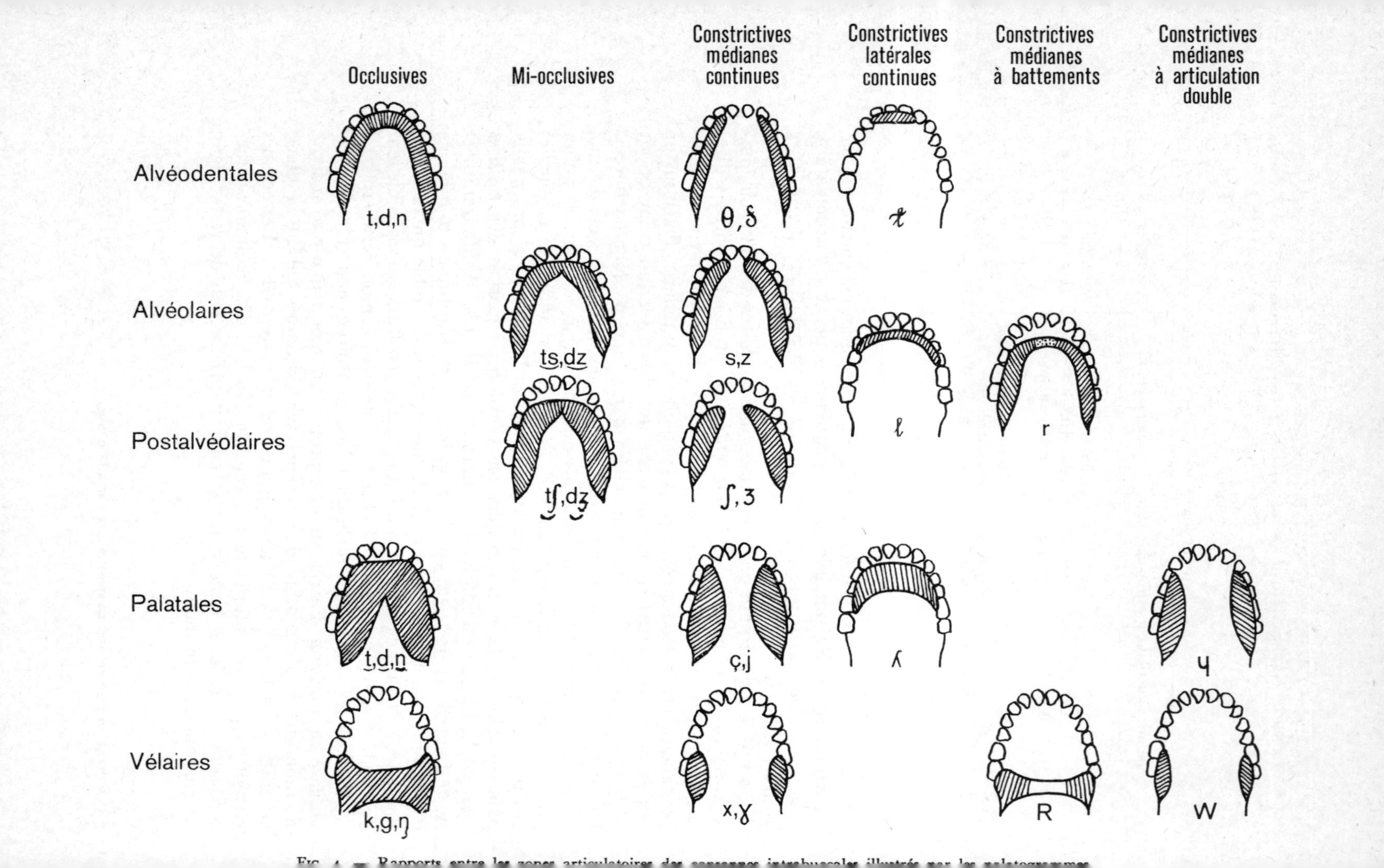

FIG. 4. — Rapports entre les zones articulatoires des consonnes intrabuccales illustrés par les palatogrammes

1.1.2.3. Voici quelques précisions sur les principaux sons consonantiques de l'ancien français et du moyen français, ou des parlers régionaux actuels. En allant d'avant en arrière :

1° [φ]. C'est la constrictive sourde obtenue par rapprochement des deux lèvres; [β] est la sonore correspondante. En espagnol, on trouve la sonore en position faible; c'est la constrictive correspondant à [b] en position forte. La graphie en est *b* (p. ex. dans ca*b*allo) ou *v*; dans l'évolution lat. *caballu* > cheval, b > β (2 lèvres) > v (lèvre inférieure sur dents supérieures), il y a recul partiel de l'articulation.

2° [θ] et [δ] sont les constrictives interdentales, dentales ou prévéolaires (même effet auditif), respectivement sourde et sonore. Le canal vocal est assez large, le bruit plus faible que pour [s] et [z]. L'ancien français possédait ces sons, qu'on trouve aujourd'hui en anglais *(thick, thus)*, en espagnol *(placer, cada)* ou en grec moderne ([a'θinε] « Athènes »), etc.

3° [x] et [γ] sont des constrictives dorso-vélaires au lieu d'articulation particulièrement variable, correspondant en principe respectivement à [k] et [g]. La première, qui est sourde, est appelée *ach-laut* en allemand *(Bach)*, *jota* en espagnol *(hijo)*. C'est également la réalisation d'un phonème en arabe, en russe, en grec moderne. C'est ce son qu'on entendait dans [fáxtu] « fait », issu du lat. *factu*, l'occlusive étant devenue constrictive. La seconde, dite parfois « g relâché », est la sonore correspondante. On la trouve par ex. en espagnol *(luego)* ou en allemand du Nord *(Bogen)* (fig. 5).

4° Citons enfin les *pharyngales*, à ne pas confondre avec les laryngales [ʔ, h] décrites au niveau de la phonation. C'est la racine de la langue qui produit le bruit caractéristique principal en se rapprochant de la paroi du pharynx. Fréquentes dans les langues sémitiques, elles sont rares en français. Souvent l'articulation de [x], de [γ] et de [R] est telle que la luette vibre ou que le voile ou la paroi pharyngale se contracte et se rapproche *aussi* de la racine de la langue. C'est ainsi qu'est réalisé le [R̥]ʿ pharyngal lillois (on entend même [fa̯it] pour *frite*), ou celui du Massif Central. Le [R] pharyngal lorrain est accompagné de battements uvulaires.

Si le débit s'accélère, on amorce l'articulation en déplaçant la langue et les lèvres vers la position attendue, mais on ne complète pas le mouvement et on passe au son suivant — ce qui n'empêche pas la parole d'être intelligible. La parole réelle ne réalise qu'une approximation des données articulatoires telles que nous les définissons.

Il ne faut pas confondre le classement de type physiologique avec l'inventaire des phonèmes que nous donnons plus loin. Les consonnes françaises peuvent être rangées selon leur force d'articulation (somme d'énergie totale selon Delattre; énergie musculaire selon Straka) :

— fortes : p, t, k
— demi-fortes : f, l
— moyennes : m, n, s, ʃ, b, d, g
— demi-douces : ɲ, j
— douces : r, z, v, ʒ.

Pour Straka, les nasales *m* et *n* sont plus faibles que les occlusives correspondantes, *b* et *d*, et l'énergie des palatales est supérieure à celle des non palatales.

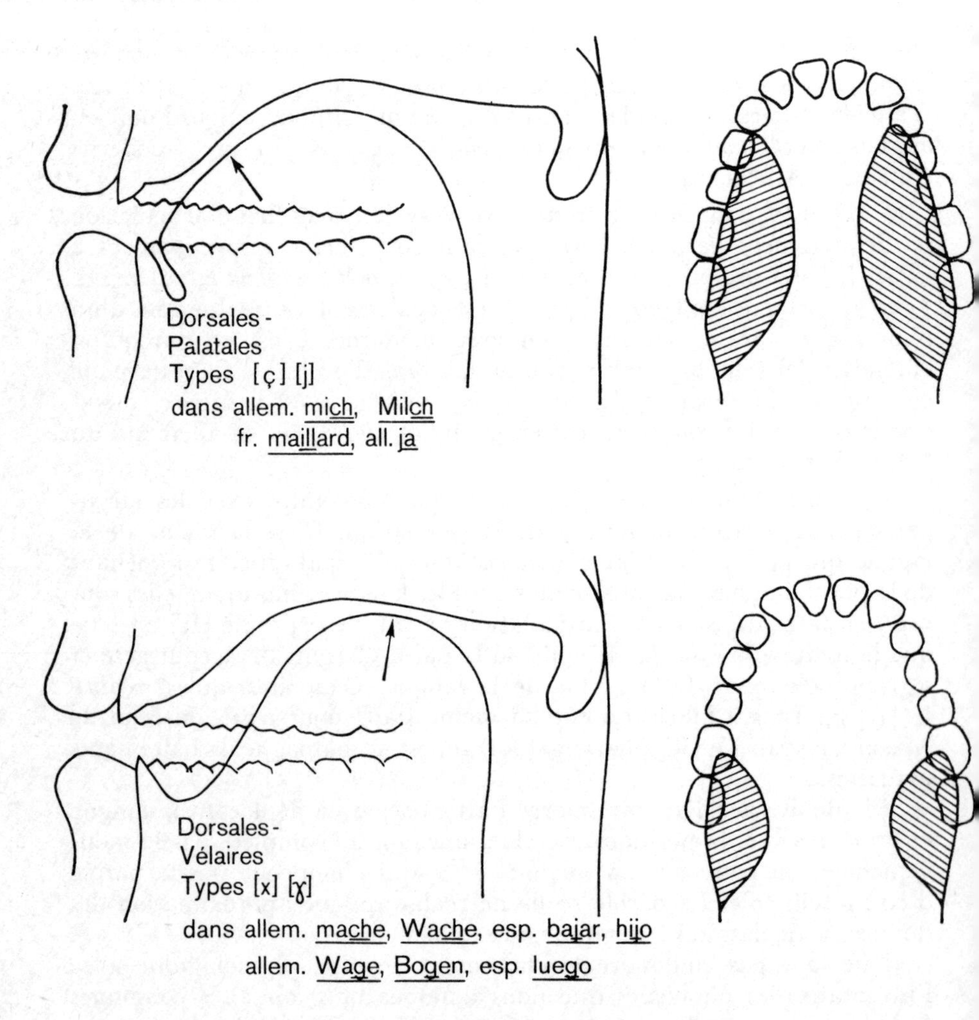

Fig. 5. — Types de constrictives palatales et vélaires.
(Straka, *Album phonétique*, pl. 30.)

1.1.2.4. Modes d'articulation.

Il faut considérer non seulement les lieux d'articulation mais aussi les modes d'articulation, c.-à-d. la façon dont s'opèrent les mouvements de l'appareil vocal.

Nous avons distingué des *occlusives* (fermeture complète mais momentanée suivie d'une explosion de l'air) et des *constrictives* (resserrement du canal buccal). Ces deux types articulatoires présentent une *mise en place* du barrage (tension), une *tenue* et une *détente*. Pour les constrictives, la première et la troisième phase sont des changements brusques d'aperture. Il est inexact de dire, avec Grammont, qu'une constrictive produit un bruit continu de tenue : ce n'est vrai que si l'on prolonge intentionnellement la consonne. La phase la plus importante pour la constrictive finale de syllabe, c'est la détente. Une constrictive sourde peut paraître aussi brève qu'une occlusive.

Il existe aussi une autre catégorie de consonnes, les *sonantes* (= résonantes). Elles se caractérisent encore par un obstacle, c'est pourquoi ce sont des constrictives; mais cet obstacle est faible, aisément franchissable, et le phénomène de résonance est plus important. La fonction principale de la bouche et des fosses nasales est alors d'amplifier certaines zones de fréquences à partir du son issu du larynx. Les sonantes, en français, sont normalement et le plus souvent sonores. Lorsqu'elles sont assourdies par assimilation, il se produit un frottement léger entre les cordes vocales partiellement resserrées. On range parfois les semi-consonnes parmi les sonantes.

1° *Nasales* (contraire : oral, lat. *os*, *oris*, « bouche »). Il y a occlusion dans la cavité buccale, à un lieu déterminé : les deux lèvres pour [m], la région dentale et alvéolaire pour [n], le palais dur pour [ɲ]. Le passage par le nez est seul ouvert. La cavité buccale momentanément sans issue forme résonateur en même temps que résonne aussi une petite cavité située au-dessus du voile du palais (naso-pharynx), dont les parois sont fermes et résonnent bien. Au contraire, les fosses nasales, à parois fibreuses, amortissent le son. L'ajustement du volume pharyngal joue aussi un rôle important.

Il existe une occlusive nasale correspondant à chacune des occlusives orales. La vélaire nasale correspond à [k, g] : la série [k, g, ŋ] est parallèle à la série [t, d, n]. Le son [ŋ], qui a existé en fr., p. ex. dans des emprunts germ. (**haring* > hareng), ne s'entend plus aujourd'hui que dans trois cas : 1° dans le Midi, en finale (*maintenant* [mɛ̃ntənɑ̃ŋ]); 2° comme réalisation de [g] nasalisé (*longu*(e) *minute* [lɔ̃ŋminyt]); 3° dans le suffixe *ing (bowling)* emprunté à l'anglais, et phonologiquement irréductible. Et encore bien des Français le prononcent, non à l'anglaise [iŋ], mais avec hypercorrection [iŋg] ou avec un [n] parfois palatalisé (comme *lign'*, *lin'*). Un commentateur de l'O.R.T.F. vantait récemment les qualités pugilistiques d'une « vedette d'urine »...

Du point de vue articulatoire, les voyelles et les consonnes nasales n'ont qu'un seul trait en commun : l'ouverture du couloir qui mène vers les fosses nasales; et encore cette ouverture se produit-elle différemment. Pour les consonnes nasales, le voile s'abaisse en forme d'arc, parallèlement à la courbe de la langue. Pour les voyelles nasales, il garde généralement sa forme en équerre en s'éloignant de la paroi pharyngale. La cavité derrière le barrage que constitue la langue est grande pour les consonnes, petite pour les voyelles. Pour les consonnes nasales, une seule issue, le nez; pour les voyelles nasales, une issue par la bouche et une par le nez.

2° Une autre famille de sonantes est celle des *vibrantes* (terme physiologique). Ce sont des « médianes » (contraire de « latérales ») caractérisées par des battements (= légères occlusions répétées) à un endroit quelconque du canal buccal. Dans certains patois français, des *r* différents peuvent avoir une valeur phonologique : en Haute-Loire, [ura] (*r* apical) « heure » s'oppose à [uRa] (*r* pharyngal) « marmite ».

Distinguons trois types, normalement sonores :

— [r] apical : battements de la pointe de la langue contre la région alvéolaire (« r dental » est un terme impropre). Il peut y avoir jusqu'à cinq battements, mais généralement il y en a deux ou trois. C'est ce que le langage courant appelle « r roulé » (ce terme, qui ne se réfère qu'à l'audition, évoque le roulement du tambour). Ce fut le *r* du latin, du grec, et du français jusqu'au XVIIIe siècle.

On utilise encore dans de nombreuses régions le *r* apico-alvéolaire (Pyrénées-Orientales, Bourgogne, Québec, Wallonie...). On le distingue parfois d'un *r* « coronaire » (lieu C), articulé avec « le tranchant de la pointe » vers la partie post-alvéolaire (lieu 4) (fig. 6).

— [R] dorsal : battements du voile du palais avec ou sans participation de la luette contre le dos de la langue. On l'appelle du terme peu clair de « grasseyé ». Dans certains cas, il est encore plus reculé, c'est un [R] pharyngal (racine et paroi pharyngale, qui peut vibrer).

— [ᴙ] : même lieu d'articulation que pour le précédent, mais sans battement; on l'appelle « r dévibré » : *pars* se dit [pa:R] ou [pa̜:ᴙ].

Observons que [R] s'assourdit généralement en finale après consonne sourde : *pourpre*, *sucre* [puRpR̥], [sykR̥], mais cela varie selon les individus.

3° Enfin, il faut considérer non seulement le lieu, mais aussi la forme du resserrement des constrictives et des sonantes; pour [l] le contact est au milieu, l'air passe par les deux côtés, de façon souvent dissymétrique : c'est une *latérale*. Pour [s, z], il y a resserrement médian. Les bords de la langue sont relevés, la langue n'est nullement plate. Elle n'est pas non plus partout convexe. En réalité, vue de face, elle apparaît creusée asymétriquement. Il faut donc toujours compléter la coupe sagittale (de profil) par la coupe horizontale du palais.

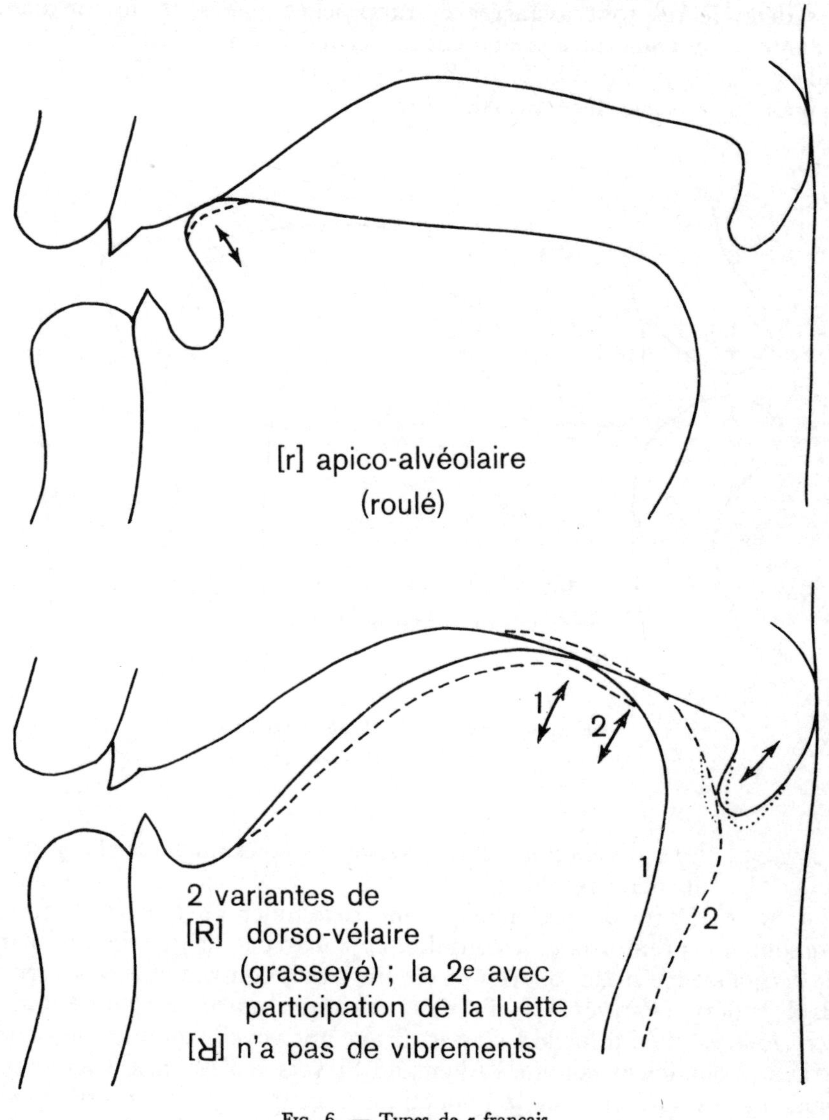

Fig. 6. — Types de *r* français.
(Straka, *Album phonétique*, pl. 33.)

Citons encore deux *constrictives palatales* :

[j] appelé *yod* (lettre hébraïque), [ç] qui n'en est pas toujours la correspondante sourde : *yeux* [jø], *pied* [pj̥e].

Deux constrictives sont à *articulation double* : [w] comme dans *oui* [wi] et [ɥ] comme dans *huit* [ɥit]. Outre l'articulation principale bilabiale (les deux lèvres sont avancées et rapprochées, ce sont des médianes sonantes), ces consonnes présentent un second resserrement moins étroit, qui change passablement le timbre : pour [w] *en arrière*, face au voile, et pour [ɥ] *en avant*, face au palais (fig. 7).

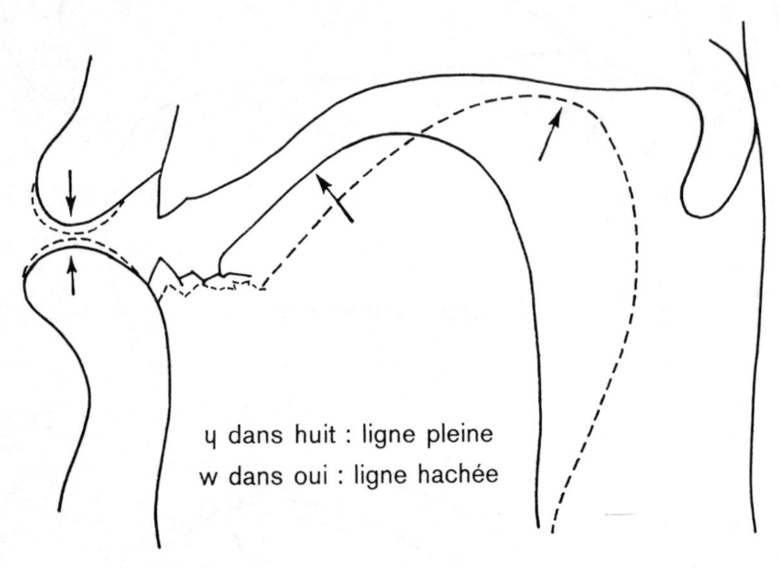

FIG. 7. — Constrictives à double articulation.
(Straka, *Album phonétique*, pl. 32.)

1.1.2.5. Une distinction entre voyelles et consonnes est-elle justifiée au plan physiologique ?

« Si je m'attarde seulement à me demander ce que c'est qu'une consonne, je m'interroge; je consulte; et je ne recueille que des semblants de connaissance nette, distribuée en vingt avis contradictoires » écrivait Paul Valéry (*Variété* III). Et c'est vrai que notre [m:] d'hésitation, écrit *hum*, est bien difficile à classer. Est-ce une voyelle ou une consonne ?

Des phonéticiens comme l'Allemand Sievers et l'Anglais Sweet enseignaient, dès les débuts de la phonétique classique, que la frontière entre voyelles et consonnes ne peut être tracée avec une absolue précision. Il y a des sons qui peuvent appartenir à l'une ou à l'autre de ces catégories, des sons « chauves-souris » en quelque sorte. Ainsi, en principe, la voyelle [i] a une aperture plus petite que [j]. C'est vrai pour le *i* de *petite* par rapport au yod de *paye* [pɛj], mais c'est faux pour le *i* long de *vive* où la langue est toujours plus haute que pour le [j] de *travailla*. D'où la question : existe-t-il une catégorie physiologiquement intermédiaire entre les voyelles et les consonnes ?

Non, répond G. Straka[1] : quand l'énergie articulatoire est renforcée, les *voyelles* tendent à *s'ouvrir* (car elles font appel surtout aux muscles abaisseurs), alors que les *consonnes* tendent à *se fermer* (muscles surtout élévateurs). Inversement, quand l'énergie articulatoire s'affaiblit, les voyelles se ferment et les consonnes s'ouvrent davantage. Ce comportement différent ne laisse pas de place à des sons intermédiaires. On pourrait peut-être perfectionner cette intéressante théorie en cherchant si le débit d'air varie par rapport à la forme du canal buccal. Il faut aussi poser la question en termes phonologiques (1.3.2.).

1.1.2.6. Les mi-occlusives.

Ce nom fut donné par Rousselot aux consonnes qu'on entend dans l'allemand *Zeit*, *Pferd*, dans l'espagnol *ocho*, etc. Le terme auditif correspondant est *affriquée* (lat. *ad-fricatae* : fricatives accolées à quelque chose). Il en existe toute une série, mais quatre seulement intéressent le français :
sourdes [t͡s, t͡ʃ] (lieu articulatoire n° 3)
sonores [d͡z, d͡ʒ] (lieu articulatoire n° 4).

Elles se notent avec une ligature ou par deux signes rapprochés. On les trouve dans des mots d'emprunt *(tsar, tchèque, dzêta, jazz, jeans)*. En anc. fr., ces consonnes ne sont pas primaires, mais proviennent des occlusives : cḗra > [tsirẹ̥] > cire. Passy, Grammont, et implicitement Gilliéron, ont considéré ces sons comme des groupes combinés (= non séparés par la coupe syllabique) qu'on peut résoudre en deux sons consécutifs : une occlusive et une constrictive : *t* + *s*, *d* + *z*... Ils les ont transcrits à l'aide de deux signes. D'autres, plus nombreux (Rousselot, Roudet, Hála, Dauzat, Straka), ont soutenu avec raison qu'il s'agit de consonnes uniques et non de deux consonnes, et ils les ont notées par un seul signe surmonté d'un signe diacritique (ŝ, ẑ,...) puisque les deux phases successives, occlusion et constriction, sont homorganiques (c.-à-d. utilisant les mêmes organes pour les deux phases). Alors que dans *patt(e) chaude*, il y a deux lieux d'articulation différents, dans *tchèque* ou dans la consonne initiale de *cheval* telle qu'on la prononçait au XIIe siècle, le lieu articulatoire est commun pour les deux phases (fig. 8).

Celui de l'élément [t] est d'ailleurs plus reculé que pour la consonne [t]. Les palatogrammes sont instructifs; la mi-occlusive [t͡s] ne laisse pas la même trace que le groupe *t* + *s* de *patt(e) sale* : la langue touche les incisives supérieures dans le deuxième cas, pas dans le premier. Les mi-occlusives de l'anc. fr. étaient de ces consonnes pour lesquelles la mise en place est occlusive et la fin constrictive, les mêmes organes agissant au même endroit. L'occlusion est faible, le canal de constriction est très étroit. La rupture de l'occlusion pour le [*t*] de *tchèque* n'est pas brusque

1. *La division des sons du langage en voyelles et consonnes peut-elle être justifiée*, T.L.L., n° 1, 1963, pp. 17-99.

ni momentanée, mais progressive et continue. C'est ce passage graduel qui constitue la tenue de l'articulation. Si on passe une bande magnétique à l'envers pour un mot comme l'espagnol *ocho* ['ɔt͜ʃɔ] « huit », on entend

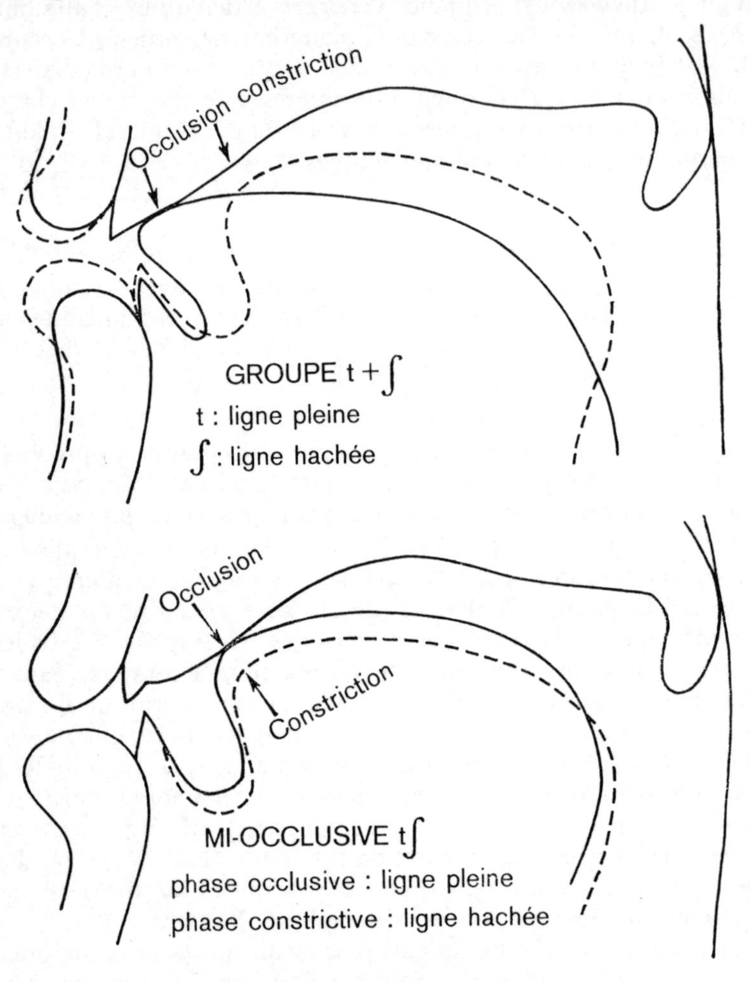

FIG. 8. — Articulation de mi-occlusive.
(Straka, *Album phonétique*, pl. 38.)

certes [ɔʃtɔ]; mais cette méthode auditive ne renseigne pas sur la vitesse du changement, ni sur les lieux d'articulation, ni sur les organes qui agissent. Dauzat a montré que dans la conscience linguistique des patoisants auvergnats, [t͜s] ne constitue qu'une seule unité : ils protestent contre la transcription par deux signes; ils prononcent [təsar] le fr. *tsar*. Les observations physiologiques ne préjugent nullement de l'interprétation phonologique, nécessairement variable selon les langues, et qui fait appel à une analyse d'un type différent.

1.1.2.7. Articulations consonantiques du français.

Voici un tableau de toutes les articulations consonantiques qui existent ou qui ont existé en français.

Modes articulatoires / Lieux articulatoires (d'avant en arrière)	Occlusives et Mi-occlusives		Sonantes			Constrictives		
	sourdes	sonores	nasales (sonores)	latérales	vibrantes	sourdes	sonores	articulation double
Bi-labiales	p	b	m			ɸ	β	ɥ w
Labio-dentales						f	v	
Post ou Inter-dentales						θ	ð	
Dentales et Alvéo-dentales	t	d	n					
Alvéolaires	t͜s	d͜z		l	r	s	z	
Post-alvéolaires	t͜ʃ	d͜ʒ				ʃ	ʒ	
Pré-palatales								
Médio-palatales	t̯	d̯	ɲ	ʎ		ç	j	(ɥ)
Post-palatales	K̯ (+ i)	g̯ (+ i)						
Pré-vélaires	K (+ a)	g (+ a)	ŋ			x	ɣ	(w)
Post-vélaires	K (+ u)	g (+ u)						
Uvulaires					R ʁ			
Pharyngales								
Laryngales	ʔ					h		

1.1.3. *Caractéristiques physiologiques des voyelles*

Les voyelles ont une formation analogue à celle des sonantes médianes (1.1.2.4.), mais l'obstacle est si réduit, il y a si peu de resserrement qu'on n'entend aucun bruit de frottement; c'est la résonance qui compte.

Les descriptions de la phonétique traditionnelle se fondaient sur une connaissance *approximative* des lieux d'articulation dans la cavité buccale. Les moyens d'investigation modernes, en particulier les films radiologiques, ont permis des observations bien plus précises, jusqu'aux régions pharyngales du canal vocal. Naguère, on disait fermée une voyelle que caractérisait une courte distance langue-palais. Aujourd'hui nous savons, en observant la *totalité* du canal vocal, que ce qui est fermé à un bout est ouvert à l'autre bout! Ainsi pour [i] la langue va vers l'avant et vers le haut, mais le pharynx s'élargit. Inversement, par rapport au pharynx, le [a] est une voyelle fermée. Les mots « fermé », « ouvert » sont commodes mais ne sont vrais que pour la cavité buccale. Cette réserve faite, nous continuerons pourtant à les utiliser pour classer les voyelles, par référence à l'aperture (cf. 1.1.2.). Certaines autres questions restent à étudier, p. ex. celle de la tension articulatoire : l'électromyographie (potentiels d'action musculaire) ne devrait pas tarder à nous renseigner à ce sujet.

Du point de vue articulatoire, les voyelles françaises sont orales ou nasales. Pour les voyelles *orales*, le voile du palais se relève, fermant ainsi par-derrière l'entrée des fosses nasales; c'est une occlusion nasale ou vélo-pharyngale. L'air phonateur passe donc uniquement par la cavité orale (lat. *os*, *oris* « bouche »), où se fait l'articulation.

Pour les voyelles nasales, le voile du palais s'abaisse. Il ne descend toutefois pas entièrement jusqu'à toucher le dos de la langue postérieure. Cet abaissement complet du voile ne se produit que pendant la respiration libre. Pour les articulations dites nasales, le voile se maintient à mi-chemin, entre la langue postérieure et la paroi du pharynx, et l'air phonateur passe *simultanément* par les fosses nasales et par la cavité buccale. Les voyelles nasales ne sont donc pas uniquement des articulations nasales : il faudrait les nommer oralo-nasales. En fait, elles s'articulent comme les voyelles orales, dans la cavité de la bouche, et cette articulation est accompagnée d'une résonance nasale qui ne varie guère; c'est l'articulation orale qui change d'une voyelle nasale à l'autre.

1.1.3.1. Voyelles orales.

G. Straka[1] classe les voyelles du français :

— d'après l'aperture (distance entre la langue et la voûte palatine à l'endroit où le canal buccal est le plus étroit) : voyelles de petite aperture (aperture minimale), d'aperture moyenne et de grande aperture (aperture maximale);

— d'après la partie de la langue qui entre en jeu et la partie de la

1. Système des voyelles du français moderne, *B.F.S.L.*, 1950, n° 5, pp. 220-233.

cavité buccale où la langue articule (lieu d'articulation) : les voyelles antérieures ou palatales, et postérieures ou vélaires;

— d'après la participation des lèvres : les voyelles non labiales et les voyelles labiales.

Seules les voyelles à petite aperture ne connaissent qu'un timbre : elles sont toujours fermées. Les autres voyelles apparaissent toutes avec deux timbres bien distincts : elles sont soit fermées, soit ouvertes.

1.1.3.2. Lieux d'articulation.

Les voyelles [i, e, ɛ, a, y, ø et œ] sont articulées à l'aide de la langue antérieure. En passant de [i] à [a] ainsi que de [y] à [œ], elle s'abaisse progressivement (l'aperture augmente); simultanément, elle recule d'avant en arrière.

Pour [ɑ, ɔ, o, u] c'est au contraire la partie postérieure de la langue qui articule. De [ɑ] à [ɔ], son dos, tout en se soulevant vers la voûte palatine, continue à reculer. Pour [u], il est le plus haut, mais par rapport à [o], il se porte plus en avant.

Les voyelles articulées à l'aide de la langue antérieure se forment dans la partie antérieure de la cavité buccale, au-dessous du palais dur : [i] le plus en avant, [e] plus en arrière, et ainsi de suite jusqu'à [a] dernière voyelle articulée encore sous le palais dur.

Celles qui s'articulent à l'aide de la langue postérieure ont leurs lieux d'articulation en arrière de la cavité buccale, sous le voile du palais : de toutes les voyelles de cette série, [ɑ] tout en étant déjà articulée sous le voile du palais se trouve le plus en avant, puis vient [ɔ] puis [u] et enfin le plus en arrière [o].

En combinant les deux critères, l'aperture et le lieu d'articulation, on dispose d'habitude les voyelles en triangle : ce schéma porte le nom de Hellwag qui, le premier, a eu l'idée de classer ainsi les voyelles allemandes (en 1781). L'onomatopée française du cri du chat utilise successivement les trois voyelles les plus extrêmes de ce triangle, qui sont les seules à exister dans toutes les langues

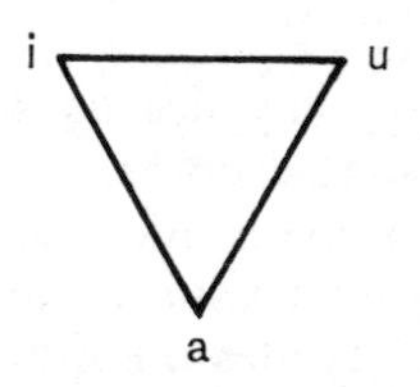

Mais si l'on prend réellement en considération, pour chaque voyelle française, sur les profils de la langue obtenus par la radiographie, le point de la langue le plus rapproché de la voûte palatine (l'endroit où le passage est le plus rétréci), on n'obtient pas, en réunissant ces points, un triangle, mais un trapézoïde.

On appelle parfois le [ɑ] de *mâle* « fermé » et le [a] de *mal* « ouvert ». Cette terminologie se fonde sur l'ouverture des lèvres, plus facile à observer que l'aperture. En effet, l'ouverture labiale est pour [ɑ] plus rétrécie dans les deux sens, horizontal et labial, que pour [a][1]. Toutefois, pour éviter un malentendu, il est préférable de dire [a] antérieur pour *mal* et [ɑ] postérieur pour *mâle*. Entre [a] et [ɑ] il y a moins une opposition d'aperture, comparable à celle qui existe entre [e] et [ɛ], qu'une différence de lieu d'articulation.

1.1.3.3. Participation des lèvres.

Les lèvres participent à la production des voyelles de deux façons :

— pour la série d'avant, les commissures labiales s'écartent de plus en plus de [ɛ] à [i]; cet écartement progressif se produit simultanément avec un rapprochement des lèvres dans le sens vertical; il y a une participation active des commissures labiales.

Dans la plupart des autres langues, au fur et à mesure que l'on passe de [a] à [i], les lèvres, suivant d'une manière passive les mouvements de la mâchoire inférieure, se referment au contraire dans les deux sens, vertical et horizontal, et les commissures ne participent pas à l'articulation ;

— pour la série d'arrière, les commissures se rapprochent et ce mouvement est accompagné d'une projection des lèvres en avant et de leur arrondissement. Les deux mouvements, projection et arrondissement, ne jouent généralement pas pour [a] isolé qui peut être légèrement labialisé; [ɑ] isolé peut l'être davantage. La participation des lèvres, particulièrement actives en français, s'appelle *labialisation*. Nos voyelles vélaires sont en même temps labiales et arrondies.

En plus de ces deux séries de voyelles d'avant et d'arrière, le français possède une série de voyelles palatales labialisées : [y, ø, œ]. Celles-ci sont parfois dites « composées » parce que deux mouvements articulatoires essentiels, mais rarement réunis, se produisent simultanément : pour [y, ø, œ] la langue articule à peu près [i, e, ɛ] et les lèvres articulent à peu près [u, o, ɔ][2].

1.1.3.4. Voyelles nasales.

On peut distinguer quatre voyelles nasales : [ẽ] *(pain)*, [ɑ̃] *(pan)*, [ɔ̃] *(pont)*, [œ̃] *(un)*. Elles sont « pures », c.-à-d. non diphtonguées ou suivies d'un appendice consonantique nasal comme en portugais et en polonais, qui sont, avec le breton et le français, les seules langues européennes possédant des voyelles nasales.

[ɛ̃] et [œ̃] sont articulées vers l'avant, [ɑ̃] et [ɔ̃] vers l'arrière; [œ̃] et [ɔ̃] sont de plus labialisées.

---

1. Cf. Rousselot et Laclotte, *Précis de prononciation française*, 3e éd., 1927, p. 39.

2. Ces indications sont schématiques. En réalité, les voyelles d'avant labiales sont sensiblement plus ouvertes que celles auxquelles elles correspondent; de plus la langue se retire légèrement en arrière.

La similitude des symboles ne doit pas faire penser qu'à la base de [ɛ̃, œ̃, ɔ̃] se trouvent les voyelles orales ouvertes [ɛ, œ, ɔ], et à la base de [ɑ̃] la voyelle orale postérieure [ɑ]. Le [ɛ̃] est un [ɛ] très ouvert; son « substrat oral » (la voyelle non nasale correspondante) est une voyelle [æ] qui n'apparaît que comme variante phonostylistique en parisien populaire, intermédiaire entre [a] et [ɛ] (« et *a*lors! »). [œ̃]

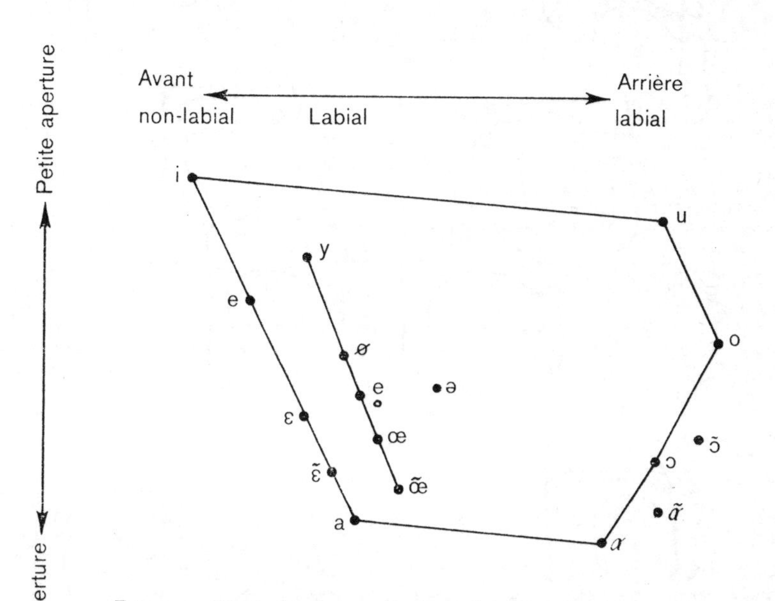

Fig. 9. — Trapézoïde des voyelles françaises. Certains signes A.P.I. sont inadéquats. Le e retourné n'est pas neutre en fr., mais labial, alors que le e « sourd » de l'anc. fr. était sans doute une sorte de é plus central. Il faudrait donc intervertir ces signes.

est beaucoup plus ouvert que [œ], la langue s'abaissant pour ces deux nasales presque autant que pour [a]. Pour [ɑ̃], la langue se retire plus en arrière que pour [ɑ] de *pâte*, comme pour [ɔ] et, par un mouvement de bascule, la pointe s'abaisse.

Pour [ɔ̃] la cavité buccale est proche de celle de [o] mais la cavité pharyngale est à peu près la même que pour [ɔ].

L'abaissement du voile s'accompagne d'un déplacement des deux piliers postérieurs du voile vers une ligne médiane. Le son passant à travers tissus et cartilages, on peut fort bien opposer *chasse* et *chance* en se bouchant les narines : le [ɑ̃] ainsi produit n'est pas très différent du [ɑ̃] ordinaire. Le facteur principal de nos nasales n'est pas le flux d'air nasal, mais les volumes de résonance qui dépendent des positions articulatoires.

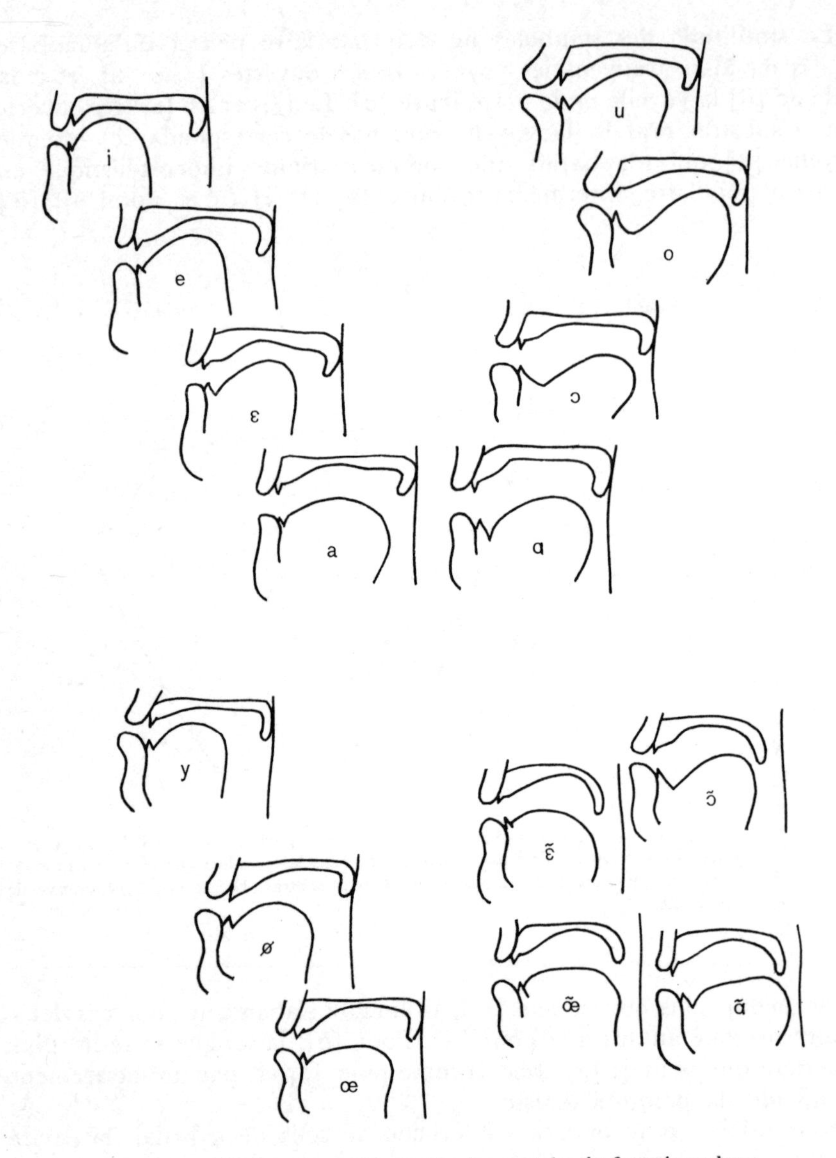

Fig. 10. — Radiogrammes des voyelles inaccentuées du français moderne (d'après G. Straka et C. Brichler).

Au contraire, une voyelle *nasalisée*, p. ex. le [ɛ̃] de *Germaine* prononcé avec l'accent belge par Jacques Brel, ne comporte qu'un léger abaissement du voile. C'est une variante combinatoire. La prononciation méridionale [ʃɑ̃ntə] *chante* est un archaïsme qui remonte à l'époque où un appendice consonantique homorganique suivait une voyelle qui n'était que légèrement nasalisée.

1.1.3.5. Articulations vocaliques du français.

Voici un tableau de la classification articulatoire de nos voyelles (fig. 9). Le seul fait de poser un son près de l'un des points du trapézoïde permet ensuite de formuler une définition articulatoire (non phonologique!) assez précise et assez complète. Il faut s'imaginer voir comme en filigrane dans ce tableau le profil d'un visage humain, toujours tourné vers la gauche, par convention. On comprendra mieux la double opposition fondamentale antérieure/postérieure (de gauche à droite), petite/grande aperture (horizontalement et verticalement).

L'observation de radiogrammes montre que la position relative des voyelles françaises sur un trapézoïde physiologique n'est qu'une approximation, car il est bien périlleux parfois de déterminer où il faut mesurer l'aperture (fig. 10) : par rapport au voile, au palais ou à la paroi du pharynx ?

Le français possède donc aujourd'hui quatre séries de voyelles :

— palatales simples
— vélaires arrondies
— palatales arrondies
— nasales.

Par rapport à d'autres langues européennes, le vocalisme français est caractérisé notamment par trois traits typiques :

— par le rôle important que joue le voile du palais pour différencier les voyelles orales et nasales;

— par la prédominance des articulations antérieures : en effet, sur les seize voyelles françaises usuelles, dix sont d'avant et six d'arrière; dans les autres langues européennes, la proportion des voyelles antérieures et postérieures est moins en faveur des premières;

— par la prédominance et l'intensité de l'articulation labiale : pour onze voyelles, l'articulation est accompagnée d'une projection et d'un arrondissement des lèvres particulièrement importants. Pour les cinq autres voyelles, elle est complétée par un écartement horizontal des commissures, d'autant plus grand qu'on prononce avec plus d'insistance.

1 1.3.6. Si l'on voulait donc tenir compte des différentes nuances, délicates mais réelles du point de vue articulatoire, on pourrait dresser l'échelle suivante :

1. voyelle fermée en syll. accentuée	2. légèrement fermée en syll. inaccentuée	3. légèrement ouverte en syll. inaccentuée
pose	poser	poterie
pré	gémir	pester
creuse	creuser	seulement

4. ouverte en syll. accentuée	5. voyelle très ouverte en syll. accentuée
poste	port
peste	père
seul	sœur

Mais nous verrons que l'analyse phonologique retient seulement deux timbres pour O, E, Œ : fermé (*pose* et *poser*, etc.) et ouvert (*poterie*, *poste*, *port*, etc.). Il est inutile de noter davantage de nuances à moins qu'on ne veuille faire une étude de parlers régionaux fondée sur l'analyse instrumentale.

1.1.3.7. La *durée* vocalique a des répercussions sur le timbre. Les voyelles ouvertes, lorsqu'elles sont longues, sont plus ouvertes que lorsqu'elles sont brèves; les voyelles fermées sont plus fermées lorsqu'elles sont longues que lorsqu'elles sont brèves. La voyelle longue voit donc ses caractéristiques renforcées par rapport à la voyelle brève[1]. C'est ainsi que s'explique la catégorie de « voyelles très ouvertes » devant *r*, chez H. Pernot, et celle de « voyelles moyennes » devant les consonnes non allongeantes, chez Rousselot. Prenons comme exemple la voyelle [o] : elle est très ouverte dans *dort*, puisqu'elle est longue; elle est légèrement moins ouverte dans *doge*, non seulement parce que le [ʒ] est moins ouvrant que le [r], consonne ouvrante par excellence, mais aussi parce que cette consonne, tout en étant allongeante, l'est moins que [r]; elle est encore moins ouverte dans *dogue*, parce que, devant une consonne non allongeante, elle est presque brève ou, si l'on préfère, légèrement allongée; elle est moyennement ouverte dans *dot*, car elle est tout à fait brève; elle est moyennement fermée dans *dos*, où elle est brève; elle est très fermée dans *dose*, parce qu'elle est longue, etc. Si l'on ajoutait encore les nuances de timbre et de durée en syllabe inaccentuée, on arriverait à une gamme de timbres extrêmement riche, liée à l'accent et aux différences quantitatives. Cette gamme, commandée par la physiologie même des organes de la parole, est réelle; pourtant ni dans l'enseignement pratique, ni dans les transcriptions, on ne peut tenir compte de nuances aussi fines, et on se contentera des deux timbres fondamentaux, timbre ouvert et timbre fermé.

1.1.3.8. Tension articulatoire.
« L'énergie musculaire employée pour la mise en place des organes phonateurs et le maintien de l'articulation... n'est nulle part comparable à celle qu'exige une prononciation française... » Il est également probable que « nulle part la différence entre phonèmes tendus et phonèmes

1. M. Durand, *Voyelles longues et voyelles brèves*, pp. 151 et suiv.

relâchés n'est aussi faible qu'en français »[1]. On peut cependant considérer que, même en français, une différence de tension existe entre une voyelle fermée et une voyelle ouverte, entre une voyelle longue et une voyelle brève. Une voyelle est d'autant plus tendue qu'elle est plus fermée : ainsi, p. ex., *o* dans *pose* est plus tendu que dans *port*, etc. D'autre part, une voyelle est d'autant plus tendue qu'elle est plus longue : *o* de *pose* est donc plus tendu que celui de *peau*, de même que *o* de *port* est plus tendu que celui de *poste*. La même chose est valable, bien entendu, pour toutes les autres voyelles; seules les voyelles extrêmes ne présentent que deux degrés : *i* de *pire* est long, très fermé et très tendu, tandis que celui de *piste* est bref, fermé, tendu, sa fermeture et sa tension étant légèrement diminuées par rapport à celui de *pire*. Mais jusqu'à présent, l'électromyographie n'a guère pu quantifier la notion de tension « globale » qui reste à éclaircir.

1.1.3.9. Voyelles chuchotées et glottalisées.

Des voyelles peuvent être dépourvues de « voix », au moins partiellement : elles sont chuchotées; c'est ce qui se produit quand on dit p. ex. *merci* [mɛRsi̥], *oui* [wi̥] avec timidité. On note un petit *o* sous la voyelle qui présente ce phénomène. Les voyelles peuvent être aussi suivies d'un accolement sur toute la longueur des cordes vocales : elles sont alors dites glottalisées (cf. les langues africaines). En français, c'est ce qui se passe quand on dit, p. ex., « non » avec énergie [nɔ̃ʔ].

1.1.3.10. Diphtongue et diphtongaison (point de vue génétique).

Il convient de distinguer deux états de réalisation des sons vocaliques selon le *degré de stabilité* et selon *l'étalement temporel* (cf. 1.2.2.).

1° *Son vocalique stable* (monophtongue). Il n'y a pas de changement perceptible du timbre au cours de l'émission, ce qui suppose le maintien au lieu d'articulation de l'organe qui articule, dans une relative stabilité pendant une durée suffisamment longue.

Si deux sons vocaliques stables sont en contact, on dit qu'il y a *hiatus* (lat. *hiatus* ouverture). L'hiatus peut être interne (à l'intérieur d'un mot : *cacao*, *aéré*...) ou *externe* (entre deux mots : *il a ôté*, *il a été*...), mais cela importe peu puisqu'en phonétique française l'unité est le groupe et non le mot. Le français fourmille d'hiatus! Certains s'imaginent qu'il s'agit d'un trou qu'il faut « combler » par un son de transition : *pays* [peji], mais aussi [pei]. En réalité, il n'y a aucun « vide », mais un passage graduel de la première voyelle à la deuxième, beaucoup trop rapide pour être perçu. Quand la première est une des trois voyelles de plus petite

---

1. P. Fouché, *Etat actuel du phonétisme français*, p. 45 (1936).

aperture [i, y, u], on peut faire un hiatus si on parle lentement et une semi-consonne si on parle vite : *scier* [sie], [sje]; *suer* [sye], [sɥe]; *souhait* [suɛ], [swɛ]. La prononciation parisienne use plus souvent de la semi-consonne que de la voyelle dans les mots comme *nuage*, qui est monosyllabique à Paris et souvent dissyllabique en province *(nu-age)*.

La coupe syllabique est un bon critère : quand *tuer* (ou *tu es*) se dit en deux syllabes, la coupe passe entre les deux voyelles, il y a donc hiatus. C'est ce qui se passe dans *Mao* (et dans *Mahaut*), *cacao*, *baobab*, etc. La différence entre ces [ao] et la diphtongue [a͜o] de l'allemand *aus*, c'est qu'en français, on passe très rapidement de la position caractéristique de [a] à celle de [o].

2° *Son vocalique instable* (diphtongaison).

Quand un son vocalique est tenu pendant un certain temps, il est difficile que les organes articulatoires puissent demeurer dans la même position au lieu d'articulation (cf. 1.1.2.2.). Il y a une infinité de stades intermédiaires au cours d'un mouvement continu *ouvrant* ou *fermant*. Sur un film radiologique on constate une descente ou une remontée de la langue, donc une ouverture ou une fermeture graduelle. C'est le mouvement et la direction qui importent. Tout se passe comme si on visait une cible. Tel est le processus de la *diphtongaison*, fréquent dans les langues dites « relâchées » comme l'anglais.

S'il y a changement graduel d'articulation d'un son vocalique dans une seule et même syllabe, c'est une *voyelle diphtonguée*. Le glissement de l'aperture vers un son d'intensité moindre est progressif, et on ne reconnaît bien que le timbre du *premier* son. La voyelle de départ est assez bien formée. L'élément le moins proéminent, qui n'est donc pas le « sommet » de la syllabe, se note par un petit croissant souscrit à ouverture tournée vers le bas : ex. en bruxellois [alei̯] « allez! »; en patois lorrain [maRjei̯] « mariée ». Le dernier son, très faible, est peu distinct. [ei̯] = [eeẹiii̯]... L'aperture diminue graduellement, se perdant comme un oued dans les sables. La cible n'est pas atteinte. Cela se rencontre sous l'accent en syllabe terminée par une voyelle allongée. Dans ce cas le mouvement est fermant (« closing »); mais il peut être aussi dirigé vers le centre (« centring ») ou vers l'avant (« fronting »).

C'est seulement si la diphtongaison d'une voyelle est telle que l'articulation de point de départ et l'articulation d'arrivée sont celles de deux sons du système qu'on peut parler de *diphtongue* proprement dite. La cible est atteinte. Il est rare qu'une diphtongue soit égale, c.-à-d. que ses deux segments aient la même durée et la même intensité. La diphtongue est dite *croissante* si l'élément proéminent est le second (i̯e), *décroissante* dans le cas inverse (ei̯). En anc. fr., c'est le segment de plus grande aperture qui a tendance à être le plus long et le plus intense. On dit parfois que c'est le segment « accentué » de la diphtongue, d'où l'adage : « le segment le plus ouvert attire l'accent ». Cependant et bien qu'elles soient moins stables, on peut trouver des diphtongues qui n'obéissent pas à cette « règle » comme [béa̯] « beau » (Poitou). En général, les diphtongues *croissantes* (ouvrantes) sont celles qui commencent par des voyelles susceptibles de devenir des semi-consonnes, c.-à-d. [i, y, u] : i̯e, i̯a, u̯a, u̯o, u̯e, etc. Sont *décroissantes* (fermantes) les diphtongues ae̯, ao̯, ei̯, oi̯, ou̯, etc. Mais ce n'est que par analyse phonologique qu'on peut assurer qu'un parler possède des diphtongues qui constituent véritablement *un seul* phonème, ou s'il faut les considérer comme des variantes de longue, ou comme *deux* phonèmes en coalescence (fusion). Un phonème-diphtongue peut être réalisé comme une voyelle diphtonguée ; il y a d'ailleurs des degrés intermédiaires.

Il a existé des *triphtongues* en anc. fr. : *beaus* [be̯au̯s] compte *dans une même syllabe* trois segments vocaliques et c'est l'élément central (ici c'est le plus ouvert) qui est proéminent. Cf. en anglais moderne *hour* [au̯ə̯], en italien *miei* [mi̯ei̯], etc. Il y en a encore dans des parlers dialectaux : à Wavrin (Nord) « beau » se prononce [be̯ɛo̯], mais le français contemporain ne possède plus ni diphtongues ni triphtongues (cf. 1.2.2.5.).

1.2. TRANSMISSION ET RÉCEPTION

Abordons maintenant le point de vue acoustique et auditif.

1.2.1. *Généralités*

1.2.1.1. Comme Janus Bifrons, la phonétique a deux faces inséparables : une face *acoustique* et une face *physiologique*. On conçoit mal que des sons soient émis s'ils ne sont pas transmis et reçus. C'est sous son aspect d'onde sonore que la parole est plus facile à analyser. Si on peut mesurer au plan physiologique l'aperture, l'angle maxillaire, etc., il est difficile d'étudier avec précision le jeu des centaines de muscles phonatoires ou les contractions du pharynx. Les premières découvertes importantes en phonétique acoustique furent dues à l'oscilloscope, entre les deux guerres, puis au spectrographe, conçu par les Américains Kœnig, Dunn et Lacy (1946), puis commercialisé sous le nom de Sonagraph. Comme l'observe Malmberg, ces travaux furent une révélation pour les phonéticiens qui se sentaient de moins en moins à l'aise à mesure que la description des articulations se perfectionnait. En effet, on observait des variations énormes, ce qui ôtait ses bases à une phonétique fondée sur une analyse inconsciemment structurale et qui interprétait de façon assez simpliste des faits articulatoires mal connus. Les méthodes acoustiques montraient qu'il était possible de faire une description mieux conforme à ces unités d'audition appelées « sons du langage ». Si un [a] antérieur peut être prononcé de différentes manières (l'aperture variant p. ex. selon l'ouverture buccale), ce son garde toujours une structure acoustique qui garantit son identité auditive. Les voyelles peuvent donc se définir par leur spectre au moins aussi bien que par leur spécification articulatoire.

Un reproche qu'on a souvent fait à la phonétique articulatoire est que celle-ci peut difficilement aboutir à des constatations générales, étant donné qu'on ne peut trouver deux individus ayant un palais ou un larynx identique, et que des phénomènes de compensation interviennent constamment. Certes, les mesures ne comptent pas en elles-mêmes, mais elles sont le seul moyen d'établir des rapports entre les phases successives d'une articulation. Comme l'ont montré G. Straka et P. Simon, ce qui compte, ce sont les *rapports*, chez le même sujet, entre les caractères génétiques des sons. Ceux-ci ne peuvent qu'être les mêmes chez tous les sujets d'une même communauté linguistique. L'étude acoustique, qui analyse les sons eux-mêmes et non les diverses manières dont peut les produire tel ou tel locuteur, est plus simple, mais elle ne saurait être la seule.

Y a-t-il une relation bi-univoque entre la physiologie de la parole et sa structure acoustique? Certains phonéticiens ont pensé qu'un son comme [o] n'est perçu comme [o] que si le mécanisme de perception retrouve le geste articulatoire de cette voyelle. C'est la théorie motrice de la perception, actuellement battue en brèche.

« L'analyse acoustique des ondes sonores de la parole nous donne une description physique assez exacte du type de stimuli qui atteignent notre mécanisme auditif » (Malmberg). Mais le phonéticien qui use d'un appareillage électronique moderne a vite fait de constater là aussi une grande variabilité des ondes : chez un même sujet, dans une même phrase, les vibrations caractéristiques d'un [i] ou d'un [o] peuvent différer. Les phonéticiens d'aujourd'hui essaient donc de confronter les résultats obtenus sur le plan acoustique *et* sur le plan physiologique.

1.2.1.2. Les sons de la parole.

Le son est une *vibration* créée par les mouvements d'un corps dans l'air. Chaque molécule des gaz qui composent l'air exécute un mouvement plus ou moins rapide de part et d'autre de sa position d'équilibre, un peu à la façon d'un ressort qui oscille. Ces vibrations moléculaires se propagent dans l'air. Plus précisément, ce n'est pas l'air qui bouge, c'est le mouvement qui se propage comme les rides sur un étang dans lequel on a jeté une pierre.

Les sons, au sens où l'entend l'acoustique, sont des phénomènes *périodiques*, c.-à-d. que ses vibrations se reproduisent identiques à elles-mêmes dans des intervalles de temps égaux. Une branche de diapason passe par une déviation maximale dans un sens, revient à son point de repos, part dans l'autre sens, et recommence à un certain rythme. Les vibrations non entretenues s'amortissent cependant peu à peu avec le temps : lorsque vous frappez sur une cloche, vous entendez décroître l'intensité sonore du son.

La fréquence f d'un phénomène est le nombre de répétitions par seconde. Elle est liée à la sensation subjective de *hauteur* mélodique : plus la fréquence augmente, plus la mélodie de la parole « monte ». La période est la durée de la vibration. Si T est la période, on a :

$$f\,(\text{hertz}) = \frac{1}{T\ (\text{seconde})}.$$

Un son simple est un son dont *l'amplitude* est une fonction sinusoïdale du *temps* — l'amplitude étant l'élongation de l'oscillation par rapport à la position de repos. Un son complexe peut toujours être décomposé en une somme de sons simples. Le premier terme de la somme s'appelle le *fondamental* (en abrégé F zéro ou F_0), le deuxième terme est le premier harmonique, le troisième, le deuxième harmonique, etc. Le premier harmonique a une fréquence double de celle du fondamental, le deuxième, une fréquence triple, etc.[1].

Dans la parole, il n'y a jamais de son simple : les vibrations périodiques y sont toujours composées et résultent de la superposition de nombreuses vibrations simples. L'oscilloscope cathodique permet de les visualiser.

1.2.2. *Caractéristiques acoustiques des voyelles*

1.2.2.1. Le canal vocal est un tube rempli d'air : il fonctionne comme un *résonateur*. Cette notion de résonance est capitale : une vibration tend à mettre en mouvement tous les corps susceptibles de vibrer qui se trouvent sur le passage de l'onde sonore qu'elle détermine. Tout corps soumis à une vibration ne se met à vibrer de façon importante qu'à une ou plusieurs fréquences particulières. Une vitre soumise aux bruits de la rue peut ne pas vibrer de façon perceptible, alors qu'elle vibre au passage d'un avion, parce que pour cette vitre, le bruit que fait cet avion correspond à la (ou à une) fréquence de résonance de la vitre.

De même, notre *canal vocal* a ses résonances propres qui dépendent du volume et de la forme de ce canal. Les mouvements de la langue, des lèvres, etc., modifient constamment les caractéristiques propres des réso-

1. Si les cordes vocales s'ouvrent et se ferment 120 fois en une seconde, la fréquence du F_0 est de 120 Hz (cycles par seconde) : c'est la valeur moyenne d'une voix d'homme au début d'une phrase énonciative.

nateurs buccaux, donc leurs fréquences de résonance. Le son laryngé est un ensemble de vibrations (harmoniques) dont les fréquences s'étagent régulièrement. Le canal vocal renforce l'amplitude des harmoniques qui correspondent à ses fréquences de résonance naturelles.

Supposons qu'on prononce un [i] : une grande cavité pharyngale renforce particulièrement les harmoniques graves alors que la petite cavité antérieure renforce les aigus. Qu'on songe à la différence entre la caisse de résonance du violoncelle et celle du violon, ou au son de plus en plus aigu qu'on entend quand une bouteille se remplit de liquide (le bruit produit par les gouttes restant le même).

Les fréquences particulièrement renforcées par la résonance du canal vocal s'appellent des *formants* : aux diverses configurations du canal vocal propres à chaque voyelle correspond un spectre avec des formants différents, dont la détermination exige des calculs mathématiques compliqués. Il n'est pas toujours possible de faire correspondre, comme on le faisait naguère, un formant à chaque cavité[1].

1.2.2.2. Par le spectrogramme, on obtient une représentation des sons de la parole extrêmement utile. Le type le plus courant montre en ordonnée les *fréquences* et en abscisse, le *temps*. L'*amplitude* est représentée soit par le noircissement plus ou moins fort du papier, soit par des lignes d'isopuissance reliant les points d'intensité sonore égale, elles sont espacées de 6 en 6 dB et ressemblent aux courbes de niveaux marquant le relief des cartes de géographie (courbe isobel). On peut aussi obtenir simultanément une ligne d'amplitude globale pour chaque son prononcé, des « sections » pour tel ou tel moment choisi, où figure l'amplitude relative par rapport à la fréquence. Des analyseurs dits « 1/3 d'octave » fournissent les trois variables en temps réel et avec une bonne précision. On observe les formants en réglant un filtrage dit large (largeur de bande 300 Hz). On peut aussi, avec un filtrage dit étroit (à 45 Hz), lire les variations de fréquence de chaque harmonique et connaître celles de la fréquence fondamentale. On obtient une plus grande précision en prenant le 9e harmonique puis en divisant par 10, puisque par définition c'est un multiple entier de la fréquence fondamentale.

Le spectre de [a] est « compact » et celui de [i] « diffus ». Les deux formants les plus bas, F 1 et F 2, sont plus proches pour [a] que pour [i]. La position relative des formants est indépendante de la valeur du son fondamental (fig. 11 et 12).

Chaque voyelle a une intensité et une fréquence fondamentale spécifiques. La position des organes qui détermine la forme du canal vocal

---

1. Une introduction à l'analyse spectrale de la parole figure dans J. S. Liénard, *Les processus de la communication parlée*, Paris, Masson, 1977.

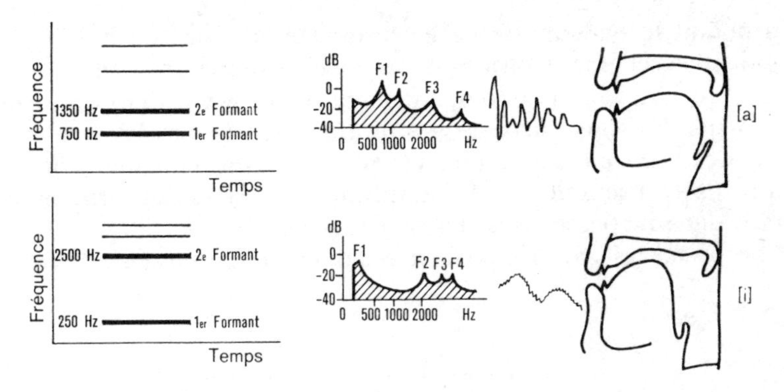

FIG. 11. — Forme du canal vocal et spectres correspondants pour deux voyelles isolées.
De droite à gauche : coupe sagittale, oscillogramme, intensité/fréquence, fréquence/temps.

	F1	F2	F3
[i]	280	2 300	2 950
[e]	350	1 950	2 550
[ɛ]	450	1 800	2 470
[a]	660	1 350	2 380
[ɑ]	620	1 150	2 250
[ɔ]	480	1 050	2 250
[o]	360	780	2 230
[u]	290	850	2 270
[y]	290	1 800	2 140
[ø]	360	1 450	2 290
[œ]	490	1 380	2 270
[ə]	380	1 400	2 200

FIG. 12. — Valeurs formantiques des voyelles orales du français (d'après Debrock et Forrez, 1976, légèrement modifiées)

reste la même lorsque varie la fréquence du son fondamental. Celle-ci est déterminée par le nombre des accolements glottiques par seconde, lequel nombre détermine à son tour F_0 (fondamental), responsable de la hauteur mélodique de la parole. Les formants, eux, sont responsables de la couleur vocalique (on dit généralement le *timbre* des voyelles). De même, c'est parce que leurs timbres sont différents que nous distinguons le *la* émis par un piano et par une flûte, de durée et d'intensité sonore identiques.

En notant les valeurs de F1 en ordonnée et celles de F2 en abscisse, on obtient le schéma acoustique des voyelles orales (fig. 13).

Pour une voyelle phonologiquement bien déterminée, on constate souvent que les tracés acoustiques ne représentent pas les valeurs attendues, dites « de cible » : une voyelle brève est généralement réduite. D'autre part, il semble que les amplitudes relatives des formants jouent un rôle dans la perception des couleurs vocaliques.

Si on prend les voyelles prononcées dans un entourage différent, avec

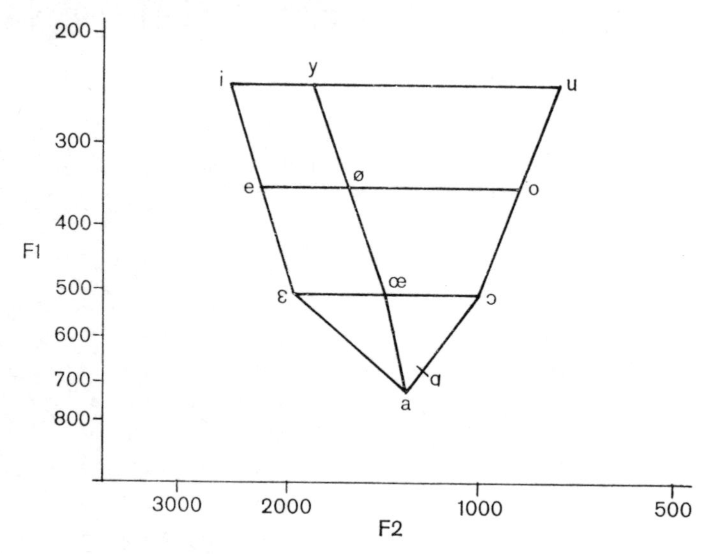

FIG. 13. — Triangle acoustique de voyelles françaises synthétiques (d'après P. Delattre).

ou sans accent, etc., et dites par des personnes différentes, on voit que les valeurs de F1 et F2 se situent dans des *zones*. Celles-ci se recouvrent partiellement.

Le schéma acoustique des voyelles françaises ainsi obtenu ressemble à celui qui se fonde sur les positions de la langue (1.1.3.). Quand on passe de i → e → ɛ → a, il y a un abaissement du deuxième formant concomitant à la montée du premier formant. On voit apparaître le lien qui unit phonétique physiologique et phonétique acoustique. L'accroissement des valeurs de F1, pour la série d'avant du moins, est en relation étroite avec l'accroissement de l'aperture. Pour [y], [ø], [œ], F2 est plus bas que pour [i, e, ɛ], et F3 se rapproche de F2.

1.2.2.3. Le *e* « muet » (instable, caduc), dont nous esquissons plus loin le statut phonologique, a-t-il un timbre spécifique ? Selon Mme H. Walter, son timbre varie de [ø] à [œ]. En parisien populaire, il tend vers [œ] sous l'allongement pénultième. Dans : « Euh... ce film(e) tchèqu(e) »,

P. Léon[1] a observé que le *e* caduc du *euh* d'hésitation, du *ce*, le *e* (parasite) de *film(e)* et celui de la détente de *tchèqu(e)* ont tous les quatre des spectres semblables, dans la zone de [ø].

1.2.2.4. La nasalité vocalique.

La mise en communication du canal buccal avec les fosses nasales complique singulièrement le spectre des voyelles nasales. F. Lonchamp a montré (*Analyse acoustique des voyelles nasales françaises*, « Verbum », 1979, nº 1) qu'elle provoque une élévation de la fréquence de F1 et, dans une moindre mesure, de F3. Pour [ɑ̃], [ɛ̃] et [œ̃], F1 se place dans une même zone, entre 600 et 750 Hz. Pour [ɔ̃], F1 et F2 peuvent se fondre en un pic unique entre 500 et 800 Hz. La similitude des fréquences du F1 n'entraîne pas, comme le pensait Delattre[2], que le résonateur pharyngal ait un volume identique pour les 4 voyelles nasales. Deux formants de nasalité apparaissent vers 400 et 2 000 Hz ainsi que deux « anti-formants » à des fréquences un peu plus élevées. Un « anti-formant » provoque, à l'inverse d'un formant, un affaiblissement des harmoniques d'une zone spécifique. Le premier « anti-formant » réduit nettement l'amplitude du F1, ce qui constituerait un indice perceptif important de nasalisation. Lorsque l'intensité du F1 d'un [ɛ] de synthèse était réduite de 12 dB, les sujets francophones entendaient [ɛ̃] dans une large majorité. Cette réduction d'intensité expliquerait pourquoi les stylisticiens qualifient ces voyelles de « voilées ». C'est la fréquence de F2 qui assure dans une très large mesure la différenciation de timbres de nos voyelles nasales : vers 1 600 Hz pour [ɛ̃], 1 250 pour [œ̃], 1 000 pour [ɑ̃]. Le timbre des voyelles nasales est moins distinctif que celui des voyelles orales, car pour elles la différenciation ne repose que sur un indice acoustique unique : la fréquence de F2. Cela peut expliquer les confusions [œ̃] et [ɛ̃], et dialectalement [ɑ̃] et [ɔ̃].

1.2.2.5. La diphtongaison (point de vue physique).

Rousselot enseignait que la diphtongue est une voyelle complexe. Le progrès des techniques permet d'affiner l'analyse[3]. Voici des critères acoustiques, à partir du classement mentionné 1.1.3.10.

1º *Son vocalique stable*

— Monophtongue : les formants sont relativement parallèles.

— Hiatus interne *(chaos)* et externe (*a omis*) : le passage entre les deux sons (dont les formants sont à peu près parallèles) est relativement rapide (généralement inférieur au seuil différentiel de perception). Lorsque ce

1. Apparition, maintien et chute du e caduc, dans *Essais de phonostylistique*, 1971, pp. 67-80.
2. *Word*, 24, 1968.
3. Cf. *Principes de phonétique expérimentale*, pp. 682-685. Pour étudier la *Diphtongaison dans le français de Montréal*, L. Santerre a combiné le film radiologique et la spectrographie (1971).

passage est très lent, une semi-consonne de transition peut se développer : cf. la prononciation de Louis [luwi], crier [krije].

2° *Son vocalique instable*

Les diphtongues de l'anc. fr. étaient sans doute assez proches de celles de l'anglais actuel. Nos parlers régionaux en possèdent encore un grand nombre. Quel qu'en soit le statut phonologique, elles peuvent se réaliser de deux façons, ou plutôt se rapprocher plus ou moins d'un de ces types de réalisation :

— Voyelle diphtonguée : il y a glissement à partir de formants à peu près parallèles, mais pas de parallélisme final. Les diphtongaisons fermantes (articulatoirement) correspondent à des formants qui divergent, et inversement.

— Diphtongue proprement dite : on constate un étalement temporel plus grand et on peut généralement reconnaître deux voyelles caractéristiques. La durée des segments initiaux et finaux et surtout l'angle que forme F2, en direction de la cible, avec l'horizontale semblent constituer les deux facteurs de perception les plus importants pour la distinction entre les diphtongues.

— Triphtongue : on peut discerner trois timbres vocaliques distincts.

Peut-on fixer des seuils entre ces différents états ? Pour savoir si ce sont de vraies diphtongues, il faut, avant et après l'étude spectrographique et articulatoire, recourir à une analyse phonologique.

1.2.3. *Caractéristiques acoustiques des consonnes*

Le classement phonétique traditionnel se fondait sur une simplification arbitraire de faits physiologiques insuffisamment connus. Il en fut de même pour la première description acoustique (*Visible Speech*, 1947). On s'aperçoit aujourd'hui que la structure acoustique des consonnes est beaucoup plus compliquée qu'il n'y paraissait de prime abord. Mais ce type de description se prête bien à un classement de nos ressources distinctives. Sur un tracé spectrographique, le découpage entre consonnes et voyelles n'est pas aussi facile qu'on pourrait le penser. Les segments transitoires sont en quelque sorte « à cheval » sur ces deux éléments. Ce passage entre les consonnes et les voyelles est d'une très grande importance pour identifier les consonnes : on appelle *transition* la déflexion d'un formant au moment de ce passage. La transition du deuxième formant, dans [pi] p. ex., se dirige vers le bas, alors que dans [ti] elle se dirige vers le haut[1]. Il faut prendre garde de ne pas confondre ces transitions

1. On juge aujourd'hui trop systématique la théorie du « locus » (Delattre), point de convergence virtuel des transitions caractérisant toute consonne, quel que soit son entourage. Il n'y a pas de locus pour les labiales; on observe une zone de convergence pour les dentales. Pour les vélaires, il existe deux zones selon que la voyelle est antérieure ou postérieure.

avec une diphtongaison ou une triphtongaison de la voyelle. Quelles sont les caractéristiques des consonnes visibles sur un spectrogramme ?

1.2.3.1. Les sonantes se caractérisent par la présence de formants de type vocalique parfois accompagnés d'un léger bruit. [l] et [R] dans *Lille* et dans *rire* sont caractérisés par de grands déplacements du deuxième formant. A la différence des voyelles, l'un des formants au moins est de faible intensité. Normalement sonores, elles deviennent fricatives en se dévoisant.

1.2.3.2. On localise facilement sur un spectrogramme de *fricative* les zones de *bruit*, ainsi que la superposition du bruit et de la sonorité. Mais qu'est-ce que le bruit ? C'est, pour les acousticiens, un « signal aléatoire », non périodique. Dans la parole, il n'y a pas de « bruit blanc », mais des bruits « colorés », c.-à-d. que certaines zones de fréquence sont plus intenses. Les composantes se situent dans des bandes déterminées; p. ex. pour le [s] de français, elles sont entre 4 000 Hz et 9 000 Hz environ; le [ʃ], lui, commence généralement plus bas, vers 2 000 Hz. On appelle, par analogie, *formants de bruit* les larges parties du spectre où l'intensité est renforcée du fait de la disposition spécifique du canal vocal pour telle ou telle fricative. Le bruit constitue un critère important : un son consonantique comporte un bruit de friction ou d'explosion ou l'un et l'autre, et apparaît sous forme de segments successifs ne correspondant pas forcément aux segments que dégage l'analyse phonologique.

1.2.3.3. Les *fricatives* et *occlusives sonores* se distinguent des sourdes par la présence d'une barre de « sonorité » à la base du spectrogramme, sorte de pointillé manifestant les impulsions laryngiennes concomitantes. La sonore a une tenue plus brève que la sourde correspondante. La durée d'établissement du voisement (Voice Onset Time, V.O.T.) est un indice perceptif important.

1.2.3.4. Les *occlusives* se manifestent par un silence et par un bruit d'explosion (une longue strie verticale avec une tache d'éclatement). Une occlusive palatalisée (par rapport à une non-palatalisée) est caractérisée par une décharge d'une durée plus grande (3 à 4 cs) et par un bruit plus fort d'explosion dans la bande 1 000-3 500 Hz.

Les bruits (d'explosion et de friction) se repèrent aussi par des différences de concentration d'énergie acoustique sur l'échelle des fréquences. Ils jouent un rôle non négligeable dans la perception des consonnes vélaires.

La mi-occlusive correspond à un abaissement et à l'étalement du bruit d'explosion vers le bas du spectre.

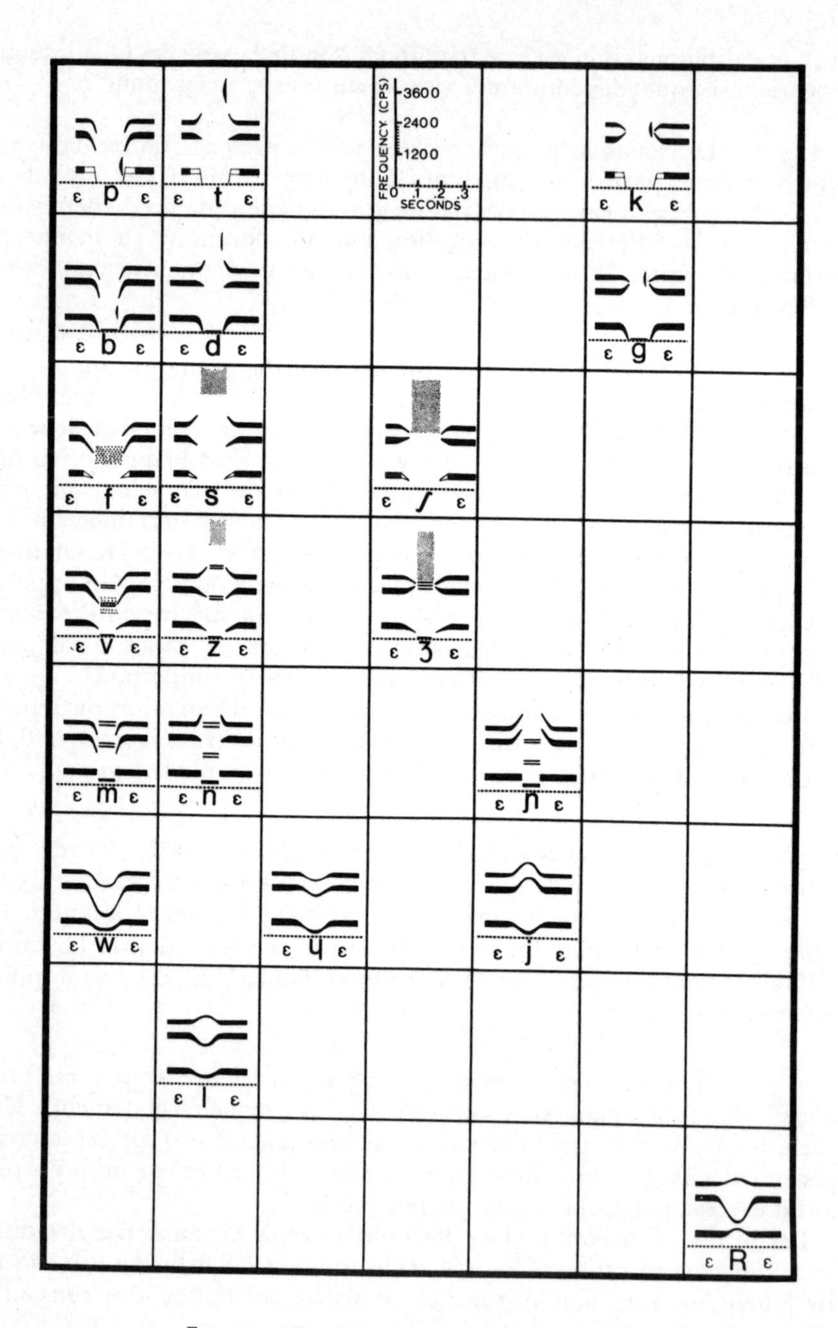

FIG. 14. — Représentation spectrographique simplifiée des consonnes françaises synthétisées entre deux E (d'après Delattre)

1.2.3.5. La nasalité des consonnes et celle des voyelles du fr. mod. n'ont que très peu de points communs[1]; [m, n, ɲ] se caractériseraient :

— par les *transitions des 2e et 3e formants*, qui reflètent la fermeture ou l'ouverture buccale et qui servent presque seules pour distinguer entre les lieux d'articulation labial, dental ou palatal;

— par une sorte de *murmure* nasal, qui correspond à la tenue de la fermeture buccale pendant que le voile du palais, abaissé, laisse échapper le souffle de phonation par les narines. Ce murmure est l'un des traits acoustiques qui distinguent [m] de [b], [n] de [d] (les orales correspondantes). F2 et F3 ne doivent pas contribuer très efficacement à l'identification d'une consonne nasale : dans la synthèse de la parole, on s'en passe facilement, F1 étant suffisant. Le murmure nasal serait composé, selon Delattre, d'un formant étroit et relativement faible, dit formant nasal (F n) à une fréquence fixe (environ 250 Hz). Il faut cependant reconnaître que les problèmes de nasalité n'ont pas encore reçu, en phonétique acoustique, une solution tout à fait satisfaisante.

1.2.3.6. *Le point de vue perceptif*

Pour avoir une vue complète de la phonétique française, il faut prendre conscience de l'importance considérable des phénomènes de perception et de *compensation*. Comment se fait-il qu'on vous comprenne quand vous parlez en mangeant ? Avoir la pipe à la bouche, cela modifie-t-il beaucoup les sons émis ? Ne peut-on articuler un mot comme *dos* en plaçant la pointe de la langue ailleurs que sur les alvéoles ?

Il est certain que, pour dire la voyelle [y], les Français avancent et arrondissent les lèvres. Mais il est possible de prononcer un [y] presque semblable acoustiquement avec une cigarette en bouche ou en tenant volontairement les lèvres écartées. Si nous supprimons le trait de labialité, notre langue « s'arrangera » autrement, sans que nous nous en rendions bien compte : l'effet acoustique sera le même, parce que nous aurons abaissé davantage la partie postérieure de la langue. Cet ajustement se fait à l'oreille : on compense l'absence de labialisation (allongement du résonateur buccal) par l'accroissement de volume d'un autre endroit du canal. Il existe au moins deux moyens pour contrôler la production phonétique : d'une part des informations kinesthésiques localisent positions et mouvements (on « sent » que sa langue s'applique ici ou là); d'autre part le contrôle par l'oreille externe sert à la correction instantanée (circuit de contre-réaction) : on parle aussi « avec son oreille ». Les implications pédagogiques de ce fait sont considérables.

1. Delattre, dans *Word*, 24, 1968, p. 71.

Ce sont les compensations ainsi obtenues qui permettent les latitudes dont a besoin toute communication en milieu naturel. Les auditeurs ne perçoivent pas des éléments autonomes, mais des *ensembles structurés* et des rapports : ils peuvent donc rétablir les éléments absents. Ils opèrent des *choix* parmi les faits acoustiques, en fonction de leur apprentissage, de l'ambiance, ou de leur fatigue. La perception phonétique est intimement liée à l'expérience acquise par l'auditeur. D'autre part, l'oreille — comme n'importe quel appareil d'analyse — « interprète » les sons selon ses caractéristiques propres.

Il ne faut pas « plaquer les unités discrètes, révélées par l'analyse linguistique, sur la substance physique qu'est le discours réalisé. C'est une chose que d'admettre, à titre d'hypothèse de travail, une structure linguistique hiérarchisée qui part du trait distinctif pour aboutir à la phrase ; c'en est une autre que de postuler un décodage qui doit d'abord et de manière absolue récupérer le phonème »[1]. D'ailleurs pour une élocution rapide (20 réalisations de phonèmes par seconde), le pouvoir séparateur de l'oreille ne permet pas de distinguer les sons successifs, ni à fortiori de les reconnaître. Il est vraisemblable que le décodage du signal acoustique est effectué à partir d'unités qui sont au moins de la taille de la *syllabe*.

La synthèse de la parole ainsi que les tests auditifs ont montré que, dans la plupart des cas, la transition et le bruit (place et largeur de bande) suffisent à eux seuls pour permettre le repérage de la frange consonantique d'une syllabe. Quant à l'identité d'une voyelle, elle est déterminée par l'auditeur « non seulement grâce au patron formantique au point le plus proche de la cible, mais aussi par la direction des transitions adjacentes de formants » (Lindblom et Studdert-Kennedy, cf. 1.2.2.2.). En d'autres termes, on identifie le [i] de *pipe*, non seulement par sa constitution acoustique, au moment où ce son est le plus caractéristique, mais aussi au moment du passage de [p] à [i] et de [i] à [p]. Il faut donner plus d'autonomie aux faits perceptifs, les « déconnecter » des faits de pure production. C'est au niveau de la perception qu'il faudra désormais chercher à classer les sons du langage. Dans la phonétique moderne, l'intérêt est en train de se déplacer vers l'étude des rapports entre stimulus[2] et perception. On sait encore bien peu de choses en psycho-phonétique (qui constitue une partie de la psycholinguistique). Le phonéticien doit user des méthodes propres à la psychologie moderne, se familiariser en particulier avec la méthode des tests et des modèles mathématiques.

---

1. M. Wajskop, *La Perception de la parole : orientations et perspectives*, 1970; Boë, *Introduction à la phonétique acoustique* (1972).
2. Excitation des organes auditifs, signal (perçu ou non).

Tableau de correspondance des termes employés pour les consonnes

Plan physiologique	Plan acoustique et auditif
voisée	sonore
non voisée	sourde
occlusive	explosive (plosive est le mot anglais)
constrictive	fricative
mi-occlusive	affriquée
latérale	liquide
vibrante dorso-uvulaire	grasseyée
vibrante apicale	roulée

1.3. LE SYSTÈME PHONOLOGIQUE DU FRANÇAIS CONTEMPORAIN

1.3.1. *Etude synchronique : terminologie et technique*

Nous avons constaté (0.2.) en français l'existence de deux unités fonctionnelles /e/ et /ɛ/. Ces deux *phonèmes* (faisceaux de traits distinctifs réalisés simultanément) se distinguent l'un de l'autre par la seule « aperture » (distance langue-palais au lieu d'articulation). Ils apparaissent dans les couples cités (dé/dais, thé/taie, ré/raie) en fin de « mot ». Ils ne peuvent occuper cette place indifféremment. Ils se concurrencent : on dit qu'ils *s'opposent*. Selon que le phonème qui suit /d/ est /ɛ/ ou /e/, il y a une différence de sens en français; « la plus exacte caractéristique des signes est d'être ce que les autres ne sont pas » (F. de Saussure). Troubetzkoy n'est pas le premier à parler de phonèmes, mais ses *Principes de phonologie* sont la première tentative menée logiquement pour définir le phonème et pour classer les distinctions linguistiquement pertinentes.

Un Francophone classe toutes les réalisations possibles de E en deux classes et deux classes seulement : celle de /e/ et celle de /ɛ/. On peut imaginer une langue qui impose une différence de trois sortes de E. Le système de la langue française ne requiert pas de pousser l'effort de différenciation au-delà de deux classes. Mais l'acquisition de ces deux classes est fondamentale. Le bébé, au cours de la période du « balbutiement », forme à peu près tous les sons possibles, mais sans pouvoir les opposer consciemment, et sans associer un contenu à ces articulations. Ces sons ne sont pas des phonèmes. Apprendre à parler, c'est entre autres ne retenir que les sons employés comme phonèmes dans la langue maternelle, et surtout grouper ces sons selon le système phonologique de cette langue. Les distinctions les plus stables sont probablement fixées avant l'âge de huit ans. Toute langue a son système propre. Deux sons qui nous semblent identiques dans une langue étrangère peuvent correspondre à la réalisation de deux phonèmes différents, parce qu'ils ont une valeur distinctive. Si la différence entre /ʃ ~ ç/ de l'allemand *Kirsche* « cerise » et *Kirche* « église » apparaît mal à l'élève, c'est parce que son oreille a été éduquée en fonction du système phonologique du français qui n'use pas de cette opposition. De même, esp. *pera* « poire » ~ *perra* « chienne » /r ~ R/; angl. *sick* « malade » ~ *thick* « épais » /s ~ θ/.

Pour faire une analyse phonologique, il faut isoler les unités qui s'opposent. On opère une permutation lorsqu'on change de place deux mots dans une phrase (horizontalement, autrement dit : sur l'axe syntagmatique). Ex. : « Cette étude est facile — facile est cette étude. » On parle alors de *contraste*. On procède à une série de commutations lorsqu'on remplace un segment par d'autres sur l'axe vertical (autrement dit : sur l'axe paradigmatique), ce qui dégage une *opposition*. Ex. : « Cette étude est habile. » /ɛtabil/ remplace /ɛfasil/ par une double commutation. On peut « commuter avec zéro » : *triche* /triʃ/ peut être rapproché de *riche* /riʃ/ pour faire apparaître /t/ :

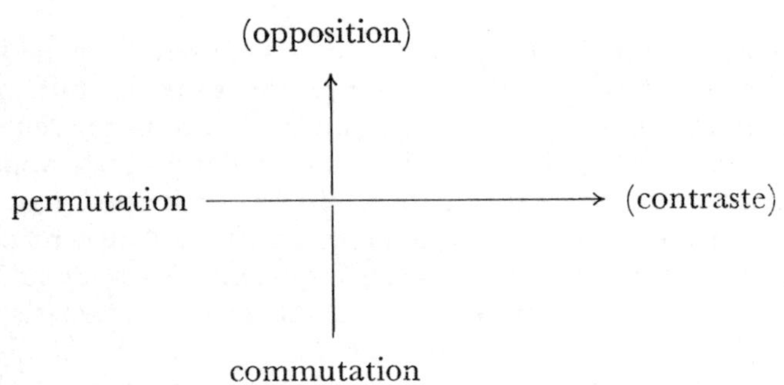

Les mots *solidaire* et *solitaire* (paire minimale) ne diffèrent que par l'opposition paradigmatique /d ~ t/. « Nous sommes tous solidaires » : par le changement d'un seul trait, cet énoncé peut être tout à fait altéré. La *seule* différence est la sonorité : /t/ est sourd, /d/ est sonore. Ce caractère, le seul qui sépare les ensembles de sons correspondant à ces deux unités de code, est appelé, rappelons-le, *trait distinctif*. Entre /b/ et /m/, le trait distinctif est la nasalité. Deux phonèmes sont *en rapport exclusif* quand ils sont seuls à être définis d'une certaine façon : ex. : /b ~ p/.

Dans l'analyse phonologique, on peut aussi user de *fausses paires*, « mots d'aspect phonique assez différent, mais qui présentent dans des contextes absolument identiques les deux phonèmes à comparer, ex. : aniMAL et béMOL » (Martinet).

Précisant la notion de *variante* de phonèmes[1], on distingue des *variantes*

1. Le mot *allophone* (grec *allos*, « autre ») est plus général que *variante* : le son [u] est l'allophone du phonème /u/.

combinatoires et des *variantes libres*. Prenons l'exemple du /k/ : la voyelle qui suit en modifie considérablement la nature articulatoire et acoustique ; l'étalement, le lieu et la vitesse d'application de la langue sur le palais sont radicalement différents dans *cour*, *car* et *quille*, comme on peut le constater en prononçant ces mots. Ce sont des variantes *combinatoires* (ou contextuelles) puisque ces différences dépendent de l'entourage phonétique. De même devant les consonnes dites allongeantes, on trouve des voyelles longues sous l'accent : le /u:/ long de *rouge* est une variante combinatoire de /u/ bref de *roux*. On dit que les variantes combinatoires d'un même phonème sont *en distribution complémentaire*.

Les francophones prononcent le [r] « roulé », « grasseyé », ou « pharyngal ». Les tracés révèlent des sons très différents et il y a des langues (l'arabe, p. ex.) qui utilisent à des fins phonologiques de telles différenciations. Mais dans le système du français, il ne s'agit que d'un seul phonème /r/ : [r, R, ʁ]. Ce sont des *variantes libres*, susceptibles de changer selon les individus; on peut les utiliser indifféremment sans risquer de perturber la communication. Il s'agit d'indices phonostylistiques servant à identifier le locuteur (caractéristiques régionales, socioculturelles, etc.). Martinet fait observer que dans le cas de l'acteur qui « roule » à la scène mais « grasseye » à la ville, il s'agit d'une variante facultative. Les variations peuvent d'ailleurs s'entremêler : il est des Français qui roulent le /r/ de *très* et grasseyent celui de *fer*, c.-à-d. qui présentent des variantes individuelles selon un conditionnement combinatoire. Le R sourd de *être* [ɛtR̥] est une variante combinatoire.

/i/ et /j/ sont des phonèmes : on peut opposer /j/ à /i/ dans des mots comme paye/pays /pɛj ~ pɛi/. Mais dans un mot comme *liaison* [ljɛzɔ̃, liɛzɔ̃], /j/ et /i/ ne sont pas opposables. Quand deux phonèmes s'opposent en certaines positions et ne s'opposent pas en d'autres positions, on dit que *l'opposition*, dans ce dernier cas, *est neutralisée* (ne pas dire : « le phonème est neutralisé »).

On appelle *syllabe fermée ou entravée*[1], la syllabe qui se termine par une consonne (ex. : /tɔr/ « tort »). Alors qu'on peut opposer /e/ et /ɛ/ dans gré/grès, poignée/poignet, on ne le peut plus quand ils sont suivis de n'importe quelle consonne prononcée *(mère, sève, treize...)*. La prononciation [meR] est dialectale. De nombreuses alternances morphologiques illustrent cette neutralisation : cède [sɛd], céder [se-de]; idiot [i-djo], idiote [i-djɔt]. Ces alternances conditionnées par l'environnement phonétique diffèrent des alternances de l'anc. fr., qui étaient liées à l'accentuation (gist/gesir). On est donc amené à considérer qu'une *seule* unité distinctive « coiffe » les unités [e] et [ɛ]. Martinet l'appelle *archiphonème*

1. Certains préfèrent dire *entravée* pour des raisons pédagogiques car le mot fermé évoque fâcheusement l'aperture. Le plus grand nombre dit : voyelle libre en syllabe ouverte (non couverte), voyelle entravée en syllabe fermée (couverte).

et l'écrit en majuscule /E/. Elle ne se scinde en deux phonèmes qu'en finale. Certains phonèmes ou groupes de phonèmes ne se trouvent pas en fr. mod. dans certaines positions : ex. [gz] ne se trouve jamais en finale. Il s'agit là d'une restriction de la *distribution* (différentes positions possibles pour un phonème).

Le *rendement fonctionnel* (fréquence d'emploi d'une opposition) est une notion importante, en particulier pour étudier l'évolution d'une langue. Il existe divers moyens pour l'évaluer. Pour dire que telle opposition a un rendement plus grand qu'un autre, nous pouvons utiliser d'autres critères que le nombre d'occurrences de cette opposition. L'opposition /ø/ ~ /œ/ est d'un faible rendement, parce que ces phonèmes ne sont opposables qu'en syllabe fermée par /n/, /l/. Or, ces cas sont très rares. C'est encore plus net en syllabe non accentuée.

Il peut y avoir opposition de timbre en même temps que de durée : roc/rauque [rɔk ~ ro:k] : l'un des traits est *redondant.*

Présentons maintenant le système phonologique du français contemporain.

1.3.2. *Le système consonantique*

Toutes les descriptions phonologiques des consonnes françaises se ressemblent dans les grandes lignes, mais elles diffèrent dans les détails. L'analyse phonologique d'A. Martinet, dans l'esprit de l'école dite de Prague (Troubetzkoy), fait apparaître dix-huit phonèmes consonantiques classés au moyen de quatre traits : mode et lieu d'articulation, sonorité, nasalité. Nous ne pouvons pas donner ici le détail des commutations nécessaires. Pour lever le masque de la graphie et pour découvrir le fonctionnement de la langue, c'est un fructueux exercice que de chercher dans la langue des oppositions phonématiques comme paon/pont/pain, etc. Des couples comme paume/rhum ou stalactite/stalagmite ne sont pas des paires minimales, deux segments étant différents. Un trait commun suffit à distinguer un groupe de tous les autres :

— la nasalité : /m, n, ɲ/;

— la sonorité : /b, v, d, z, ʒ, g/ sont sonores et s'opposent à /p, f, t, s, ʃ, k/. Pour /m, n, ɲ, j/ la sonorité n'est pas distinctive, car il n'y a pas d'entourage où /m/ sonore, opposé à /m/ sourd changerait le sens de la séquence. Le suffixe *-isme* se prononce [ism̥] ou [izm];

— le mode d'articulation : /s, z/ sont les seules sifflantes (terme auditif), /ʃ, ʒ/ les seules chuintantes, /m, n, ɲ/ les seules nasales. On ne confondra pas trait phonétique et trait phonologique : il y a au moins six indices acoustiques du trait de « sonorité » pour les occlusives orales du français.

Un seul trait suffit à distinguer un phonème de tous les autres : /l/ est la seule latérale, /r/ la seule uvulaire.

Martinet propose trois « séries » (horizontales) et sept « ordres » (verticaux) auxquels s'ajoutent /l, r/. Il est inutile de préciser p. ex. que /p/ est aussi occlusif, car /p/ « bilabial sourd » est seul à être défini ainsi. Deux spécifications suffisent aussi pour /ʃ/ qui est la palatale non nasale, pour /n/ l'apicale nasale, etc. Sauf en argot *(gnole, gnaf...)*, /ɲ/ n'apparaît presque jamais à l'initiale de mot. Certains phonologues estiment que sa « désarticulation » (P. Simon) étant aujourd'hui très avancée, on peut analyser ce son comme une variante de /nj/.

	bilabial	labio-dental	apical	sifflant	chuin-tant	palatal	dorso-vélaire
sourd	p	f	t	s	ʃ		k
sonore	b	v	d	z	ʒ		g
nasal	m		n			ɲ	
+ r et l.						j	

Les oppositions consonantiques du français sont bien caractérisées. /l/ et /r/ ne sont pas mis dans ce tableau : ils ne sont pas sur le même plan que les autres ; étant donné leur type articulatoire particulier, ils n'ont pas besoin d'avoir leur articulation distincte de celle des autres phonèmes. C'est cela qui leur donne une si grande latitude de réalisation.

Les trois « semi-consonnes » n'ont pas une distribution parallèle. Ainsi /j/ apparaît en finale et ne peut apparaître après consonne + /r, l/, ex. : *crier* /kRie/ en face de *cruel* /kRyɛl/ et de *croix* /kRwa/. On ne place pas /j/ sur la même ligne que les sonores parce que la sonorité n'est pas pour le yod un trait dégagé par opposition. On pourrait dire qu'il y a deux yods . le premier, phonème-consonne /j/ « opposable » à /i/ ou à zéro dans des paires comme paix/paye /pɛ ~ pɛj/. Le français « cultivé » parisien oppose *pays* /pɛi/ ~ *paye* /pɛj/ (de même, *pied/expier*). Mais on ne peut alléguer *pied* [pje] ~ *piller* [pije], parce qu'il est difficile d'opposer un nom à un verbe et parce que c'est l'opposition /i/ ~ zéro, mais non /i/ ~ /j/, qui n'existe qu'après voyelle.

Le second yod est une variante combinatoire de /i/ : [jɛR] variante de [iɛR]. En province, on entend plus souvent [iɔd] *iode* (deux syllabes) que [jɔd] (une syllabe) et même [ijɔd] dans l'insistance ou le débit lent. C'est en termes de variante phonologique qu'il convient de discuter de la *diérèse* (en versification, prononciation d'un groupe de voyelles en deux syllabes) : « Un chant mystéri-eux tombe des astres d'or » (Rimbaud, *Ophélie*). Il faut dire ici *mystérieux* en quatre syllabes, non en trois. L'opposition se neutralise ailleurs qu'en finale de syllabe : on ne peut distinguer *tiens* d'un mot *tien* qui n'aurait que deux syllabes. Au contraire, [ɥ] ne s'oppose jamais à [y]. Le *ué* [ɥ] et le *oué* [w] n'apparaissent jamais en position finale, et rarement à l'initiale. Ce sont surtout des « sons de transition » qui se trouvent toujours devant voyelle. On peut cependant opposer [w] à [u] dans *trois* [trwa] ~ *troua* [trua]; [j] s'oppose à [w] et à [ɥ] : riez/rouer/ruer.

1.3.3. *Le système vocalique*

Le désaccord règne parmi les linguistes à propos de l'inventaire des voyelles françaises, plus qu'à propos de celui des consonnes. G. Gougenheim (1935) compte 144 voyelles (18 × 2 × 2 × 2), puisque toute voyelle peut être en syllabe fermée ou ouverte, accentuée ou non, intense ou non. A l'extrême opposé, l'Américain Trager n'en compte que 11 car il décompose les voyelles nasales en : voyelles orales + *n*, etc. Un inventaire des phonèmes est-il forcément fixe ? Toutes les oppositions sont-elles à mettre sur le même plan ?

L'approche phonologique de Martinet permet d'isoler un système vocalique de 13 unités : 10 non nasales, définies par l'antériorité, la labialité, l'aperture, et 3 nasales définies par la nasalité, l'antériorité et la labialité.

	antérieures		labiales
		labiales	
fermées	/i/	/y/	/u/
semi-fermées	/e/	/ø/	/o/
semi-ouvertes	/ɛ/	/œ/	/ɔ/
ouverte	/a/		
	antérieure		labiale
nasales	/ɛ̃/	/ɑ̃/	/õ/

L'opposition /ã ~ õ/ pourrait un jour être atteinte. Mais son rendement fonctionnel élevé contribue pour l'instant à son maintien, bien qu'il ne soit pas rare qu'un auditeur interprète par /õ/ ce qui est /ã/ pour le locuteur. Dans les descriptions articulatoires maximalistes, on compte 16 voyelles françaises, mais la plupart des phonologues actuels ne font pas figurer [œ̃, ɑ, ə] dans les systèmes. Voici leurs raisonnements :

1.3.3.1. L'opposition /ɛ̃ ~ œ̃/ tend à disparaître même sous l'accent en parisien (le son [œ̃] restant comme variante dans le registre soigné) ; ce n'est pas à cause d'une certaine paresse articulatoire mais parce que : 1° son rendement fonctionnel est faible : on ne peut alléguer qu'une vingtaine de couples comme brin/brun, empreint/emprunt, Alain/alun (mot rare !) et des oppositions du type *c'est un poli/c'est impoli*; 2° le système s'en trouve simplifié; 3° la différence entre ces deux nasales, du point de vue acoustique, est celle qu'on perçoit le moins nettement; 4° statistiquement, (1.3.5.), on ne trouve que 0,5 % de [œ̃] contre 1,2 % de [ɛ̃],

2,1 % de [ɔ̃] et 3,4 % de [ɑ̃]; et encore la plupart des occurrences de [œ̃] sont-elles représentées par *un*, qui est suffisamment spécifié syntaxiquement; *aucun*, *chacun*, *quelqu'un* ne sont pas opposables à *[okɛ̃, ʃakɛ̃, kɛlkɛ̃] qui auraient des sens différents; 5° [œ̃] n'est pas opposable à [œ] alors que /ɛ̃/ s'oppose à /ɛ/; 6° il existe une hiérarchie parmi les traits distinctifs : la nasalité neutralise, en fr. mod., l'opposition de labialité, c'est pourquoi dans la relation /ɛ̃ ɑ̃ ɔ̃/, il n'y a pas place pour [œ̃].

1.3.3.2. Diverses études statistiques (Delattre, Martinet, Reichstein, Deyhime, Léon) montrent que l'opposition /a ~ ɑ/ devient plus instable, qu'elle n'a plus l'importance qu'elle avait naguère. Des Parisiens, des Normands et des Lorrains postériorisent certains [a], ce qui n'est pas la même chose. Sauf dans l'insistance (« du poulet avec des *pâ*tes! »), on fait de moins en moins les différences prescrites, en dehors des cas où intervient l'accent circonflexe (t*â*che/t*a*che), parce que 1° le rendement fonctionnel de cette opposition est relativement faible; 2° la différence de durée semble au moins aussi importante que celle de timbre; pour lever l'ambiguïté entre les *Mal Aimés* et les *mâles aimés*, la plupart des Français exagèrent la postériorité de [a] mais surtout l'opposition de durée; 3° la répartition entre les deux sons est flottante dans les dictionnaires de prononciation; 4° le [ɑ] postérieur est apparu assez tard dans la langue; 5° cette répartition est souvent arbitraire (pourquoi paille avec [ɑ] mais caille avec [a] ?); 6° Delattre compte 70 000 [a] submergeant 150 [ɑ], en gros 500 contre 1. Si on considère non pas la fréquence absolue (en langue), mais la fréquence d'utilisation (en discours), on a 7,6 % de [a] contre 0,1 % de [ɑ] (1.3.5.); 7° du point de vue auditif, [a] est plus facilement différenciable des sons voisins que [ɑ]; 8° la différence s'atténue à mesure qu'on s'éloigne de l'accent : comparer les *a* de *pâte*, de *pâté* et de *pâtissier*.

En fr. mérid. il n'y a qu'un seul phonème du type A, généralement réalisé comme [a] moyen, avec une variante antérieure et une variante postérieure.

1.3.3.3. Les phonologues ne sont pas d'accord à propos du statut phonologique du *e* dit muet, voyelle labiale antérieure qui, selon l'entourage et le registre de langue, peut apparaître ou disparaître (question étudiée par Gougenheim, Martinet, Malmberg, Tilkov entre autres). On oppose traditionnellement /ə/ à /œ/ et à /ø/ en se fondant sur la représentation des sons par l'alphabet phonétique. Articulatoirement, la notation /ə/ ne convient guère, car elle désigne dans l'alphabet de l'A.p.i. la voyelle centrale et « neutre ». Elle n'est nullement « indéterminée » en français. Dans ce chapitre qui l'envisage du point de vue phonologique, nous lui conservons son nom traditionnel : *e* muet — les désignations étant ici conventionnelles et non descriptives. Ce terme n'est ni meilleur ni pire que les autres. Certes cet *e* n'est pas toujours muet, c'est-à-dire non prononcé; mais il n'est pas non plus « neutre » (il est antérieur et labial), ni « résurgent » (c'est plutôt sa disparition qui le caractérise), ni « instable » (il est stable quand il est présent), ni « féminin » (terme de versification), ni « caduc » (un son ne « tombe » pas, cet *e* ne s'amuït que dans des circonstances déterminées). En position interne, le *e* de *allemand* ou de *calepin* est-il réellement « caduc » ? Il ne correspond à aucun son en français non méridional, sauf dans la diction syllabaire (p. ex. si quelqu'un a mal entendu); après le *l*, il n'y a pas, dans ces deux mots prononcés normalement, une voyelle caduque qui serait absente dans *calmant* ou *alpin*. Inversement, le *e* de *brebis* ou de *saugrenu* ne « tombe » jamais, il est tout à fait stable.

Observons de plus près le comportement du *e* muet en français non méridional. Il est absent à l'initiale de mot dans *la s'melle*, présent dans *un(e) sEmelle*. Mais à l'initiale absolue, on tend à le conserver quand il est suivi de plusieurs syllabes qui contiennent aussi des *e* muets : *jE me le demande*. Certaines combinaisons de consonnes sont évitées grâce à son maintien : *la guEnon*, *tout pEnaud*. On ne dit pas [lagnɔ̃] ni [tupno], parce que l'auditeur pourrait ne pas reconnaître ces mots qui sont relativement rares et de ce fait riches en information.

Soit le mot *devant* : un rapprochement avec *divan* et avec *revend* paraît indiquer que la syllabe qui précède [vɑ̃] se compose de deux phonèmes : /d/ et /ə/. Mais ce dernier élément n'est pas un segment phonématique autonome, comparable au /k/ initial de *cruche* (cf. *ruche*) : lorsqu'il disparaît, p. ex. dans *là-d'vant*, nous avons toujours affaire au même mot, ce qui indique qu'au moins dans cette position, cette voyelle n'a pas de valeur distinctive; il ne peut pas y avoir en français un mot [dəvɑ̃] distinct de [dvɑ̃]. Lorsqu'on note que [ə] est nécessairement précédé d'une consonne, on est tenté de conclure que [də] n'est que la variante du phonème /d/ lorsque celui-ci se présente, dans l'énoncé, entre deux consonnes *(là-devant*, mais *par-devant)*.

On constate en France non méridionale des effacements de *eu* (dans *déjeuner* [deʒne] ou *rajeunir* [RaʒniR]) : cela traduit une tendance à une disparition généralisée en position intérieure, comme dans *premier d(e)gré* [prəmjedgre]. En revanche, on entend parfois : *méringue*, *génevois*, *réssembler*, *régistre*, au lieu de *meringue*, *genevois*, *ressembler*, *registre*. Le locuteur dit [e] pour [ə] car il n'est pas sûr s'il faut dire le [ə] ou non. Il peut s'agir aussi d'une ancienne tendance (réaction érasmienne, reviviscence de l'atone). Tout cela est très flottant!

Si on ne considère que les cas ci-dessus, le *e* muet n'est pas un phonème : son apparition est relativement prévisible, des règles peuvent être dégagées. Il fonctionne comme un « lubrifiant phonique » (Martinet). Dans cette perspective, le phonème /d/ a deux variantes : [d] *(dans, là-dessus)* et [də] *(par-dessus)*. On dit *post(e) tonique* ou *post-tonique*, mais toujours *arquebuse* avec *e* : la tradition graphique joue donc un rôle et elle est en conflit avec le système phonologique. Les [ə] de *à l'est(e) de la France*, *l'ex(e) Chancelier*, ne sont que des alternatives possibles. Le pronom *le* accentué précédé d'un impératif du type *prends-le* pourrait être traité comme /lø/ ou /lœ/. Ce n'est qu'à l'initiale devant *h* dit « aspiré », ex. : l'être ~ le hêtre [lɛtr ~ ləɛtr] ou dors ~ dehors [dor ~ dəor], que la présence de /ə/ est *distinctive*. C'est ce qui amène à conclure que l'opposition /ə/ ~ zéro se *neutralise dans toutes les positions à une seule exception près* : e muet n'est un véritable phonème que dans un certain entourage à l'initiale. Selon H. Walter il devient de moins en moins instable, car il se confond de plus en plus avec la série antérieure arrondie.

1.3.3.4. *Conclusion.* Le système comporte donc six voyelles de moyenne aperture s'opposant entre elles : allé/allais, jeune/jeûne, côte/cotte, mais la *distribution* présente des particularités notables. C'est ce qu'en orthoépie on nomme « lois de position » (3.4.). En finale libre, nous avons /ɛ ~ e/. En syllabe non finale, on constate une tendance à la neutralisation (harmonisation vocalique, cf. 4.8.), et les oppositions sont plus rares. Devant /r, l/ finaux de syllabe accentuée, les voyelles de types E, Œ, O sont toujours ouvertes : *nerveux*, *nerfs*. Contrairement à /ɛ̃, ɔ̃/, /ɑ̃/ n'apparaît jamais en syllabe finale terminée par /z, f, m, r/. En revanche, /ɛ̃/ n'apparaît pas devant /l/ final, ni /ɔ̃/ devant /f, m, r, l/. Une description phonologique qui omettrait de citer les limitations de distribution serait peu convaincante et peu utile.

Système phonologique des voyelles orales (parisien)

en syllabe finale		en syllabe non finale
voyelle entravée	voyelle libre	
i .y u	i y u	i y u
- ø o	e ø o	E Œ O
ɛ : ɛ œ ɔ	ɛ - -	a
a ɑ :	a	

Système phonologique des voyelles orales (marseillais)

finale entravée	finale libre	non finale
i y u	i y u	i y u
ɛ œ ɔ	e ø o	E Œ O
a	a	a

A Paris 3 voyelles nasales : ɛ̃ ɑ̃ ɔ̃. A Marseille : ɛ̃ ɑ̃ ɔ̃ œ̃ ; le ə n'est pas caduc.

1.3.4. *Divers types de description phonologique*

Certains linguistes font encore de nos jours de la phonétique articulatoire en l'appelant abusivement phonologie. Un exemple peut être fourni par la distinction /i, y, u/. Quelle est la spécification la plus utile en diachronie ? Si on fait appel à quatre traits : labialité (= arrondi), nasalité, antériorité, aperture, les phonèmes sont trop spécifiés. Une description phonologique est d'autant meilleure qu'elle est plus adéquate. Essayons de n'utiliser que deux traits. Si on commence par le trait « arrondi » on peut diviser : écarté : /i/, arrondi : /y u/; mais il faut distinguer /y/ de /u/, d'où :

(a)

écarté	arrondi	
	antérieur	postérieur
i	y	u

(b) on pourrait avoir aussi :

antérieur		postérieur
écarté	arrondi	
i	y	u

Donnons une représentation des traits distinctifs sous forme de matrice[1] :

+ indique la présence du trait,
— indique son absence,
o indique que le trait ne joue aucun rôle :

(a)

	i	y	u
arrondi	—	+	+
postérieur	o	—	+

(b)

	i	y	u
postérieur	—	—	+
arrondi	—	+	o

Les colonnes verticales où il y a des o révèlent des *redondances* : pour /i/ le trait postérieur est superflu, pour /u/, le trait arrondi. Une telle représentation a l'avantage de poser le problème du choix. La description (b) est préférable, car elle permet le groupement en mettant /u/ à

1. Burstynski dans P. Léon et coll., *Recherches sur la structure phonique du français canadien*, pp. 11-12.

part. Pour expliquer la palatalisation (cf. 2.2.7.), il est plus utile de mettre ensemble /i/ et /y/.

On ne peut donner le nom de « phonologie » à un simple inventaire de phonèmes et de variantes. Les fonctionnalistes dégagent la notion de trait distinctif, de neutralisation et de variante combinatoire. Jakobson remplace la notion de système par celle des paramètres hiérarchiques : le phonème est une intersection de paramètres ; c'est *la phonologie binaire*. Elle met en corrélation p. ex. /t ~ s/, /p ~ f/, car pour elle, l'occlusivité est distinctive par rapport au non-occlusif (occlusif + ~ occlusif —). Le tableau de Martinet ne fait pas cette distinction. Jakobson[1] use de douze traits distinctifs : 1. vocalique/non vocalique (présence ou absence de formants) ; 2. consonantique/non consonantique (énergie totale réduite ou non) ; 3. tendu/lâche (zones de résonance nettement définies dans le spectre ou non) ; 4. discontinu/continu (présence ou absence d'une partie silencieuse comme dans [p]) ; 5. strident/mat (intensité du bruit élevée [s] ou non) ; 6. grave/aigu (concentration de l'énergie dans les fréquences basses ou hautes) ; 7. bloqué/non bloqué (décharge d'énergie dans un temps plus ou moins réduit comme dans la glottalisation) ; 8. voisé/non voisé ; 9. nasal/non nasal (réduction ou non d'intensité du premier formant) ; 10. bémolisé/non bémolisé (abaissement ou non — comme le fait le bémol en musique — des composantes de haute fréquence = c'est l'effet de la *labialisation*) ; 11. diésé/non diésé (élévation ou non des composantes de haute fréquence — cf. le dièse qui élève de 1/2 ton = c'est l'effet de la *palatalisation*) ; 12. compact/diffus (concentration ou non de l'énergie dans une bande étroite et centrale du spectre).

Pour l'école américaine de phonologie générative, l'analyse phonologique, trop facile vu le nombre limité d'éléments à inventorier, n'a pas forcément la priorité. Elle abandonne même la notion de phonème et

	# Consonne	# Voyelle	# Liquide	# Semi-consonne
Cons. #	peti(t) camarade	peti*t* ami	peti(t) rabbin	peti*t* oiseau
Voy. #	admirabl*e* camarade	admirabl(e) ami	admirabl*e* rabbin	admirabl(e) oiseau
Liq. #	cher camarade	cher ami	cher rabbin	cher oiseau
Semi-cons. #	pareil camarade	pareil ami	pareil rabbin	pareil oiseau

1. *Essais de linguistique générale*, trad. Ruwet, pp. 128-130.

Analyse binaire, en traits acoustiques, du système consonantique français
(d'après Rossi)

	ɲ	m	n	g	k	b	p	d	t	ʒ	ʃ	v	f	z	s	l	R	j	w
nasal	+	+	+	—	—	—	—	—	—	—	—	—	—	—	—	—	—	—	—
vocalique	+	+	+	—	—	—	—	—	—	—	—	—	—	—	—	+	±	+	+
interrompu	+	+	+	+	+	+	+	+	+	—	—	—	—	—	—	+	±	—	—
continu	+	+	+	—	—	—	—	—	—	+	+	+	+	+	+	+	±	+	+
compact	+	—	—	+	+	—	—	—	—	+	+	—	—	—	—	—	±	+	—
aigu	+	—	+	±	±	—	—	+	+	+	+	—	—	+	+	+	±	+	—
voisé	+	+	+	+	—	+	—	+	—	+	—	+	—	+	—	+	+	+	+

passe directement du son au « morpho-phonème », celui-ci étant appréhendé par l'analyse des morphèmes et de leurs alternances : /lɛv/ ~ /ləv-ɔ̃/. Voici un exemple des règles génératives concernant la liaison et l'élision. On part du tableau page 67[1].

(1) En position finale de mot :

— les consonnes sont supprimées devant consonnes et liquides
— les voyelles sont supprimées devant voyelles et semi-consonnes
— les liquides et les semi-consonnes ne sont jamais supprimées (l'élision en ce cas n'est pas distinctive, on peut omettre les deux dernières lignes).

En termes de traits distinctifs, les quatre classes de segments peuvent être différenciés par deux traits seulement : consonantique et vocalique, chaque trait ayant la valeur + ou — :

Consonne	Liquide	Voyelle	Semi-consonne
+ cons. — voy.	+ cons. + voy.	— cons. + voy.	— cons. — voy.

ce qu'on lit de la manière suivante : une consonne finale de mot est supprimée devant un segment commençant par une consonne (+ cons), etc.

Un examen de la distribution des traits montre que les consonnes et les liquides ont le trait /+ cons/ en commun, les voyelles et les semi-consonnes ont /— cons/ en commun, d'où la réécriture suivante :

(2) En position finale de mot :

— les consonnes perdent l'élément final devant les segments /+ cons/
— les voyelles devant les segments /— cons/
— les liquides et les semi-consonnes ne perdent jamais l'élément final

ou encore :

(3) En position finale de mot :

— les segments /+ cons, — voy/ sont tronqués devant les segments /+ cons/
— les segments /— cons, + voy/ sont tronqués devant les segments /— cons/.

1. Schane, *French Phonology and Morphology*, 1968, p. 2. La place du signe ≠ correspond à celle de la jointure. Cf. *La phonologie générative*, Langages, nº 8, Paris, Larousse, 1967.

Ainsi formulée, la règle est plus condensée, tout en étant exhaustive et explicative.

En ce qui concerne l'analyse phonologique, Schane propose un système de compétence « sous-jacent » de sept voyelles seulement, à l'aide de quatre traits :

	i	e	ɛ	a	ɔ	o	u
haut	+	—	—	—	—	—	+
bas	—	—	+	+	+	—	—
avant	+	+	+	—	—	—	—
arrondi	—	—	—	—	+	+	+

On peut dériver les autres voyelles par une série de règles. Rien ne dit que le locuteur en use de la sorte. Là n'est pas le propos de la phonologie générative : celle-ci veut expliquer une compétence, et obtenir des « descriptions plus élégantes des phénomènes morphologiques ». Il est certainement fructueux de décomposer les phonèmes, bien définis et reposant sur des bases linguistiques solides, en unités plus petites et par là même *plus générales*. On voit alors chaque phonème comme une combinaison *parmi d'autres*, également possibles, d'un nombre limité de traits distinctifs.

On trouvera une bonne approche de la phonologie générative dans F. Dell, *Les règles et les sons*, Hermann, 1973[1]. Une formalisation qui pousserait la réduction analytique jusqu'à ses dernières limites, à l'aide de modèles mathématiques, montrerait qu'une langue naturelle comme le français, malléable et en perpétuelle évolution, possède à tous les niveaux des propriétés spécifiques (polymorphismes, déficiences, implications, ambiguïtés, besoin d'expressivité) qui la distinguent des langues artificielles.

Ce serait une erreur de s'imaginer qu'un système est forcément *stable*. C'est l'inverse qui est vrai : le français de notre époque, comme celui de toutes les époques précédentes, est en déséquilibre. Mais cela n'implique nullement un dérangement total du système, ni un manque total de système. A priori, on peut penser qu'une phonologie de type génératif conviendrait bien pour une étude évolutive. Mais l'expérience montre qu'il faut de solides appuis philologiques pour que ne soit pas perdu le contact avec la complexe réalité des faits.

1. Chomsky et Halle, *The Sound Pattern of English*, New York, 1968; trad. franç. P. Encrevé des chap. 1, 2, 7, 8, 9, parue sous le titre *Principes de phonologie générative*, Paris, Seuil.

1.3.5. *Fréquence d'apparition des phonèmes*

Quels sont les pourcentages d'occurrence pour les phonèmes du français moderne ? Des calculs ont été effectués sur ordinateur CII 10070, par J. P. Haton et M. Lamotte, du Laboratoire d'Electricité et d'Automatique de Nancy. Leur échantillonnage portait sur 50 033 phonèmes, répartis dans 11 443 mots figurant dans des conversations et des récits enregistrés à Nancy (Faculté des Sciences) en 1970. Ils ont constaté que les voyelles et les consonnes sont à peu près *à égalité* (respectivement 48 % et 52 %); selon Denes (1963), l'anglo-américain utilise deux fois plus de consonnes que de voyelles. Les cinq voyelles /a, i, e, ə, ɛ/ représentaient 65 % des occurrences de voyelles, et les quatre consonnes /R, l, s, t/ la moitié des occurrences de consonnes. Le /R/ mis à part, on note donc une nette prédominance des phonèmes *antérieurs*. Huit phonèmes seulement sont responsables de 50 % des occurrences totales : ce sont /R, a, i, l, s, e, ə, t/. En revanche, /œ̃, ɑ, œ, ɥ/ sont peu utilisés. Il faudrait établir aussi, par ordre de fréquence, un inventaire de toutes les oppositions dont le rendement est fonctionnel. Il existe une dizaine d'études statistiques pour le français parlé (Zipf, Chavasse, Malécot, Lafon, Delattre, Guiraud, Wioland, Hug, Liénard, Tubach). Wioland a montré (Travaux Inst. Phon. Strasbourg, 1972, n° 4) qu'elles ne s'accordent qu'en gros : échantillonnage, nombre de phonèmes comptabilisés et transcriptions diffèrent. Voici (voir p. 72) d'après ce chercheur, un classement portant sur 154 631 phonèmes (Haton-Lamotte, Wioland, Delattre, Valdman).

1.4. LES COMBINAISONS PHONÉTIQUES DU FRANÇAIS

Jusqu'ici, nous avons étudié le système phonologique et les divers sons pris *isolément*. Nos habitudes graphiques tendent à les faire apparaître comme les perles d'un collier. Mais, évidemment, dans la *chaîne parlée*, ces éléments sonores se succèdent en se combinant les uns avec les autres. Deux consonnes en contact s'enchaînent d'autant mieux qu'elles sont exécutées par des organes plus voisins, avec des modes articulatoires et une aperture plus semblables. Quand les organes qui agissent sont les mêmes, on dit que deux consonnes distinctes sont homorganiques (grec *homos* « semblable »), ex. : [m] et [p] dans *aim(e) pas* sont homorganiques (bilabiales toutes deux); [k] et [t] dans *lac tranquille* ne sont pas homorganiques.

Il n'est pas exact de dire : « une suite de phonèmes forme des mots et des phrases », si on ne précise pas qu'il y a des modifications continuelles : le [k] de *qui* n'est pas le [k] de *cou*. Une telle étude relève de la *phonétique combinatoire*. *Sandhi* (mot sanskrit signifiant « combinaison ») désigne les modifications que peut subir l'initiale ou la finale d'un mot.

Consonnes	%	Rang	Voyelles	%
R	7,8	1		
		2	a	7,6
l	6,2	3		
s	5,8	4		
		5	ɛ	5,6
		6	e	5,4
t	5,3	7	i	5,3
d	4,3	9		
p	4	10		
k	4	10		
m	3,6	12		
		13	ə	3,4
		13	ɑ̃	3,4
n	2,9	15		
v	2,7	16		
		17	u	2,5
		18	ɔ̃	2,1
		18	y	2,1
		20	o	1,9
j	1,8	21		
ʒ	1,5	22		
z	1,5	22		
f	1,4	24		
		25	ɔ	1,3
		26	ɛ̃	1,2
b	1,1	27		
w	1	28		
ʃ	0,6	29	ø	0,6
g	0,6	29		
		32	œ	0,5
		32	œ̃	0,5
ɥ	0,3	34		
ɲ	0,1	35	ɑ	0,1
	56,5			43,5

Les séquences sonores sont plus ou moins intimement attachées les unes aux autres. Il faut ici faire l'effort d'oublier le système, d'ailleurs imparfait, de notre ponctuation. Soit cette information radiophonique : « La météo pour aujourd'hui elle prévoit un ciel très nuageux sur presque toute la France quelques pluies notamment dans la moitié Nord. » C'est grâce à des repères (la proéminence auditive de certaines syllabes, les montées ou descentes de l'intonation, les pauses, etc.) que l'auditeur peut segmenter syntaxiquement ce texte parlé, en deux ou trois « phrases ». Dans une conversation rapide, cette opération serait beaucoup plus aléatoire. Ces « phrases » identifiées parfois à des groupes de souffle (double barre) peuvent être à leur tour, si elles sont longues, divisées en grands groupes (dits « rythmiques », barre simple si on envisage le

rythme), lesquels sont segmentables en *groupes accentuels* (ou mots « phoniques », délimités par un accent). Ainsi, on pourrait avoir :
//(la mét*éo*) (pour aujourd'hu*i*)//
(elle prév*oi*t) (un ciel très nuag*eu*x) (sur presque toute la Fr*an*ce)/
(quelques pl*ui*es) (notamment dans la moitié N*or*d)//
Selon le locuteur, plusieurs découpages différents sont possibles pour un même énoncé, et plusieurs procédés de suture. Les « poteaux-frontières » entre ces unités s'appellent *jointures* (ou jonctures, angl. *junctures*).

Les jointures du français se présentent à plusieurs niveaux :

— entre deux syllabes
— entre deux groupes accentuels
— entre deux groupes rythmiques
— entre deux groupes de souffle.

Les jointures se réalisent de diverses façons : rupture mélodique, allongement, pause, assimilation, etc. Il y a presque toujours mélange de plusieurs de ces phénomènes.

Il est bon de considérer, sous cet angle, divers problèmes habituellement dispersés et étudiés séparément : la syllabe, l'assimilation et la dissimilation, la différenciation, les colorations secondaires des voyelles et des consonnes, la liaison, l'élision, l'harmonisation vocalique. La question délicate du *e* muet peut être également considérée comme un phénomène de jointure.

1.4.1. *Coarticulation dans la syllabe*

Sur un spectrogramme, pour une suite comme [ta], comment être certain de ne pas se tromper si l'on veut fixer une limite précise entre les deux sons ? Comme dans toute science, en définitive, on se heurte à un problème de seuil. Allons-nous pratiquer une segmentation de façon systématiquement arbitraire ? Faut-il renoncer à toute segmentation entre consonne et voyelle dans ce continuum physique — le découpage en phonèmes se situant sur un tout autre plan ?

La déflexion vers le haut du deuxième formant et l'absence de barre de sonorité font que, d'un point de vue acoustique, dans la séquence [ta], le [t] n'est que la « manifestation d'une qualité particulière de la première partie de la voyelle » (Faure). Comme phonème, /t/ est une unité discrète, mais au plan de la réalisation phonétique, il n'a aucune autonomie, même relative. Dans la réalisation d'une syllabe, les éléments sont « en état de fusion avancée » (Malmberg). Toute coupure dans le continuum physique est arbitraire. De quelque façon que l'on procède, les limites physiques ne seront jamais « vraies ». Il y a toujours une zone neutre. Un appareil ne permet de repérer qu'un *intervalle*, où se situe la valeur réelle. L'incertitude est déterminée par la largeur de cette zone et dépend de l'instrumentation : ainsi, avec une vitesse de déroulement du papier de 20 mm par cs, la marge d'erreur sur un oscillogramme peut être estimée à $\pm$ 8 ms. Dans la séquence [aRa], les formants du premier [a] se mêlent à ceux du [R] et le colorent.

Quand une consonne allongeante (1.5.4.1. et 1.7.1.1.) suit une voyelle, notre esprit, qui catégorise, fixe un seuil V/C. Mais, dans la réalité acoustique, les caractéristiques vocaliques pénètrent la consonne : le [o] de *rose* vient mourir lentement dans le [z]. Les deux sons sont étroitement imbriqués : pendant un certain temps, c'est *déjà* une consonne, alors que c'est *encore* une voyelle. Du point de vue physiologique, au moment de l'explosion d'une occlusive, il y a déjà le début de la réalisation de la voyelle qui suit. Si je dis que dans [bi], p. ex., le [b] est perçu pendant le passage entre [b] et [i], cela ne signifie pas que [i] ne soit pas perçu au même instant. Analogiquement, quand une aiguille me pique le doigt, je n'ai pas *d'abord* la sensation qu'elle entre, *puis* la sensation de la douleur.

Pourtant, quand il est nécessaire d'effectuer des mesures phonétiques, on peut s'en tenir à des règles simples qu'on ne change pas au cours des recherches. Il est dangereux de s'écarter trop des données instrumentales : plus on rectifie, plus on s'éloigne du réel. Pour délimiter les voyelles, le phonéticien peut consulter p. ex. la courbe d'intensité acoustique; sachant bien que la délimitation est arbitraire, mais ne voulant pas quitter le terrain des données instrumentales, il tient compte de toutes les indications dont il dispose. Les passages V/C et C/V sont généralement rattachés à la consonne C et non à la voyelle V : ils correspondent respectivement à sa mise en place et à sa détente. On sait en effet, par synthèse de la parole, le rôle capital que jouent les « transitions » dans l'identification des consonnes; en compréhension orale d'une langue étrangère comme l'anglais, c'est aux consonnes qu'il faut « s'accrocher ». Si l'intensité croît à l'endroit de la transition, on coupe la syllabe après elle dans la séquence C + V. Mais il est bien hasardeux de trancher dans ces transitions qu'on qualifie de « boueuses » (Lehiste). D'autres facteurs interviennent : dans *il part en camion*, le *r* est rattaché au *a* à cause du souci de préserver l'individualité sémantique du verbe.

On appelle « coarticulation » les influences réciproques causées par le manque de simultanéité des divers mouvements qui concourent à l'articulation d'une syllabe. La voyelle de *truc* labialise les 3 consonnes, contrairement à celle de *trique*!

1.4.2. *Entre deux syllabes*

Delattre a fondé les tendances de la coupe syllabique en français sur *l'aperture*. Pour deux consonnes, la coupe syllabique se trouve :
— dans le cours de la première, tendant vers le début de cette première dans la mesure où la transition est ouvrante : *pa-trie* (syllabe ouverte, libre). Le groupe : consonne + *l* ou *r* ne fait pas entrave;
— vers la fin de cette première dans la mesure où la transition est fermante : *par-tie* (syllabe fermée, entravée).

Divers phonologues ont envisagé la question d'un point de vue fonctionnel, et appelé jointure *interne* /+/ la frontière syllabique entre deux unités de la chaîne parlée dont l'union est étroite : ex. morphème + lexème : all. *einatmen* « respirer » [ae̯n + atmən]. La jointure est *externe* /#/ dans *affaire # Incroyable* avec une pause après *affaire* (mais il ne s'agit pas d'un phonème). Que comprend-on si je dis : [ʒɑ̃vjɛ̃] sans vouloir imposer un sens? Est-ce : « Jean # vient », « j'en + viens » ou « Jean, # viens! »? Une pause réelle seule permet de lever l'ambiguïté orale entre les deux premiers énoncés et c'est l'intonation qui différencie le troisième sens. Un autre type de levée d'ambiguïté est la possibilité de distinguer : « le papa # dit » et « le pape # a dit » : dans la première phrase, la syllabe en jointure est libre, dans la seconde elle est entravée [pap]. On a parfois la possibilité de lever l'ambiguïté par un déplacement de la jointure : *leur # tour*, mais *le # r(e)tour*; *l'aperception/la # perception*. Mais la prononciation ne diffère que si nous le jugeons nécessaire. C'est pourquoi le français est la langue du calembour : [œ̃siɲalmɑ̃], [tRɛzami] ou [lətiRwaRɛtuvɛ:R]. Parfois nous usons d'un procédé stylistique : c'est un accent d'insistance sur *tout* qui fait comprendre qu'il s'agit de la couleur.

Dans le célèbre distique holorime de Marc Monnier (*toutes* les syllabes riment), le rythme des deux vers diffère :

> « Gal, amant de la reine, alla, tour magnanime,
> Galamment de l'Arène à la Tour Magne, à Nîmes. »

Les liaisons ajoutées aux élisions multiplient les sutures étroites. Cela prouve, a-t-on dit, la répugnance des Français à l'égard de l'hiatus (cf. 1.1.3.10.). Cette assertion est fausse. En effet, on glisse aisément d'une voyelle à une autre, même entre voyelles identiques; « Papa a à aller à Arles » : il suffit que l'intensité baisse légèrement entre les [a] en contact. Dans les langues germaniques, la voyelle initiale d'un substantif ou d'un verbe est précédée par un [ʔ] à valeur démarcative, mais en français, les mots s'accrochent entre eux : la continuité de la chaîne vocalique est un des caractères les plus frappants. P. Fouché et A. Dauzat ont fait observer le caractère *très lié* du français *soigné*, les jointures y étant faiblement marquées et assez instables, les limites des mots graphiques (délimités par un espacement) semblant malicieusement se cacher à l'intérieur des groupes et enjamber les mots. Mais de nos jours, une réaction est manifeste : on donne plus d'*individualité* aux mots importants. On dit moins « chez Albert » [ʃezalbɛ:R] que [ʃeˀalbɛ:R] ou [ʃealbɛ:R]. Si quelqu'un prononçait *trop épais* avec une liaison, on ironiserait aussitôt sur *pépé* et on n'aurait pas tort de refuser l'équivoque. De plus en plus, on entend prononcer : *le auvent de la caravane*, *quelque chose de ample* : il s'agit de mots chargés d'information, qu'on désire bien détacher (cf. 3.4.3.5. : *le onzième*). Delattre a établi une liste des types de démarcation qui sont possibles entre les mots; il cite en particulier :

— la désaccentuation des syllabes finales de « mots majeurs » à l'initiale du groupe : dans « un Institut de Phonétique », la syllabe *tut* est désaccentuée;

— la proéminence de la partie initiale des mots (accent d'insistance, jointure, intonation) : « c'est *gé*nial » (cf. 1.6.4.5.);

— l'altération dans l'articulation des consonnes de liaison et d'enchaînement, appréciables par le degré de force, de sonorité, etc. : « tu les coup*es* ras... ». Il arrive que ce procédé joue contre la tendance à l'assimilation totale de sonorité : *sac gonflé* [sakh-gɔ̃fle] (cf. 1.4.7.).

La démarcation, bien que restant moins importante qu'en allemand, se développe en français contemporain.

1.4.3. *Entre deux groupes accentuels et rythmiques*

Il n'y a pas de différence spécifique de réalisation entre la jointure G.a. (groupe accentuel, cf. 1.5.3.3.) et la jointure G.r. (groupe rythmique), si ce n'est que la fin d'un G.r. est souvent plus marquée et que le lien entre deux G.r. est plus lâche. Le G.r. peut très bien se réduire à un G.a. Un G.a. se termine par un accent. Sa structure est relativement compacte et serrée. Il faudrait réserver à la versification et à la prose cadencée le terme *accent rythmique* (cf. 1.6.4.).

Alors qu'une des fonctions de l'accent est de démarquer en mots phoniques, c'est plutôt l'intonation (au sens large) qui permet le découpage en groupes rythmiques. Si nous remplaçons par la-la-la... (avec pauses et variations d'intensité et de durée) les mots de la prévision météorologique que nous citions au début du chapitre, nous aurons la même segmentation.

1.4.4. *Entre deux groupes de souffle*

La phrase ne se laisse bien définir qu'au plan de la compétence linguistique. Dès qu'on passe à la performance orale, c'est plus malaisé. Dans l'écrit oralisé (la lecture), il y a un mouvement inspiratoire entre des phrases courtes, qui constituent autant de groupes de souffle. Mais dans tous les cas, c'est surtout la pause et l'intonation dite de phrase qui assurent le découpage.

1.4.5. *Qu'est-ce qu'une syllabe ?*

Entre les sons et les groupes, se situe un intermédiaire : la syllabe. Les méthodes de lecture s'appelaient jadis des syllabaires, et l'enfant « sent » que la phrase française est formée de syllabes, et non de mots ni de sons isolés. Un apprentissage fondé exclusivement sur une saisie globale de mots isolés ne tiendrait pas compte du sentiment linguistique de l'enfant. Grammont a relevé des coupures révélatrices dans des lettres écrites par des enfants, ex. : « Giait vu la dresse de ton nami » (J'y ai vu l'adresse de ton ami). L'enfant n'a pas coupé n'importe comment : sachant qu'il faut couper, il a respecté la syllabation phonétique : [ʒjɛ-vy-la-dRɛs-də-tɔ̃-na-mi], et il a tenu compte de la liaison (« nami ») et de l'élision (« la dresse »). En effet, la notion de syllabe (bien définie par Aristote) est en français assez claire : à l'intérieur d'une syllabe, les consonnes présupposent l'existence de voyelles, mais non l'inverse. Quelques voyelles peuvent même constituer à elles seules une syllabe et même une phrase (« Où ? »). La syllabe est donc un type de combinaison élémentaire de sons dans la chaîne parlée, constituée d'un *noyau*, qui est presque toujours un élément vocalique[1], et, éventuellement, une frange formée d'un ou de plusieurs éléments consonantiques (ou semi-consonantiques). C'est d'ailleurs conforme à l'étymologie du mot consonne « qui sonne avec » (lat. *consona*, cf. grec *symphônia*). Je peux accumuler plusieurs consonnes : [t, tk, tkp], ce ne sont que des éléments marginaux, ce ne sera jamais une syllabe. En revanche, si je dis [ɛ], c'en est une : *haie*, *aie*, *est*, etc.

On ne voit pas de syllabe sur un tracé instrumental, quel qu'il soit. En phonétique générale, le problème de la syllabe est loin d'avoir reçu une solution satisfaisante : les théories de la syllabe pullulent (Saussure, Jespersen, Fouché, Grammont, Stetson, Hála, Rosetti, etc.). Mais il faut distinguer le point de vue d'où l'on se place : physiologique, acoustique ou phonologique.

1.4.5.1. Point de vue physiologique.

On enseigne généralement que la syllabe est la portion de chaîne parlée entre deux minima de tension musculaire. Quand on parle, les muscles se tendent et se détendent tour à tour pour détacher des unités rythmiques appelées syllabes. On peut sentir les variations de tension,

1. Cependant, dans *psst*, c'est la sifflante qui est noyau de syllabe.

lorsqu'on émet plusieurs *a* successifs (« il a à aller »), sans changer l'ouverture de la bouche et sans interrompre la voix : entre chaque *a*, la tension diminue puis reprend; il y a un minimum de tension pour passer d'une syllabe à une autre syllabe, une tension décroissante précède une tension croissante. Le point minimal est la coupe syllabique. A vrai dire, personne n'a encore mesuré cette « tension globale »!

D'autre part, quand on parle, la bouche se ferme et s'ouvre tour à tour pour émettre voyelles et consonnes : en gros, la voyelle est un élément ouvert, la consonne un élément fermé. Il existerait un rapport entre ces mouvements (ouverture-fermeture) et les tensions croissantes et décroissantes, changeant selon les langues : alors que les Français prononcent [kɛ-lɔ-fRa-tɔ̃-fɛ-ta-vo-za-mi], beaucoup d'étrangers disent : [kɛl-ɔfR-a-tɔ̃-fɛt-a-voz-a-mi] (Quelle offre a-t-on faite à vos amis ?). Les sommets sont donc à des endroits différents. L'impression acoustique diffère beaucoup si on dit : [ap-at-ak-a] ou [a-pa-ta-ka]. C'est une caractéristique du français que de préférer une syllabe libre ou ouverte (= terminée par une voyelle, la bouche étant ouverte). On dit que la voyelle est libre : *mou, roux*. Dans une syllabe entravée ou fermée (ou couverte) par une consonne (= bouche fermée), la voyelle est entravée : *bec, quatr(e)*[1].

Pour le français, Delattre a établi, d'après un corpus parlé, qu'il y a 54,9 % de structures CV (consonne + voyelle), alors qu'il n'y a que 17,1 % de structures CVC, 14,2 % pour CCV et 1,9 % pour VC. L'espagnol est assez proche du français avec 54 % de CV, mais l'allemand et l'anglais sont très différents. Les structures lourdes en consonnes sont rares en français. Le français, dit-on, est « riche en voyelles »; mais il ne s'agit en fait que d'une impression due à la *grande proportion de syllabes libres*. Les voyelles apparaissent au point maximal de tension et on les repère bien. La transition syllabique consiste en un brusque mouvement fermant. Le français donne mentalement à la voyelle une place prépondérante, une perceptibilité maximale : il *anticipe la voyelle* en articulant la consonne qui précède. Pour le [s] de [si], les commissures des lèvres sont écartées, alors que pour celui de [su] les lèvres sont arrondies.

1.4.5.2. Point de vue acoustique.

Ici le terrain paraît plus solide. Delattre et l'équipe des laboratoires Haskins, à New York, ont constaté (1955) que les consonnes sont identifiées grâce à deux facteurs : le bruit de la détente et les changements de direction des formants vocaliques (transitions). Normalement les deux sont présents mais un seul peut suffire. Malmberg a montré que l'oppo-

1. Pour une raison pédagogique (confusion avec les apertures), certains préfèrent dire *libre* et *entravée* à propos de la syllabe comme de la voyelle que celle-ci contient.

sition « transition/absence de transition » joue un rôle important dans la perception de la jointure syllabique. Dans le cas d'une consonne intervocalique réalisée par synthèse, ex. [apa], la présence d'une transition à la fin de la voyelle qui précède donne à 100 % l'impression d'une consonne *implosive* (qui entrave une voyelle), on entend [ap-a]. Si la transition se trouve au début de la deuxième voyelle, on entend [a-pa], c.-à-d. une consonne *explosive* (qui commence une syllabe).

Il faudrait rechercher les faits articulatoires qui sont à l'origine de ces faits acoustiques. Si dans *opter*, l'effet articulatoire dominant (accent final) porte sur la deuxième consonne, c'est que la première a une « tension » décroissante, la coupe est entre [p] et [t]. Si l'effort porte sur la première consonne, c'est qu'elle a une « tension » croissante, et la coupe est située avant [pt].

1.4.5.3. Voici les *formes syllabiques* les plus utilisées et la place de la *coupe syllabique* :

en syllabe ouverte (libre)
- CV : *ne(z)*
- CV-VC : *Moïse*
- CV-CV : *ma-rée*
- CV-C_1 C_2 V (C_1 étant une occlusive et C_2 [j, l, r]) : *peu-plé, dou-blé, a-près, en-fiévré, fou-droyé, inté-grité, na-tion...*

en syllabe fermée (entravée ($C_1 \neq C_2$)
- VC_1-C_2 V : *op-ter*
- VC_1-C_1 V : *ad-dition.*

On voit que lorsque deux consonnes se suivent à l'intérieur d'un mot, la première termine la syllabe précédente, la deuxième commence la syllabe suivante; exception : les groupes consonantiques terminés par [r, l, j] restent inséparables.

Le nombre et la structure des syllabes changent selon le débit et selon le registre de langue : [ɔ̃-tə-Rə-gaRd] ou [ɔ̃-tRə-gaRd]; [il-sə-di] ou [iz-di] : le français familier est économique, mais cela nuit à la compréhension.

1.4.5.4. Point de vue phonologique.

Tous les membres d'une communauté linguistique ont un sentiment commun de la syllabe. C'est une notion qui a une réalité psychologique et qui est pédagogiquement nécessaire, mais qui n'a pas une définition fonctionnelle valable pour toutes les langues. Nous devons trouver des règles phonologiques propres pour la syllabe du français. L'anglais se sert des unités de placement par rapport à l'accent, et l'allemand des morphèmes; ceux-ci n'étant pas isolables dans notre langue, on pourrait partir de notre tendance à terminer les syllabes, autant que possible, par une voyelle. Sauf si nous voulons lever l'ambiguïté, nous coupons de la même façon [ki-lɛm] = « qui l'aime » ou « qu'il aime ». L'étude systématique des segmentations de groupes syntaxiques pourrait permettre d'établir toutes les combinaisons syllabiques possibles en français.

1.4.6. *Colorations secondaires dues à la coarticulation*

[k, g] changent leur point d'articulation selon la nature de la voyelle qui suit. Il en est de même, quoique de façon moins nette, pour presque tous les sons, et, en français, plus pour les consonnes que pour les voyelles, car en prononçant la consonne, on prépare déjà la voyelle qui suit (anticipation vocalique). Le [t] de *tout* est vélarisé légèrement et labialisé; celui de *tire* est palatalisé : ce sont les *colorations secondaires*.

1.4.6.1. Vélarisation.

C'est la couleur vélaire qui est due à un recul, à un gonflement secondaire vers l'arrière du dos de la langue ou à un creusement de la langue donnant une résonance postérieure : le [l] de *lot* est plus reculé que celui de *lu*. Acoustiquement il y a abaissement des formants. Mais ceci est beaucoup moins marqué en français que dans les langues sémitiques, p. ex.

1.4.6.2. Labialisation.

C'est l'avancée et l'arrondissement secondaire des lèvres qui accompagnent les consonnes en contact avec les voyelles labiales. Il y a allongement du canal vocal, d'où changement de résonance. Comparez la rétraction des lèvres pour [ʃ] de *chic* à leur arrondissement pour [ʃ] de *chou*. On peut interpréter [w] et [ɥ] comme une palatale et une vélaire avec labialisation secondaire indépendante de l'entourage.

1.4.6.3. Il y a aussi des combinaisons : *labio-vélarisation* — couleur à la fois labiale et vélaire que prennent les consonnes en contact avec [ɔ, o, u] — et *labio-palatalisation*, couleur à la fois labiale et palatale : p. ex. [k] dans *culot* et dans *queue*. Mais c'est la palatalisation qui est la plus importante.

1.4.6.4. Palatalisation.

Physiologiquement, c'est un élargissement du contact dorsal de la langue sur le palais dur, tant pour les consonnes linguales postérieures qui avancent leur lieu d'articulation, que pour les consonnes antérieures. Celles-ci prennent à peu près le lieu du [j] et s'*étalent* davantage sur le palais. Auditivement, on parle de « mouillement ». La pointe de la langue s'abaisse et le dos se relève. L'assise dépend de la stabilité de l'articulation : il faut renforcer celle-ci pour que la consonne reste bien stable (fig. 15).

Un Russe s'étonnait devant nous que deux sons aussi différents que le [k] de *qui* et celui de *cou* soient notés phonétiquement de façon identique. C'est vrai qu'il s'agit de deux sons distincts articulatoirement et acoustiquement; le caractère de la consonne est modifié par l'influence de la voyelle subséquente. Dans *qui* [ki] du français populaire parisien, tout se passe pour l'oreille comme si un [j] se développait entre [k] et [i].

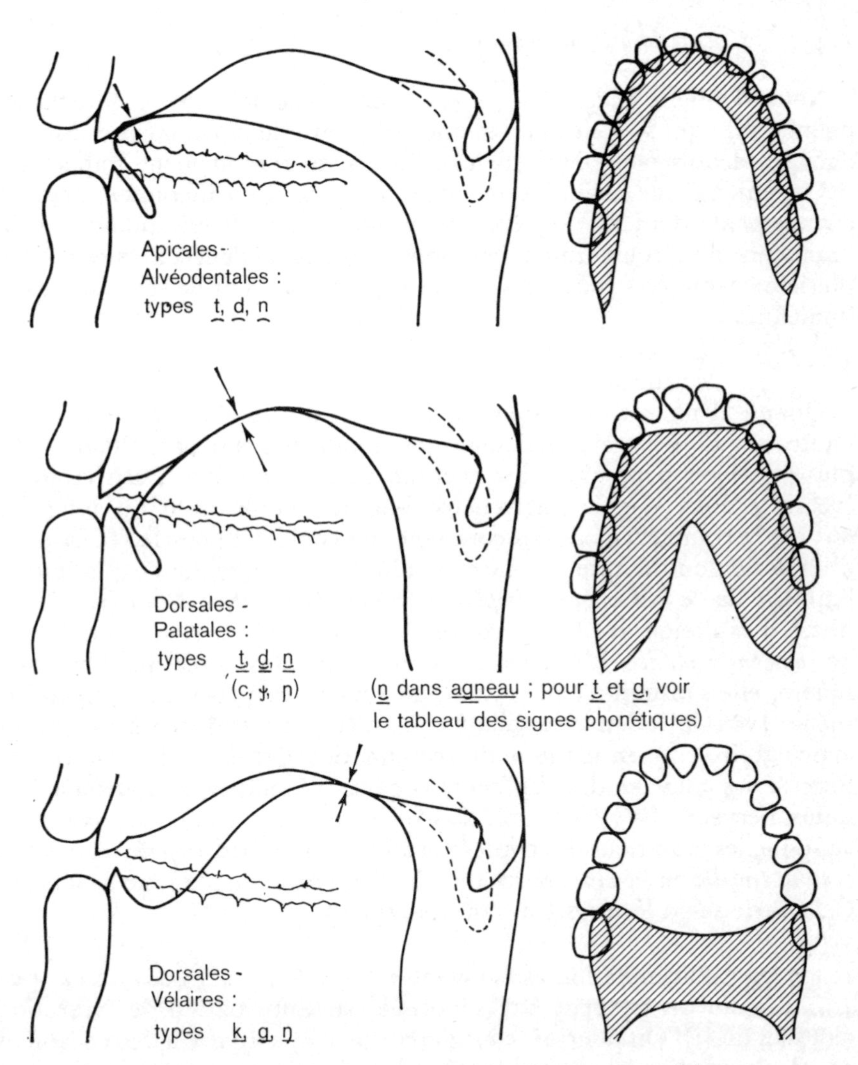

FIG. 15. — Type palatal comparé aux types alvéodental et vélaire.
(Straka, *Album phonétique*, pl. 26.)

La langue passant nécessairement par le lieu du [j], il suffit d'un ralentissement pour que ce son devienne audible.

Une consonne peut être *palatalisée* [t'] ou *palatale* [t̯]. Celle-ci est un son unique et non pas [t + j]. Toutes les consonnes peuvent se palataliser, mêmes les constrictives (cf. fig. 15). Ce phénomène ayant eu une grande importance dans la formation du français, nous l'étudierons en détail dans la partie historique (cf. 2.2.7.).

1.4.7. *L'assimilation consonantique*

Nous donnons plus loin (2.1.2.) une typologie des modifications phonétiques qui se sont opérées dans l'histoire de notre langue. Entrons dans les détails pour deux d'entre eux, synchroniquement importants.

On entend par assimilation, au sens large, les différentes sortes de changements dont un son est susceptible d'être affecté quand il subit l'influence d'un son voisin : deux sons contigus tendent à acquérir un ou plusieurs caractères communs. Au sens précis, il s'agit de sons en contact immédiat.

1.4.7.1. Mécanisme.

Quand deux *consonnes* sont en *contact*, l'une d'elles communique à l'autre un de ses traits articulatoires, totalement ou partiellement. La plus faible est pour ainsi dire victime de la plus forte. Dans *vingt-deux* [vɛ̃t-dø], observons, à l'aéromètre buccal, couplé avec un micro de larynx, le comportement des consonnes en contact : pour le [t], la phase d'implosion ou de mise en place est plus importante que l'explosion; on l'appelle de ce fait *consonne implosive* (finale de syllabe). Pour [d] c'est la phase d'explosion qui l'emporte sur la mise en place : on le qualifie ici de *consonne explosive*. L'implosive sourde étant plus faible que l'explosive sonore, elle s'assimile à elle et devient sonore : vingt-deux : [vɛ̃t̬-dø] ou même [vɛ̃n-dø]. Cette assimilation est liée à la tendance à l'économie articulatoire et à un manque de coordination des mouvements articulatoires : les muscles des différents organes répondent inégalement aux influx nerveux. La synchronisation est rarement parfaite. Il arrive souvent que les vibrations des cordes vocales commencent *trop tôt* ou *trop tard*, cessent *trop tôt* ou *trop tard* parce que l'entrée en action n'est pas synchrone. Cela varie selon les personnes ou les régions.

1.4.7.2. L'assimilation est souvent *anticipante (= régressive)* : ex. [asi] *assis* : la fin du [s] peut être sonorisée par anticipation des vibrations glottales du [i]. On pourrait considérer que l'on a affaire à deux segments de [s] : le premier, normalement sourd, le deuxième sonore, c.-à-d. un [s] normal, puis un [s̬] sonorisé. Mais on n'entend pas *Asie*.

1.4.7.3. Inversement, il peut y avoir *retard* de mouvement phonatoire (sonorité ou absence de sonorité) par rapport aux mouvements articulatoires. Si, dans [asi] le [a] prolonge ses vibrations laryngiennes, il se produit pour le premier segment du [s] une assimilation *progressive*. Anticipation et retard se *combinent* pour ces consonnes en position faible que sont les intervocaliques (fig. 16).

On peut se demander dans quelle mesure la notation phonétique correspond à l'impression auditive; peut-on évaluer à l'oreille l'*étendue* de

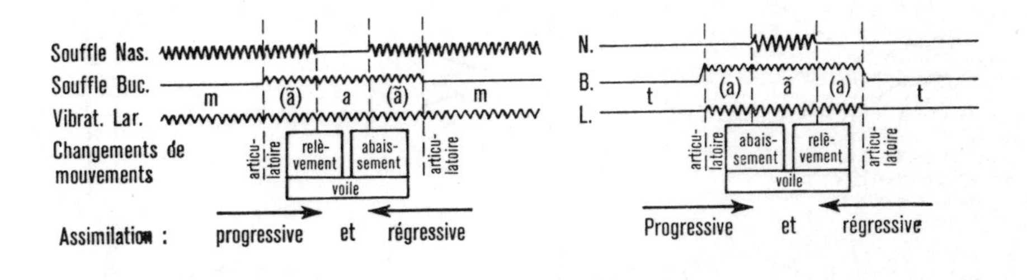

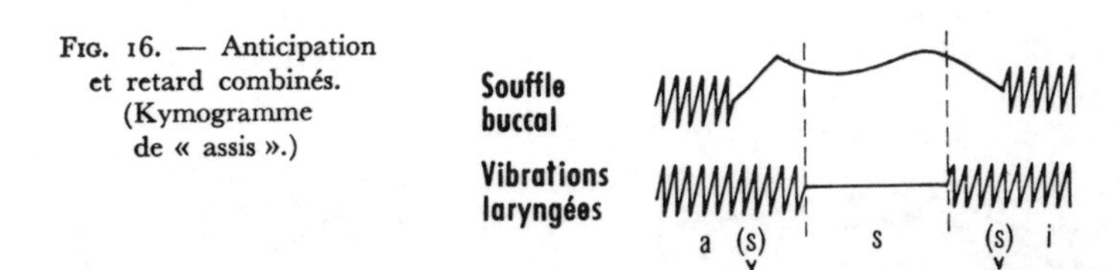

FIG. 16. — Anticipation et retard combinés. (Kymogramme de « assis ».)

l'assimilation ? Il n'en est pas moins vrai que le lat. *rosa* est devenu [rozə̥] (la graphie conservatrice masquant l'évolution). Pour Straka, la cause *principale* de l'amuïssement des occlusives sourdes intervocaliques latines (fáta > fée) n'est pas l'assimilation, mais un affaiblissement musculaire (cf. 2.2.2.).

1.4.7.4. Dans un groupe consonantique, la première consonne peut être *totalement* ou *partiellement* sonorisée : c'est l'assimilation régressive de sonorité, partielle ou totale. Ex. : *Chapdelaine* [pd]; *bec de lièvre* [k̬d], le[p] et le [k], en fin de syllabe, sont en position implosive (faible); c'est pourquoi ils subissent l'influence du [d], plus fort parce qu'explosif (à l'initiale de syllabe); celui-ci leur communique une partie de sa sonorité : c'est une assimilation de sonorité régressive, partielle, facilement détectable sur un tracé phonétique (fig. 17).

L'alphabet phonétique international propose deux signes diacritiques pour indiquer une sonorité ou un assourdissement qui ne sont pas

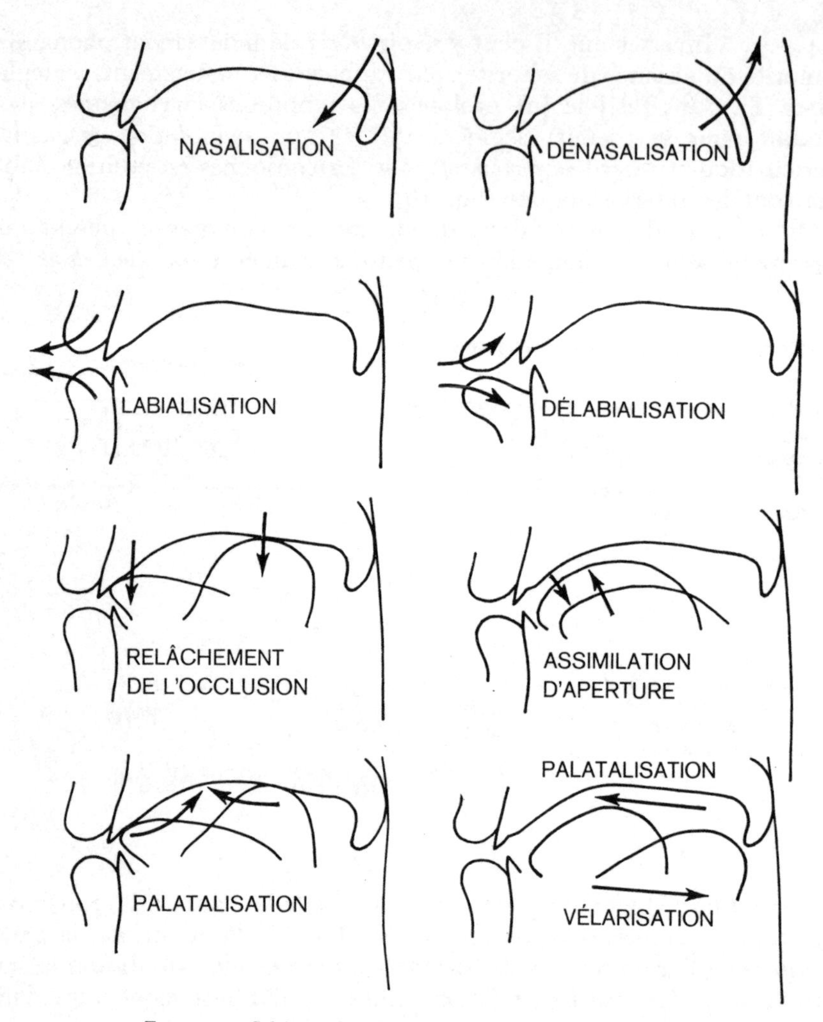

FIG. 17. — Schéma des principales modifications articulatoires dues à l'assimilation.

(Straka, *Album phonétique*, pl. 116.)

propres, normalement, au son en question : le son assourdi est affecté d'un o souscrit, le son sonorisé d'un v souscrit.

1.4.7.5. Dans *gaff(e) véritable*, une assimilation se produit entre les deux mots si on ne fait pas entendre le *e* muet : à moins de renforcer et d'allonger artificiellement [f] il y a une sonorisation partielle du [f], et si on parle vite, le tracé révèle seulement un [v:] (long). Croyant dire [sd], nous prononçons [zd] ou [s̬d] dans *mess(e) de minuit*. La disparition du *e* muet à l'intérieur du mot aboutit de même à des groupes de consonnes qui s'assimilent : *clav(e)cin*. C'est une cause d'ambiguïté : *à j(e)ter/ach(e)ter*; s'ils veulent l'éviter, les orateurs et les puristes n'ont qu'une ressource : maintenir le *e* muet.

Normalement, la sonorité du [d] en position implosive (faible) est plus affectée par l'occlusive dans *coup d(e) canne* que par la constrictive dans *coup d(e) chapeau*. On note un assourdissement total dans *abcès* : [b̥s] ou [ps]. Dans *têt(e) dure*, *dit(es) donc*, prononcés rapidement, on entend [dd] ou plutôt un [d:] long.

1.4.7.6. Le « sens » de l'assimilation peut changer selon les époques. Le suffixe *-isme* qui était [ism̥] devient [iz̥m]. Le mot *ch(e)val* connaît en France l'assimilation progressive [ʃfal], mais le français canadien a fait l'assimilation régressive [ʒwal], mot qui désigne d'ailleurs le parler québecquois (le *joual*).

1.4.7.7. L'assimilation peut aussi affecter d'autres traits articulatoires : l'avancée de la langue (2.3.8.), l'aperture (2.3.10.), la labialité ou la nasalité. P. ex., si le voile du palais s'abaisse trop tôt ou trop tard, il y a *nasalisation*, partielle ou totale, progressive ou régressive, de la voyelle qui suit ou qui précède : *grand(e) ville* sans [ə] se dit souvent [gRɑ̃nvil] (progressive). Nous avons lu dans une dictée de sixième : *deux heures ennemies* : [dm] > [nm] (régressive). *Même* prononcé par certains devient [mɛ̃m] (à la fois progressive et régressive), parce que, le voile du palais étant moins innervé que la langue ou les lèvres, la synchronisation est imparfaite.

Une consonne particulièrement forte peut exercer son influence à la fois sur le son qui précède et sur le son qui suit. Ex. : le [k] de *je crois* assourdit [ʒ] et [R] en prononciation rapide : [ʃkR̥wa].

Une assimilation est dite *réciproque* quand un son influence un autre son en contact, tout en étant lui-même influencé par lui à un autre point de vue : le [ɥ] de *cuit* [kɥi] *s'assourdit* partiellement sous l'influence du [k] sourd, alors que celui-ci se *labialise* partiellement (avancée des lèvres) sous l'action du [ɥ] labial.

1.4.7.8. Sourde douce et sonore forte ?

Ebauchées par P. Passy, développées par M. Grammont, des règles subtiles d'assimilation consonantique ont été énoncées en détail par P. Fouché (*Traité de prononciation française*, *1959*, XLVI-XLIX). Celui-ci indique p. ex. que dans le cas d'assimilation partielle, la sourde sonorisée reste forte et que la sonore assourdie reste douce. Des expériences d'A. Rigault (1967), menées à l'aide d'un matériel moderne, semblent montrer qu'il n'y a plus en français de sourde douce [b̥, d̥, etc.], ni de sonore forte [p̬, t̬, etc.] du strict point de vue phonétique. De plus, elles montrent que les sujets interprètent différemment la consonne assimilée selon qu'elle se trouve dans une séquence phonique *sans signification* ou dans un *mot identifiable*. La *même* « substance » phonique [t] est perçue et interprétée comme /t/ dans les « mots » tronqués [ed̥sẽ], [id̥sa], [otsɛ], [itsə], alors qu'elle est interprétée comme /d/ dans les mots complets : [med̥sẽ], méd(e)cin; [gid̥savã] *guid(e) savant*, mais comme /t/ dans [otsɛrv] *Hauteserve* et [fɥitsəkrɛt] *fuite secrète*. Autrement dit, [d̥] assourdi est perçu et interprété selon sa « substance » phonique [t] dans un logatome, et selon sa « forme » linguistique /d/ dans un « vʀai » mot. S'il sait qu'il « faut » un /d/, l'auditeur croit l'entendre!

Il n'y a donc pas correspondance entre la perception d'un signal acoustique à l'état brut et son interprétation dans la langue. L'identification des unités phonologiques ne peut s'opérer correctement que dans le cadre d'un syntagme signifiant. La distinction établie entre assimilation complète et assimilation partielle paraît inutile puisqu'elle ne correspond pas à la réalité des faits.

L'hypothèse émise par A. Martinet paraît confirmée : « Il semblerait que dans les cas d'assimilation en contact, les traits distinctifs soient ceux qui s'imposent d'un phonème à un autre. »[1] C'est la sonorité, et non la force, qui est un trait distinctif en français.

Ce même auteur[2] suggère, vu la distribution géographique des deux phénomènes, que l'assimilation totale de [d] à [s] dans *méd(e)cin* est l'aboutissement définitif du *processus d'élimination de l'ancien e sourd*. La prononciation [med̥'sɛ̃] serait une des étapes intermédiaires entre le [medə'sɛŋ], encore attesté dans le Midi, et un [mɛt'sɛ̃] vers lequel tend un usage parisien contemporain.

1.4.7.9. Tableau récapitulatif.

Les types d'assimilations consonantiques par anticipation sont plus nombreux, du fait de la tendance à la syllabation ouverte (libre).

		sonorisation	assourdissement	nasalisation	dénasalisation	lieu
progressive	primaire	subsister [bz]	feutre [tʀ̥]	—	—	—
	secondaire	—	ch'veu [ʃf]	jamb' de bois [ɑ̃m]	—	—
régressive	primaire	svelte [zv]	abcès [ps]	—	—	—
	secondaire	mich' de pain [ʒd]	là-d'ssous [ts]	mad'moiselle [nm]	m'sieur [ps]	quinz' juin [ʒʒ]

1. *Economie des changements phonétiques*, p. 233.
2. « De l'assimilation de sonorité en français », *Mélanges Fischer-Jørgensen*, p. 223.

1.4.8. *L'harmonisation vocalique (cas particulier de la dilation)*

Elle joue souvent en synchronie. Ce terme de Maurice Grammont désigne une dilation vocalique régressive (cf. 2.1.2.). Une comparaison par spectrogramme du timbre de l'article dans « les lits » et dans « les baies » montre que la voyelle du premier *les* est plus fermée que celle du second. Le timbre de la voyelle inaccentuée E est influencé par celui de la voyelle accentuée : [i] est plus fermé que [ɛ]. C'est l'*harmonisation* (ou harmonie) *vocalique*, qui joue à l'intérieur du groupe accentuel, véritable assimilation à distance. C'est surtout net pour E inaccentué qui s'ouvre : les hommes [lɛ'zɔm] ou se ferme : *les prés* [le'pRe] selon le timbre du E accentué. Dans le 2e mot de ces couples, le E de la syllabe initiale tend à s'ouvrir : l*ai*ssé/l*ai*ssons, b*ai*ser/b*ai*sant, b*é*gayer/b*é*gaiement, *é*béniste/*é*bène. Le français de l'Est tend à ouvrir tous les E prétoniques sans distinction : *téléphone* [tɛlɛfɔn]. Comme le souligne G. Straka, ce phénomène agit rarement seul en français. Pour qu'il se manifeste, il faut qu'une autre tendance agisse dans le même sens; p. ex. dans *aimant* l'influence du timbre ouvert de *aime* joue dans le même sens que l'harmonisation vocalique [ɛmɑ̃]. L'ouverture est donc plus nette et plus fréquente que dans *aimez*.

L'harmonisation vocalique du français, qui ne joue qu'en syllabe libre (ouverte), s'apparente à ce qui se passe en turc ou en finnois, mais la communication n'en est pas affectée : c'est seulement une tendance, qui constitue un critère des registres de langue (cf. 3.3.).

1.4.9. *Liaison*

Il convient de distinguer liaison et enchaînement consonantique. La *liaison* affecte des consonnes qu'on ne prononce pas si le mot est isolé : *un petit‿enfant*. Le mot *enchaînement* s'applique à des consonnes qui sont toujours prononcées, aussi bien dans le mot isolé que dans la chaîne parlée : *une petit(e)‿enfant*. La liaison est la survivance de quelques enchaînements de consonnes finales en ancien français. Toutes les consonnes finales écrites se prononçaient dans cette phrase de Joinville : « Il vint a moi et me tint les deux mains » : [il vĩnt a mɔi̯ e mə̥ tĩnt les dɛu̯s mãi̯ns]. En fr. mod., la majorité des consonnes graphiques sont muettes dans les mots isolés, mais on les prononce encore dans la chaîne parlée, lorsque l'union d'un mot — à finale consonantique — avec le mot suivant — à initiale vocalique — a été assez étroite pour que se conserve l'enchaînement ancien : « ils‿avaient », mais « les gens/avaient ». Un mot comme *toujours* peut se lier au suivant : « toujours‿utile » (en français soigné) ou seulement s'enchaîner : « toujour(s) utile ». Un exemple de la tendance à lier les morphèmes proclitiques (pronoms sujets, articles, etc.) et à les agglutiner au lexème qui suit est le mot enfantin *nounours*, issu par fausse coupe et redoublement de [œ̃-nuRs]. Certaines consonnes ont subi anciennement des changements en cette position : en règle générale, les occlusives sont assourdies et les constrictives sont sonorisées : *prend‿il*, *neuf‿ans*.

Les consonnes de liaison ont souvent une fonction *morphologique*. Dans « bois‿immenses » [bwazimɑ̃:s] ou « leurs‿enfants» [lœRzɑ̃fɑ̃], la consonne de liaison constitue la seule marque orale de nombre. D'autre part, c'est le jeu de la liaison qui permet de distinguer phonétiquement « les êtres » et « les hêtres » : ici son rôle est *lexical.*

En phonologie, on donne aux consonnes susceptibles de liaison /z, t, n, R, v, g, p/ un statut de *latence* (lat. *latēre* « être caché »). Nous pouvons dire : « il voit‿un chien » mais non « il a-t-un chien », bien que *voit* [vwa] et *a* aient une finale identique. Le mot *voit* a donc deux formes orales : /vwat/ et /vwa/, cette dernière pouvant être considérée comme la variante de la première devant consonne.

Les liaisons dites « obligatoires » favorisent l'intégration syntagmatique et s'opposant parfois aux « interdites » permettent certaines différenciations lexicales. Les liaisons dites « facultatives », elles, ont une valeur *stylistique*, car elles constituent l'un des principaux critères phonétiques de ces variétés de français qu'on appelle registres de langue. La partie normative abordera cette question (3.9.).

1.4.10. *Elision*

L'élision est un phénomène qui est en distribution complémentaire avec la liaison. L'un exclut l'autre. Nous avons esquissé (1.3.4.) une description phonologique de type génératif (selon Schane). Voici quelques précisions :

Certains morphèmes courts s'élident devant voyelle initiale de monème (terme proposé par A. Martinet, englobant les unités de grammaire et de lexique, et recouvrant à peu près en français la notion de mot) et sont parfois réduits à une seule consonne :

— élision de [a] : *l'échelle* [le-ʃɛl]; cf. *la* maison
— élision de [ə] : *l'homme* [lɔm]; cf. *le* chien
— élision de [i] : *s'il va* [sil-va]; cf. *si* tu vas.

L'influence de l'orthographe fait qu'on donne traditionnellement le nom d'élision aussi bien au remplacement de [la] ou [lə] par [l] qu'à celui de [si] par [s]. On ne considère que le remplacement d'une lettre par une apostrophe! Mais fonctionnellement, il est bon de distinguer :

1° le jeu du *e* muet (cf. 1.3.3.)
2° le jeu des variantes de monèmes.

Le choix de la variante réduite se fait selon certaines règles[1] : /la/ et /si/ constituent cinq monèmes différents; /a/ ne s'efface que dans /la/ article ou pronom (mais pas adverbe de lieu); /i/ ne s'efface que dans /si/ qui exprime la condition ou l'interrogation indirecte : on ne dit pas *il est s'intelligent que...*; [s] est en réalité une *variante morphologique* de [si] devant une voyelle. Ce phénomène est exactement parallèle à l'alternance : vieux + consonne/vieil + voyelle (un vieux bus/un vieil autobus), ou : beau + consonne/bel + voyelle (un beau car/ un bel autocar).

1.5. LA PROSODIE DU FRANÇAIS

On groupe sous le nom de prosodie les faits phoniques relatifs à l'accentuation, à l'intonation, à la quantité et aux tons. Comme ils échappent à l'analyse en phonèmes, dite « segmentale », l'école américaine les appelle « faits supra-segmentaux ». Mais le préfixe *supra* est fâcheux, car il porte à croire que ces faits sont accessoires. Certes l'intonation « ne relève pas de la double articulation du langage » (Martinet), elle est pourtant « au cœur du message » (Faure). Dans la phonétique traditionnelle, les voyelles et les consonnes ont toujours occupé une place plus grande que l'intonation et que l'accentuation : c'est peut-être parce que ces faits étaient très mal notés graphiquement, ou n'étaient pas notés du tout!

1.5.1. *Distinction entre accent et intonation*

Il est facile aujourd'hui pour le phonéticien de fournir une représentation objective des phénomènes prosodiques (courbe mélodique, paramètres accentuels, etc.). Mais l'onde sonore telle qu'elle apparaît sur un tracé phonétique n'est pas un reflet exact des faits proprement linguistiques, et ne correspond pas forcément à la catégorisation qu'opère l'intelligence de l'auditeur. Il est donc indispensable de distinguer, du plan linguistique, les plans articulatoire, acoustique et perceptif, afin d'établir leurs corrélations de façon précise. Poser d'entrée de jeu que l'accent est lié à la force, cela amène à croire que, pour que l'on reconnaisse son existence dans un idiome, il faut que l'accent soit intense. Grammont écrivait que « chacun des mots ou groupes de mots porte sur

1. Cf. le résumé, par E. Companys, des recherches sur ce point (A. Martinet, J. Dubois) dans *La Grammaire du français parlé*, Hachette, 1971, p. 47.

la dernière syllabe un accent d'intensité, c.-à-d. que cette dernière syllabe est dite avec plus de force que les autres ». Rien de surprenant alors si des linguistes ont pensé que notre langue est dépourvue d'accent! Delattre estime que c'est « dans l'absence d'intensité proéminente que réside l'un des caractères les plus frappants de l'accent français ». Les sens que l'on donne au mot intensité recouvrent des faits différents selon les auteurs; il faut toujours lui adjoindre une épithète.

Pour y voir clair, considérons les faits prosodiques selon leurs fonctions. Une distinction s'impose au départ : celle de la *fonction accentuelle* et celle de la *fonction intonative.* Des études comme celles de Coustenoble et Armstrong, de Grammont ou de Fouché distinguent mal le rôle respectif de l'accent et de l'intonation. Au niveau linguistique, « on a intérêt à réserver le terme d'intonation à ce qui reste de la courbe mélodique une fois qu'on a fait abstraction des tons[1] et des faits accentuels » (Martinet). Comme l'écrit G. Faure, « il y a le plus grand intérêt à *distinguer aussi clairement que possible* ces deux aspects capitaux de l'acte du langage (accentuation et intonation) à la fois sur le plan fonctionnel et, si faire se peut, en dépit de difficultés évidentes, sur le plan de leur réalisation concrète ». Cette distinction fonctionnelle, posée d'entrée de jeu, éclaire la route à suivre et précise la terminologie.

Nous appelons *mélodie* la ligne musicale de l'énoncé telle qu'elle est *mesurée* et *perçue.* C'est le paramètre principal de l'intonation normale, mais ce n'est pas le seul. Les fonctions linguistiques qu'elle actualise sont multiples, ses liens avec le rythme sont très étroits. Etant donné sa polyvalence, il est bon de la distinguer de *l'intonation* qui est une catégorie linguistique. Comme l'écrit G. Faure, ayant surtout une fonction *distinctive,* l'intonation « manifeste une altération *qualitative* de l'énoncé. Le contenu du message varie en fonction de la qualité (montante, descendante, suspensive...) de la variation mélodique ». L'intonation assume aussi une fonction *démarcative,* sans compter son rôle *syntaxique* et *expressif.* « Messieurs↗, les Anglais↗, tirez les premiers↗ » est un ordre prudent, moins chevaleresque que : « Messieurs les Anglais↗, tirez les premiers↘ ». La différence de sens est liée à la différence de découpage.

L'accentuation concerne « le relief plus ou moins grand donné à l'expression d'un certain contenu de pensée ou d'émotion sans que se trouvent altérées les nuances psychologiques de ce contenu » (Faure). L'accent assume donc selon les langues une fonction *culminative* (mise en valeur) ou *contrastive,* parce qu'il donne à telle ou telle syllabe une proéminence plus grande qu'à celles qui l'entourent. Il peut être lui aussi fonctionnellement défini comme *démarcatif, syntaxique* et *expressif.* Du point de vue

---

1. « Ton » est pris au sens fonctionnel : le chinois est une « langue à tons ».

de la « forme » linguistique, c'est une entité qui peut se placer au niveau empirique (on peut lui appliquer des concepts). Du point de vue de la « substance » phonétique, c'est un complexe de facteurs physiologiques (production) et acoustiques (transmission) qui confèrent à telle syllabe une proéminence (perception auditive).

Ces définitions préalables ont l'intérêt de clarifier la discussion. C'est faute d'opérer de telles distinctions que des chercheurs partant des mêmes faits arrivent à des résultats parfois totalement opposés. Malmberg a montré qu'une description instrumentale (substance) de la prosodie et une description structurale (forme) sont complémentaires, qu'on se trouve en face de degrés d'abstractions qu'il faut savoir distinguer. P. ex. nous ne comprendrons pas le système consonantique français si nous confondons l'allongement du /r/ dans *mourrais* ~ *mourais* (fait morphologique) avec celui de *irrésistible* prononcé avec un accent d'insistance. Pourtant leurs réalisations peuvent être identiques!

1.5.2. *L'intonation du français*

Les recherches sur l'intonation du français sont maintenant débloquées et en plein essor : outre le travail d'ensemble, un peu vieilli, de Coustenoble et Armstrong, on dispose aujourd'hui des travaux de G. Faure, P. Delattre, Fónagy, M. et P. Léon[1], J. Vaissière, Rossi, Ph. Martin et Di Cristo.

1.5.2.1. Quels sont les paramètres de l'intonation ?

1° Plan physiologique : c'est sans doute l'activité des cordes vocales (étudiées par le glottographe) et plus généralement l'ensemble des organes phonatoires qui sont à la base du voisement (cf. 1.1.2.2.) et des variations de hauteur. On tente aujourd'hui d'établir le rôle des divers muscles du larynx (électro-myographie) et celui de la pression sous-glottique. Mais l'analyse doit être de type multiparamétrique.

2° Plan acoustique : il subsiste beaucoup moins de problèmes en ce qui concerne la mesure physique des paramètres de durée, d'intensité sonore et de fréquence. Tous nos Laboratoires de Phonétique peuvent fournir des tracés représentant les variations de la fondamentale (F_0) pour tous les éléments voisés d'un enregistrement. On vient récemment de franchir l'obstacle que constituait une mesure précise *en temps réel* de la fréquence, grâce à des analyseurs de mélodie utilisant les techniques de calcul sur ordinateur, à l'Institut de Phonétique de Toronto : on extrait la fondamentale dans une gamme de 70 à 500 Hz, et, lorsqu'elle est

1. Nous utilisons ici, de ce dernier, les *Prolégomènes à l'étude des structures intonatives* (1969) et *Où en sont les études sur l'intonation ?* (1971).

absente, on la reconstitue. Les variations de fréquence sont les principales responsables de la sensation de hauteur mélodique, mais non les seules : si l'un des paramètres acoustiques habituels (la hauteur) est manquant, les autres (intensité, durée, pause, etc.) tendent à être renforcés ou à augmenter en nombre (Heike)[1].

3° Plan linguistique : on cherche à établir pour le français, des traits distinctifs en termes d'unités discrètes, ce qui permettrait de décrire le système de l'intonation. G. Faure assure qu'un tel système est plus rigoureux que le système des phonèmes, car il tolère moins de latitudes de réalisation. Grâce à des techniques nouvelles (segmentation par porte acoustique, variation des paramètres en synthèse de la parole, reconnaissance des « patrons » grâce à un ordinateur), on peut dégager un certain nombre de traits, dont l'étude devra être menée autrement que celle des traits distinctifs des phonèmes :

— le trait de *hauteur*, statistiquement le plus important en français, montée, descente, etc.;
— le trait de *durée* et d'*intensité* sonore, presque toujours associé à la hauteur;
— le trait de *courbe mélodique* (on réserve le mot *contour* aux courbes qui ont une configuration complexe); la courbe peut être concave ou convexe;
— le trait de *niveau* (ligne); on dit aussi *registre* (bande) :

niveau	registre
4	aigu
3	haut
2	médium
1	grave

Ce trait paraît, dans plusieurs cas, jouer un rôle complémentaire de celui du changement de direction de la courbe.

Pour l'intonation expressive, il convient d'ajouter des registres suraigu (niveau 5) et infra-grave (niveau 0). On peut ainsi établir des bandes mélodiques propres à chaque locuteur, délimitées par telle et telle fréquence. Le niveau 2 est la hauteur moyenne à laquelle un sujet attaque une phrase énonciative normale ou prononce le *euh* d'hésitation. Rossi a défini une procédure pour le déterminer[2]. Il correspond au registre où on se fatigue le moins; celui qui parle beaucoup, p. ex. un enseignant, a intérêt à bien connaître sa « fondamentale usuelle » ou sa « dynamique de base » (c'est plutôt une zone, assez large, qu'une ligne). *La pause* semble être un facteur fréquent mais secondaire, nécessaire seulement au décodage des phénomènes expressifs. P. Léon pense que le nombre de

1. La micro-prosodie (Di Cristo) étudie l'action perturbatrice des consonnes, F_0 et intensité intrinsèque, etc.

2. Travaux de l'Institut de Phonétique d'Aix, I, 1972, pp. 167-176. A. Di Cristo élabore une « intonosyntaxe » à partir de données acoustiques et perceptives.

traits intonatifs est inversement proportionnel à la grammaticalité du discours. Dans un dialogue animé, il y en a beaucoup plus que dans l'écrit oralisé. L'intonation en effet joue un rôle considérable dans la hiérarchie syntaxique des parlers régionaux spontanés[1].

1.5.2.2. Comment interpréter ?

L'intonation est rarement un donné simple. Son décodage ne s'opérant pas selon un processus binaire, il ne suffit pas d'user d'une flèche qui monte, opposée à une flèche qui descend, tout au moins dans un premier temps. On se demande souvent comment noter l'intonation du français. Les considérations qui précèdent ouvrent la voie. La notation doit s'adapter au niveau d'analyse qu'on poursuit. On dispose de la courbe brute fournie par les appareils; c'est la plus complète, représentant toutes les parties voisées (consonnes sonores et voyelles), mais encore faut-il savoir interpréter la segmentation par rapport à la perception. Quelle différence y a-t-il entre parole et chant ? Une question aussi simple fait généralement hésiter. Il y a divers degrés intermédiaires (ex. psalmodie); mais, contrairement au chant, la voix dans la parole ne s'arrête presque jamais sur une note : elle glisse par degrés presque insensibles. C'est pourquoi une notation musicale ne serait qu'approximative, elle rendrait le « glissando » de façon trop compliquée; ce serait déjà une interprétation. Mais au fond, le choix d'une notation dépend de l'usage qu'on veut en faire.

Déjà Meigret (en 1542) notait l'intonation française en niveaux, sur une espèce de portée. On peut utiliser un système de tirets à différentes hauteurs entre deux lignes (Coustenoble et Armstrong), ou un système de courbes tracées sur des lignes figurant des niveaux (ou des registres). Ce dernier système permet une description structurale qui utilise les traits ci-dessus; c'est celui que nous allons employer.

On appelle parfois *intonème* ce trait qui, se superposant en français à l'accent de groupe, renseigne sur l'état du « procès » et indique en même temps qu'on passe d'une hiérarchie de syllabes à une autre. Il correspond au « terminal contour » (T C) de l'école américaine et aux formes « progrédiente » et « terminale » de Wodarz. On le note au moyen de flèches montantes, descendantes ou horizontales.

A un niveau d'abstraction supérieur, on a tenté de réduire les cas d'intonation grammaticale à un intonème montant — cas marqué — (inachèvement, dépendance), opposé à un intonème descendant (achèvement, indépendance) :

« Ce professeur ↑ disait l'inspecteur ↑ ignore bien des choses ↓. »
« Ce professeur disait ↑ l'inspecteur ignore bien des choses ↓. »

1. F. Carton, *Recherches sur l'accentuation des parlers populaires dans la région de Lille*, thèse (Strasbourg, 1970), 1972.

Une analyse aussi dépouillée est peut-être universelle (mais ce n'est pas sûr) : au plan du discours, elle ne saurait rendre de grands services.

1.5.2.3. Comment fonctionne l'intonation en français ?

Au niveau de la « phrase », l'intonation produit les types suivants à partir d'énoncés comme : « vous restez », « nous mangeons ici » :

— E énonciatif : 2 ↗ 3 ↘ 1 (ou les variantes : 2 ↘ 1 ou 3 ↘ 2...)
— I interrogatif : 2 ↗ 3 ↗ 4 (ou 3 ↗ 4...)
— O impératif : 4 ↘ 1 (ou 3 ↘ 1...).

On voit que ces types sont opposables :

E ~ I surtout par le trait de niveau (secondairement de la durée et de l'intensité) ;
I ~ O surtout par la direction de la courbe;
E ~ O surtout par le niveau (secondairement par le degré de pente et l'intensité finale).

Par la commutation, on change le sens d'énoncés dont les phonèmes sont identiques : substituer une marque intonative à une autre permet d'éviter l'emploi d'une marque syntaxique (inversion) ou lexicale (est-ce que) si on veut donner trois sens différents à « tu parles bien ».

Mais les réalisations sont loin d'être aussi simples. Il vaut mieux partir d'une unité de syntaxe, et envisager ensuite une combinatoire à un niveau syntaxique supérieur. L'intonation, comme l'accent, comme tout système linguistique, n'existe que par opposition, ce qui ne veut pas dire que la discrétion y est analogue à celle des phonèmes.

P. Léon[1] distingue :

1° un système où l'intonation a une valeur de « modalité », utilisant la *forme* de la courbe, les différences de *niveau*, etc. Précisons que l'on envisage le cas où l'expressivité est réduite au minimum, correspondant à la fonction représentative de la grammaire.

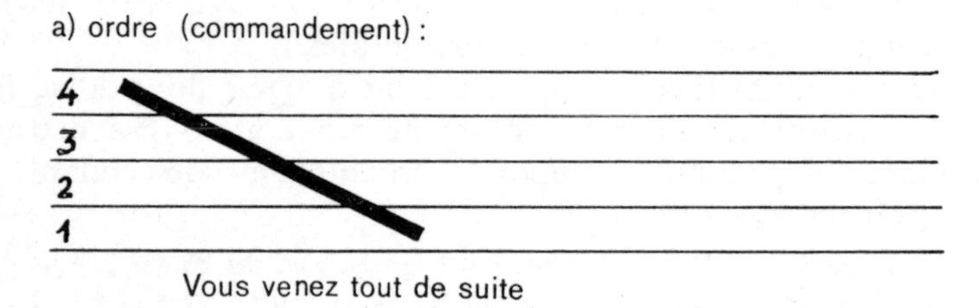

1. *Où en sont les études sur l'intonation ?*

Descente 4-1 ou 3-1.

L'intonation à elle seule est susceptible de marquer l'ordre. Il s'ajoute cependant souvent aussi une marque syntaxique (impératif : « Venez » ou futur « vous viendrez »). Les traits intonatifs peuvent être redondants ou complémentaires, selon qu'interviennent ou non d'autres informations d'ordre syntaxique, sémantique ou situationnel.

b) interrogation :

Dans « Vous aimez ça ? », en l'absence de toute marque syntaxique, c'est l'intonation à elle seule qui est significative. Bien qu'il faille le valider statistiquement, on peut sans doute distinguer une interrogation « partielle » et une interrogation « totale » (on peut répondre par *oui* ou par *non* à cette dernière) :

Interrogation partielle : la courbe descend avec les trois types :

— « Comment prononcez-vous ce mot ? » (morphème interrogatif + inversion syntaxique)

— « Vous prononcez comment ce mot ? » (syntaxe énonciative + inversion syntaxique)

— « Comment est-ce que vous prononcez ce mot ? » (morphème interrogatif + est-ce que + syntaxe énonciative).

Interrogation totale : la courbe monte avec les trois types :

— « Parlez-vous franglais ? » (inversion syntaxique)

— « Vous parlez franglais ? » (syntaxe énonciative)

— « Est-ce que vous parlez franglais ? » (est-ce que + syntaxe énonciative).

Montée 3-4 ou 2-3-4. C'est surtout le registre qui compte.

Mais on peut trouver une remontée finale à la fin d'une courbe descendante, ou une remontée à la fin d'un adverbe interrogatif.

2° un système où l'intonation assume une fonction proprement syntaxique (intonosyntaxe) : distinction thème/propos, démarcation entre unités syntaxiques selon divers degrés de pertinence (continuation, finalité ou « rupture d'énoncé »), en utilisant le trait de niveau et secondairement d'autres traits.

a) la continuation : l'énoncé est inachevé :

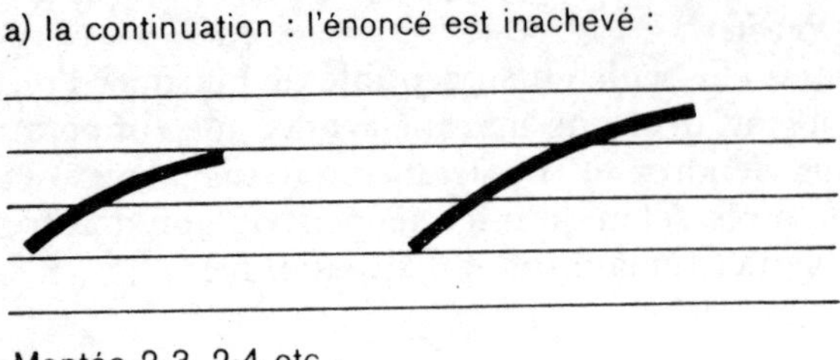

Montée 2-3, 2-4 etc...

Delattre distinguait deux sortes de continuation : une mineure et une majeure, cette dernière groupant deux continuations ou plus :

« Quand tu viendras ↗ (mineure : 2-3) et que tu la verras ↑ (majeure : 2-4), tu seras surpris ↘ (finalité : 2-1). »

Selon Rossi, cette distinction ne dépend pas des registres atteints mais de la perception d'une montée : la continuation majeure monte alors que la continuation mineure est perçue comme statique.

A notre avis, cette distinction n'existe guère que dans la lecture et dans un niveau de langue soigné, où elle recouvre une hiérarchie de subordination. Elle est rare dans les corpus de français populaire que nous avons examinés.

Cet intonème a une grande importance grammaticale : qu'on compare :

« Il a lancé le caillou ↑ si bien qu'il a frappé l'arbre »

et :

« Il a lancé le caillou si bien ↑ qu'il a frappé l'arbre ».

b) la finalité : l'énoncé est achevé :

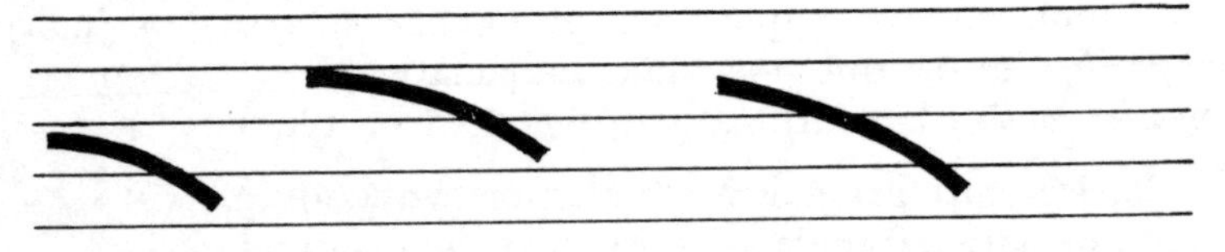

Descente 2-1 ou 3-2 ou 3-1, etc...

Comparer l'intonation de « On le relevait, il retombait... » (énumé-
2 3 2 3
ration) avec le même énoncé dans lequel l'intonation est 2-3/2-1 (subordination).

c) la rupture d'énoncé : elle utilise les niveaux et secondairement les courbes pour hiérarchiser les unités de syntaxe :

— *la parenthèse* (terme plus général et meilleur qu'*incise* car cette rupture est parfois finale). Elle est signalée par une rupture mélodique vers le grave. Delattre fait état d'une parenthèse « basse » et d'une parenthèse « haute ». Leur comportement fonctionnel est particulier : elles sont le plus souvent liées au « thème » quand celui-ci est post-posé au « propos » (ou « prédicat »). Rossi la décrit comme « thématique » : « Ce laboratoire (thème : ce dont on parle) est pauvre (prédicat : ce qu'on en dit) » :

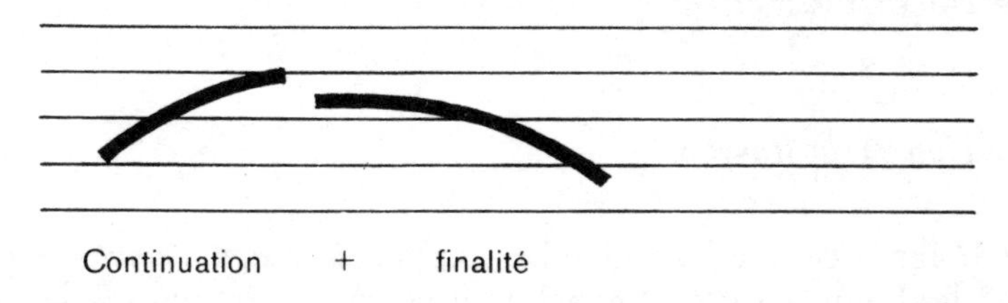

Il est très fréquent que le prédicat soit énoncé d'abord (« Il est pauvre, ce laboratoire »). C'est une construction segmentée : « Le terme représenté est derrière le groupe du présentatif. C'est un tour qui appartient au français parlé, car son intelligibilité repose sur une intonation particulière » (J.-Cl. Chevalier)[1]. En ce cas, on a : 3-2 + 2-2, 2-1 + 1-1 :

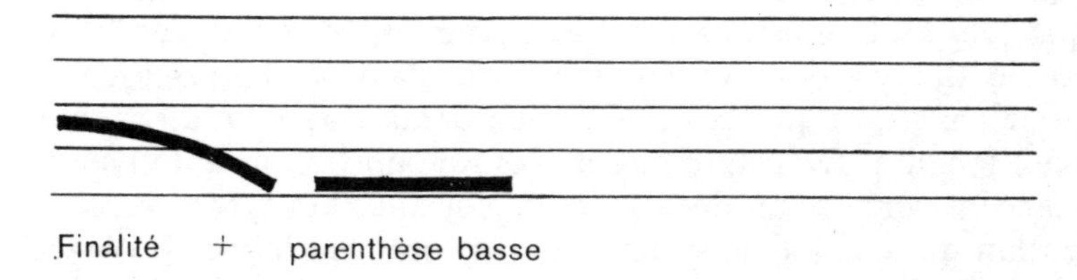

Une parenthèse haute se trouve dans « Tu l'as manqué, ton train ? »,

2 3 3 3

question correspondant à « Tu l'as manqué, ton train » (avec parenthèse

3 2 2 2

basse).

— *l'écho* recouvre entre autres la « mise en apostrophe ». Il se signale par un registre élevé (Delattre) :

« Vous n'aimez pas la phonétique, Monsieur ? »

2 4 4 4

— *le paragraphe :* on commence un nouveau développement par un décrochage vers le haut ou vers le bas (Bollinger) :

« Tel est notre sort. Pour l'avenir... »

2 1 2 3

1. *Grammaire Larousse*, p. 145.

Aux fonctions syntaxiques (certains disent *modales*) et démarcatives ci-dessus, s'ajoutent des fonctions expressives que nous détaillerons plus loin (1.6.3.). Ces trois « valeurs » se manifestent simultanément.

Les techniques et les méthodes modernes ont réduit le nombre des patrons d'intonation, qui semblait infini, à un nombre limité. Il n'y en aurait qu'une centaine pour le français, dont une douzaine seulement ont une valeur distinctive.

1.5.3. *L'accent du français*

Pour désigner ce que les romanistes appellent *accent tonique*, les phonéticiens et les linguistes disent *accent*, tout court, car le mot *tonique* signifie « de hauteur », et il n'est pas souhaitable de lier un terme de fonction à un terme de réalisation.

1.5.3.1. Qu'est-ce que l'accent du français ?

« L'accent est la mise en valeur d'une syllabe et d'une seule dans ce qui représente, pour une langue donnée, l'unité accentuelle » (Martinet). Presque tous les linguistes s'accordent pour dire que l'accent établit une hiérarchie de syllabes, un contraste sur l'axe syntagmatique, c.-à-d. horizontalement, et qu'il a une fonction démarcative ou distinctive dans certaines langues. Dans la notation des romanistes, on note l'accent par un « accent aigu » au-dessus de la voyelle. Mais ceci n'est qu'une convention qu'il serait dangereux de prendre à la lettre. Il convient de distinguer la proéminence accentuelle, qui a pu affecter tel ou tel élément d'une diphtongue en anc. fr. (dans [ie̯] p. ex. [i] est plus proéminent que [e]), et l'accent au sens linguistique. Ce dernier affecte la syllabe, non la voyelle seule.

Notre unité accentuelle, c'est le groupe, non le mot. Certains linguistes contestent l'existence d'un accent en français. Il est certain qu'il n'y a pas, en français moderne, d'accent mobile à fonction distinctive comme dans la plupart des langues européennes (en angl. *export* accentué sur la 1re syllabe signifie « exportation » et sur la 2e « exportez »). Le français moderne est dit « langue à accent fixe » : l'accent ne peut aider à déceler la structure morphologique du mot, comme c'est le cas en russe ou en italien dans certains cas déterminés. C'est vrai aussi qu'on ne « sent » guère l'accent en français, en dehors des cas où l'insistance est manifeste. Mais si nous observons la manière dont s'opèrent des contractions en français populaire, nous constatons que c'est la dernière syllabe de groupe qui est la plus ferme : *n'est-ce pas ?* [spa]; *peut-être* [ptɛt].

L'accent normal du français ne doit pas se définir à partir de sa substance phonique : le timbre est net, la durée et la hauteur sont généralement présentes, mais il y a beauoup de compensations. Il vaut mieux dire *proéminence* accentuelle pour parler de la réalisation phonique. Si je considère son rôle linguistique, je dirai que l'accent à fonction purement contrastive *n'existe plus en français contemporain.* Pour Rossi et Di Cristo, ce que nous continuons à appeler « accent » est un fait d'intonation. En effet, il assume une fonction démarcative : il est *final de groupe.* Soit une phrase simple : « elle a achet*é* une r*o*be très c*ou*rte » : il y a trois unités de sens. Mais ces unités sont élastiques : je peux placer trois proéminences accentuelles, ou n'en mettre que deux *(té* et *court')*, ou même, en parlant très vite, une seule *(court').* Quand nous lisons, sous la plume de R. Queneau : « sketadittaleur », nous avons beaucoup mieux l'impression d'une prononciation rapide et familière que s'il avait écrit : « ce que tu as dit tout à l'heure ». Il n'y a qu'un accent, sur la syllabe finale *l'heure.*

1.5.3.2. Réalisation et perception de l'accent du français.

Ayant comme l'intonation une fonction démarcative, les proéminences se situent à des places où il y a aussi un intonème (continuation, finalité, etc.). C'est pourquoi il est si difficile de démêler les paramètres de réalisation de l'accent et de l'intonation. En tchèque, où l'accent est fixe aussi (à l'initiale), il n'y a pas non plus d'accent à fonction distinctive, et on éprouve les mêmes difficultés qu'en français, dit Rigault, pour l'analyse instrumentale de l'accentuation. Les principaux paramètres acoustiques de la proéminence sont : la durée, l'intensité sonore, la hauteur, la plénitude du timbre, et accessoirement la pause.

Il est faux de dire que l'accent du français se marque par la durée, et l'intonation par la hauteur. L'auditeur ne compte pas sur la reconnaissance de quelques facteurs spécifiques pour repérer les accents : il associe un grand nombre d'indices polyvalents, dont le sémantisme n'est pas le moindre. Voilà pourquoi les phonéticiens observent de si larges latitudes de réalisation. La perception de l'accent n'est pas une simple discrimination de signaux : nous retenons certains traits de réalisation et non certains autres, pourtant présents. P. ex., dans une courbe en cloche, une très rapide montée de la hauteur n'est pas perçue, mais seulement la partie descendante, plus longue. Les réalisations accentuelles étant polyvalentes — comme d'ailleurs tous les signes linguistiques —, il faut réduire les résultats de l'analyse à des éléments simples, les plus proches possible des niveaux linguistiques et perceptuels. Certes, tout se passe comme si la langue était un code; mais un binarisme élémentaire, en l'état actuel des recherches, ne rend pas compte des faits observés. On n'a pas encore étudié suffisamment à quelles conditions les modèles logiques et mathématiques sont valables du point de vue linguistique. L'interprétation des tracés révèle que certaines théories ne concordent pas toujours avec la réalité phonétique du français « en liberté »...

L'ensemble de l'énoncé modifie le jeu des composantes accentuelles, tout autant que le dosage de ces composantes conditionne l'ensemble de l'énoncé. L'accent est loin de se réaliser constamment par les mêmes moyens. A la limite, on pourrait soutenir qu'il n'y a pas deux cas rigoureusement semblables en tout point! Distinguer, comme le faisaient les néo-grammairiens, « un accent d'intensité » d' « un accent de durée » ou « de hauteur » (cf. 2.1.5.10.) serait artificiel et dangereux, car cela donnerait à penser que l'un de ces trois facteurs est seul présent.

Il n'est pas vrai non plus que les « procédés accentuels positifs utilisent les éléments prosodiques en vrac »[1] sans qu'on puisse distinguer le rôle de l'un ou de l'autre d'entre eux. Si on ne peut rien conclure sur leur rôle respectif, on a repéré des facteurs qui interviennent plus fréquemment que d'autres. Dans notre thèse, nous avons étudié treize facteurs de réalisation accentuelle. L'étude statistique montre que la « sonie vocalique corrigée » (complexe de hauteur-durée-intensité) et la rupture mélodique sont présentes dans 82 % des occurrences (français régional du Nord).

Au niveau génétique (production), deux facteurs (accroissement des vibrations laryngiennes et de la durée) suffisent, dans la grande majorité des cas, à eux seuls. La proéminence correspond donc, dans les cas les plus fréquents et les plus clairs du français spontané, à la « montée » de mouvements respiratoires, articulatoires et glottaux. La perception de l'accent paraît liée à celle d'une *discontinuité.*

Mais il est difficile de soutenir que « l'accent » est toujours proéminent en finale absolue.

1.5.3.3. Le groupe accentuel.

En français (comme en grec ancien), l'accent peut disparaître en certaines positions dans la chaîne parlée. Pour délimiter les unités accentuelles, il est donc « légitime de prendre en considération ceux des contextes qui laissent apparaître le plus grand nombre d'accents » (Garde). Mais la détermination des groupes accentuels est souvent difficile en français : la notion de groupe accentuel ne se fonde pas sur des critères linguistiques universellement valables, pas plus que sur la notion de mot. Le critère n'est évidemment pas le mot graphique, qui peut correspondre à deux éléments linguistiques *(au = à le)*; inversement, un même ensemble de mots séparés par des espaces blancs ne correspond parfois qu'à une seule unité de sens *(un pied à terre)* et parfois à deux *(il met pied à terre)*. A quoi correspond donc le groupe accentuel du français moderne ?

---

1. Garde, *L'Accent*, p. 52.

1° Peut-on l'assimiler aux unités fonctionnelles de *vocabulaire* ? Non, car l'énoncé est constitué non seulement de lexèmes, mais de morphèmes (unités morphologiques). Des éléments de relation comme *de* ou *à* ne sauraient être « hors unité ». Il vaut mieux partir de la notion de groupe et procéder, non par expansion, mais par réduction.

2° Le définira-t-on, après Grammont, comme « toute suite de mots qui exprime une idée simple et unique, et constitue un seul élément rythmique » ? Ce critère *sémantique et rythmique* est bien empirique, et insuffisant à lui seul : il peut tout au plus fournir un moyen de constater qu'une suite de mots est une unité de sens ; on peut la remplacer par un seul mot, soit dans la même langue, soit dans une autre langue : « il y avait une fois » revient à dire : *était* + *autrefois* (en latin : *erat quondam*). D'ailleurs Grammont, sans le dire expressément, fait de la grammaire.

3° Le *syntagme* semble pouvoir être l'élément que nous cherchons, valable pour tous les usages du français. Mais la difficulté commence quand on veut déterminer avec précision ce qu'est un syntagme, et ses rapports avec l'accent! Abandonnant l'idée qu'il s'agit d'entités en quelque sorte concrètes, beaucoup de structuralistes se refusent à le définir avant d'en savoir plus long sur la forme de la grammaire. La division en constituants soulève bien des discussions. La division en thème et propos, qui se réfère à la « structure linguistique profonde » (Chomsky), ne peut pas toujours convenir pour l'analyse des structures de surface.

Pour J. Dubois, le syntagme « est formé de la juxtaposition de segments, unités qui lui sont immédiatement inférieures »[1]. Il se définit par rapport à la phrase comme un élément constituant, et par rapport au segment comme un élément constitué. Un mot peut faire à lui seul un syntagme (ainsi un pronom personnel disjoint comme « toi »). « Les syntagmes nominaux et verbaux sont les constituants immédiats de la phrase », ajoute J. Dubois. Mais de telles indications sont loin de suffire pour résoudre les problèmes que nous posent nos unités accentuelles. Le syntacticien peut distinguer trois syntagmes dans la phrase : « L'étudiant / va ouvrir / la porte », et le phonéticien y distingue aussi trois unités accentuelles virtuelles. Mais si on remplace le syntagme sujet par le pronom *il*, y aura-t-il encore accord entre le syntacticien et le phonéticien ? Dans l'énoncé : « l'ouvrier part au travail », le syntacticien appellera « prédicat » la séquence *part au travail*. Cela ne peut convenir au phonéticien à la recherche d'unités accentuelles, car pour lui, la matière à analyser c'est la structure superficielle du modèle syntagmatique.

Ainsi l'opposition entre « Je trouve / le vin bon » et « je trouve / le bon vin » *peut* se manifester au plan accentuel, puisqu'on peut réaliser trois unités accentuelles quand *bon* est « attribut », alors qu'on n'en

1. *Grammaire structurale du français : noms et pronoms*, p. 1.

réalise que deux quand *bon* est « épithète ». Nous soulignons les éléments du deuxième niveau : c'est celui-ci qui convient pour la segmentation accentuelle :

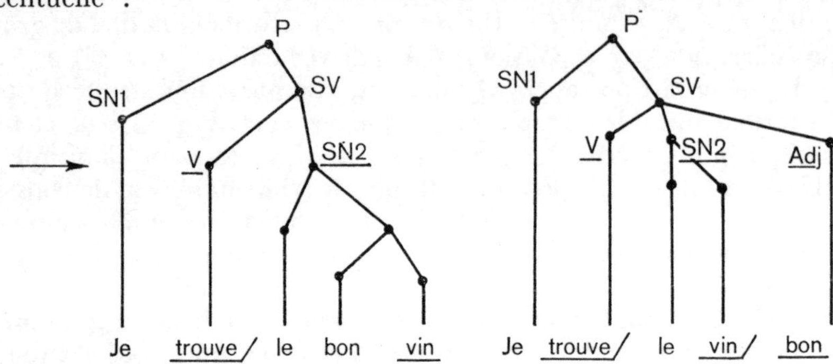

FIG. 18. — Analyse en constituants : « Je trouve le bon vin/je trouve le vin bon. »

Mais on doit dans d'autres cas s'appuyer sur les « structures profondes » obtenues par le modèle transformationnel, car l'analyse en constituants immédiats a ses limites. « Il y a nombre d'intuitions, portant sur la structure, qui font partie de la conscience du locuteur et de l'auditeur, mais dont la grammaire syntagmatique, pas plus que la grammaire traditionnelle, ne peut rendre compte d'une manière complète ou assez simple » (Ruwet, *Introduction à la grammaire générative*, p. 143).

4° Pratiquement, ne pourrait-on enseigner qu'il y a accent, marquant une fin de groupe accentuel, chaque fois qu'on pourrait faire une *pause* sans nuire ni au sens ni à la grammaire ? Ainsi, dans la phrase : « L'ouver*tu*re / de la b*ou*che / fait justem*en*t / comme un petit r*on*d / qui repré*sen*te / un *o* » : il n'y a que six accents possibles, quand l'expressivité est minimale. Il semble qu'on puisse définir, grammaticalement et sémantiquement à la fois, des groupes accentuels virtuels. Ainsi, on entend par syntagme verbal le verbe à une forme personnelle, les conjonctions qui le précèdent, les pronoms personnels « atones » (conjoints), le pronom *on*, les adverbes *en*, *y*, et les négations comme *ne*, *pas*...

Le français tend à éviter la succession immédiate de deux accents (nous ne parlons pas ici de l'insistance). On dit « un rôti *cher* » (*rôti* est désaccentué), mais aussi : « je tr*ou*ve le rôt*i* ch*e*r » : l'attribut de l'objet est accentué comme le substantif. « Tout groupe de mots étroitement liés par le sens et non séparés par une pause, est susceptible d'être traité comme une unité accentuelle unique, donc doté d'un seul accent » (Garde). Ces groupes seront d'autant plus longs que le débit sera plus rapide et moins soigné. Il est impossible de définir syntaxiquement en français l'unité grammaticale effectivement réalisée dans la parole. Mais on peut définir syntaxiquement et sémantiquement des unités *susceptibles*, dans certains contextes, de porter l'accent (= « accentogènes » dit

P. Garde). Les clitiques (grec *Klineïn* « s'appuyer ») sont au contraire des « éléments non accentogènes ». Le français a des proclitiques (prépositions, p. ex.); si on accepte la définition de Garde, il faut admettre, contre Fouché, qu'il y a aussi des enclitiques en français *(le* dans *prends-le)*. Ce ne sont pas des éléments « jamais accentués », mais des éléments qui ne sont pas susceptibles de porter un accent qui leur est propre, mais seulement l'accent de groupe. Le pronom *le* figure dans la liste des non-accentogènes : ce n'est que secondairement qu'il peut arriver que, selon une règle de placement, l'accent tombe sur le clitique. D'ailleurs, la voyelle de ce pronom pouvait s'élider en poésie devant une autre voyelle, jusqu'au XIXe siècle : « Coupe-l(e) en quatre et mets les morceaux dans la nappe. » (A. de Musset.)

Si beaucoup de francophones ont l'impression que leur langue est « sans accent tonique », c'est surtout parce que l'unité accentuelle est *élastique*; mais l'appui mutuel du sens et de la syntaxe peut permettre de définir des unités accentuelles *virtuelles*. Dans un énoncé comme : « Le cours lumineux de ce professeur », on peut se demander s'il s'agit de deux concepts distincts (cours, professeur) ou d'un seul (cours). On hésite pour le sens, mais pas pour la syntaxe : il y a incontestablement deux syntagmes[1].

Le terme de *groupe rythmique* (Grammont) est employé quand on veut qualifier, du point de vue du rythme, un ou plusieurs groupes accentuels reliés par le sens et séparés par une pause réelle. Les pauses de séparation n'ont pas toutes une importance égale. Certains accents sont virtuels, même dans l'alexandrin, p. ex. dans le premier hémistiche du vers suivant :

« Vous ne me voyez point, vous ne voyez personne. » (La Fontaine.)

1.5.3.4. Le groupe de souffle.

Le ou les groupes accentuels situés entre deux reprises de respiration forment un groupe de souffle; celui-ci ne correspond pas forcément avec une « phrase »; groupe accentuel et groupe de souffle peuvent coïncider. Cette unité n'est bien repérable que sur les tracés physiologiques (pression buccale, volume pulmonaire).

Sauf pour la lecture, il n'y a pas de corrélation stricte entre pauses et signes de ponctuation. Ceux-ci représentent mal les réalisations phonétiques, car leur usage s'appuie surtout sur la logique. Beaucoup de pauses qu'on fait en lisant ne sont indiquées par aucun signe. Le découpage d'énoncés enregistrés spontanés réserve bien des déconvenues à ceux qui voudraient « ponctuer » comme ils ponctuent un texte écrit!

1. Ph. Martin a développé une grammaire de l'intonation du français dans une perspective générative transformationnelle (cf. p. ex. *Linguistics*, nº 145, 1975, pp. 35-67).

1.5.4. *La quantité en français*

1.5.4.1. Durée « objective » des voyelles (mesurée).

C'est la durée telle qu'elle se mesure sur un tracé phonétique. Le fait que la voyelle finale de *papa* dure cinq ou dix centisecondes renseigne sur le débit. La durée est proportionnelle au degré d'aperture (durée absolue). Toutes choses égales par ailleurs, plus une voyelle est fermée, plus sa durée tend à être brève et inversement. Ceci peut s'expliquer par le fait qu'un mouvement « facile » exige moins de temps qu'un mouvement de grande amplitude et plus « difficile ». Mais la durée objective a surtout de l'intérêt par rapport à celle des voyelles voisines (durée relative). Si on compare des voyelles différentes, il faut prendre la précaution d'appliquer un « coefficient de correction » en fonction du timbre. Il est intéressant de remarquer que la voyelle initiale de *papa* dure moitié moins de temps que la finale : c'est qu'en français la durée vocalique est plus grande sous l'accent qu'en dehors de l'accent. La comparaison montre aussi que la durée d'une voyelle dépend de la longueur du groupe ou du mot : *a* et *u* dans *Nabuchodonosor* ont grande chance d'être moins longs que ceux de *abuser*. Les mesures *relatives* renseignent sur ce que Delattre appelle la « loi d'anticipation » (*Studies*, p. 130) : une voyelle s'abrège par anticipation de l'effort articulatoire qui doit suivre. Toutes les autres conditions étant égales, une voyelle est d'autant brève que cet effort est plus grand : comparez *ōr* et *ŏrge* : *r* + consonne réclame davantage d'énergie que *r* tout seul (cf. 1.6.5.4. : isochronie). Ajoutons cependant que cette « loi » a été parfois critiquée parce qu'on n'a pas encore pu mesurer de façon sûre l'effort articulatoire. Ce qu'on peut affirmer, c'est que la durée d'une voyelle dépend de ce qui suit. Une voyelle est relativement plus longue si elle est suivie immédiatement d'un [R] ou d'une constrictive sonore, même si celle-ci est désonorisée (mais dans une moindre mesure). Le fait que [j] soit allongeant (soutenu par Delattre) est discutable. Il y a allongement non seulement pour les voyelles accentuées, mais aussi dans une moindre mesure pour les inaccentuées[1]. Inversement, les occlusives sourdes [p, t, k], qui présentent des caractéristiques tout à fait opposées, sont abrégeantes.

1.5.4.2. Durée « subjective » des voyelles (appréciée par l'oreille).

L'un des premiers étonnements du phonéticien néophyte est de s'apercevoir qu'une voyelle qu'il jugeait plus brève qu'une autre est relativement plus longue sur son tracé, ou inversement. C'est que l'auditeur, comme le locuteur, apprécie fort mal les durées : « Ces

1. Karen Landschultz, Quantité vocalique en français, in *Revue Romane*, t. VI, Copenhague, 1971.

mesures sont déconcertantes et complexes, écrivait Marguerite Durand. Déconcertantes parce que tantôt les durées objectives correspondent à l'impression auditive, tantôt elles en diffèrent. Complexes parce qu'elles sont soumises à toutes les conditions phonétiques et sémantiques qui les accompagnent. » Les dialectologues, qui ont dans l'ensemble une excellente oreille, hésitent et se trompent quand ils notent les allongements des patois qu'ils ne parlent pas eux-mêmes. L'un de nos plus illustres enquêteurs, Edmont, homme du Nord, a « mal entendu » les pénultièmes longues des Lorrains. Nous percevons ce que nous avons « appris » à percevoir. J'ai beau prononcer *il est grand* en allongeant le [ɑ̃] et *elle est grande* en l'abrégeant, mes auditeurs non prévenus *interpréteront* le deuxième comme plus long, parce qu'habituellement ils allongent eux-mêmes *grande* (cf. 1.7.1.1.). Toute oreille — et même tout appareil d'analyse — interprète les ondes phoniques selon ses caractéristiques propres.

Voici une autre expérience, classique chez les phonéticiens. Soit la liste suivante : canne, cape, casse, case. Nous l'avons enregistrée en maintenant constantes hauteur et intensité (vitesse 19), puis nous avons coupé la bande magnétique au milieu de la voyelle, de façon à donner à chaque [a] une durée *identique*. Après collage, nous avons fait entendre ces mots deux à deux, en inversant l'ordre, à trois groupes de non-phonéticiens francophones (douze présentations) en leur donnant comme seule instruction : « Si vous trouvez que les durées vocaliques diffèrent, classez ces quatre mots par ordre de longueur décroissante de la voyelle. » Nous avons obtenu le classement suivant :

1 - case (100 %); 2 - canne (63 %), casse (37 %); 3 - casse (37 %), canne (63 %); 4 - cape (100 %).

Il y a donc une influence évidente de la consonne subséquente sur l'impression de durée que nous fait une voyelle.

Au fond, le temps intervient moins qu'on ne le croit dans la perception de la durée vocalique. L'*entourage* phonétique joue un rôle important. Les vibrations des cordes vocales viennent mourir lentement dans la consonne sonore qui suit; c'est pourquoi la voyelle ne semble pas interrompue (ex. : *rose*); dans *stop*, son essor est cassé net. Les voyelles longues, selon Marguerite Durand, sont des voyelles qui se dégradent, qui perdent leur richesse à chaque vibration. Leur tension décroît, leur timbre s'altère : elles donnent l'impression de « traîner » (ex. : le *ah !* de satisfaction). Les voyelles brèves sont celles qui, à chaque vibration, sont plus riches (ex. : le *ah !* de surprise). On constate presque toujours sur les tracés acoustiques des voyelles longues une décroissance de l'intensité. Cela pourrait correspondre aux facteurs psychologiques d'appauvrissement des sensations. Damourette et Pichon parlent de « voyelles brusques » et de « voyelles tendres », ce qui correspond à une réalité psychologique.

Des facteurs linguistiques interviennent également. Ainsi, beaucoup de transcripteurs notent comme « demi-longues » des voyelles inaccentuées (ex. : *nous fêtons* [nufe·tɔ̃]), à cause de l'accent graphique et de l'allongement du radical *fête*. La demi-longue ne paraît vraiment justifiée qu'en cas de désaccentuation : *la fête est finie* [la̹fɛ·tefi'ni]. Il faut prendre garde aux mirages phonétiques, plus fallacieux quand il s'agit des durées...

En fr. mod., il n'existe plus qu'un petit nombre de couples lexicaux dans lesquels la quantité joue un rôle distinctif. On ne les distingue guère que dans le registre soigné ou s'il risque d'y avoir une ambiguïté : faite/fête (cf. 3.7.). On constate généralement une augmentation d'aperture concomitante à celle de la durée. Dans cotte/côte [kɔt, ko:t], on peut se demander si la différence de timbre a plus d'importance que celle de la durée. Phonologiquement, il semble préférable de considérer comme redondant le timbre dans patte/pâte [pat, pɑ:t].

1.5.4.3. Consonnes géminées et consonnes longues.

Voici encore une question de phonétique[1] qui n'est simple qu'en apparence et qu'encombrent au surplus bien des idées reçues!

1. *Consonnes géminées : point de vue articulatoire.*

Dans *group(e)* prononcé par un non-Méridional, [p] est bref; mais quand deux consonnes identiques se rencontrent, p. ex. dans *group(e) pop*, que se passe-t-il à la jointure des deux occlusives après disparition du *e* muet ? Chaque [p] comportant théoriquement trois phases, on devrait observer sur un tracé du souffle buccal :

1. mise en place du premier [p]
2. tenue
3. explosion du premier [p]
4. mise en place du deuxième [p]
5. tenue
6. explosion du deuxième [p].

Si les phases 3 et 4 étaient présentes, on entendrait quelque chose comme [gRup⁽ʰ⁾ pɔp] avec explosion sourde. Une telle réalisation est *rare* : en d'autres termes, le français connaît peu de *vraies* géminations (doubles consonnes), car il n'y a une géminée que si chacune des deux consonnes identiques en contact possède ses trois phases. La « réarticulation » est mesurable, pour les labiales, par électromyographie.

Le critère qui permet de discerner une véritable consonne géminée, c'est la coupe syllabique : elle tombe *entre* les deux consonnes et non

1. Malmberg, *Le système consonantique du français moderne*, pp. 46-66. Cf. Martinet, *La Gémination consonantique d'origine expressive dans les langues germaniques*, p. 10.

avant : *intim(e)ment* [ε̃tim-mɑ̃]; *nous craignions* [kRεɲ-ɲɔ̃]; *addition* [ad-disjɔ̃]. Occlusives et constrictives peuvent être ainsi doubles : il suffit, pour ces dernières, que l'intensité physiologique diminue au milieu, puis reprenne : *courra* [kuR-Ra]. Quand on veut « bien articuler » ou lever une ambiguïté, on place la coupe syllabique entre les deux consonnes identiques : *un(e) oie / un(e) noix* [yn-nwa].

Mais, en prononciation courante, les phases 3 et 4 de l'occlusive redoublée manquent : les deux tenues par conséquent n'en forment plus qu'une seule, qui est longue. Les constrictives doubles n'ont pas de baisse d'intensité physiologique; la coupe syllabique tombe *avant* la consonne longue : *courrais* [ku-RRε]. En d'autres termes, les géminées françaises se réalisent comme des consonnes longues : *avec qui* [avε-kki], sauf si on articule soigneusement.

Ajoutons qu'une impression auditive de quantité consonantique peut s'obtenir sans même qu'il y ait durée accrue de la consonne : il suffit de modifier la durée des voyelles qui l'entourent! Nos tracés montrent que pour opposer *tu t(e) trompes* à *tu trompes*, des locuteurs français se contentent d'abréger la voyelle *u*. C'est, pensons-nous, à cause de l'allongement du [a] conditionné par [ʒ] qu'on dit *vĭllāge* avec *l* bref et *vīllă* avec *l* long.

2. *Consonnes géminées : point de vue fonctionnel.*

Des géminées (opposables à des non-géminées) ne se rencontrent que dans quelques cas en français (cf. 3.8.2.).

Dans des groupes comme : *je l'ai vu* [ʒəl-levy]. Cette gémination du [l] en langue familière est jugée peu correcte; contrairement à ce qu'a dit Dauzat[1], elle paraît due au souci de rappeler de façon plus marquée le substantif qui est représenté par le pronom élidé, le son [l] étant particulièrement instable. Le pronom est plus important que l'article dans la phrase. Cela permet d'utiles distinctions : *je l'apprends* (avec *ll*) est opposable à *je la prends*.

3. *Consonnes longues.*

Elles se trouvent dans l'expressivité (accent d'insistance, cf. 1.6.4.) : *c'était terrible !* [ʺt:εRib]. Le *t* dure au moins deux fois plus longtemps dans l'emphase. Se situant sur un tout autre plan (variantes stylistiques facultatives), elles font partie du système fonctionnel en dehors des cas phonostylistiques « marqués ». C'est probablement du fait de leur sens que des mots comme *affolant* ou *horrible* ont presque toujours des consonnes longues. Mais, dira-t-on, puisque leur réalisation est identique,

1. A. Dauzat, Qui est-ce qui ll'a, dans *Le Français moderne*, 1939. — A. Bothorel, *Etude descriptive du son L dans les langues européennes*, 1967, p. 167. — Dupré, *Encyclopédie du bon français*, 1972, p. 1426.

pourquoi distinguer pour le français les géminées et les consonnes longues ? La réponse est simple; c'est parce qu'il existe dans le premier cas la possibilité de faire tomber la coupe syllabique entre les consonnes, si c'est nécessaire ou si on le désire (levée d'ambiguïté, p. ex.), alors que dans le second cas (allongement expressif), cette possibilité n'existe pas.

1.6. ASPECTS PHONOSTYLISTIQUES DU FRANÇAIS

1.6.1. *Peut-on définir une phonostylistique ?*

Le *Traité de Stylistique* de Bally, paru à Genève en 1902, n'a guère été lu en France. Grammont a écrit dans son *Traité de Phonétique* (1933) deux chapitres pénétrants sur la phonétique impressive, en précisant bien que c'était subjectif et très difficile. On les a trop négligés. Marouzeau a pressenti et esquissé bien des problèmes, mais il manquait d'appui instrumental. C'est surtout à la *littérature* que sont appliquées les premières recherches de « phonostylistique » française (le mot est de Troubetzkoy). En ce domaine, on ne peut se passer de l'intuition, qui semble d'autant plus sûre que le plaisir esthétique est plus grand. La délectation n'est-elle pas un signal stylistique ? Mais il faut justifier, vérifier par des critères objectifs, car l'intuition peut être fausse. Tous les moyens peuvent converger : statistique, thématique, sémantique, et la philologie qui doit préparer le terrain. Le secours de la linguistique n'est pas à dédaigner : celle-ci a bien dégagé, p. ex. la notion de *connotation*. Le mot *bombe* dénote quelque chose que tous les francophones ont en commun; mais pour celui qui en a vu éclater une, la prononciation de ce mot éveille des résonances particulières. Connotation s'oppose à *dénotation* et désigne « tout ce qui, dans l'emploi d'un mot, n'appartient pas à l'expérience de tous les utilisateurs de ce mot dans cette langue » (Martinet).

La phonétique n'a jusqu'à présent étudié — trop peu d'ailleurs — la stylistique littéraire qu'à partir des sons, du rythme et de la mélodie. Mais on peut concevoir une phonostylistique qui ne se borne pas à l'étude des textes littéraires et qui, d'autre part, considère les faits comme les autres faits linguistiques, c.-à-d. complémentairement, sous l'aspect de la « substance phonique » et sous l'aspect de la « forme », organisation, code, fonctionnement. La prudence s'impose, car les recherches à la fois instrumentales et fonctionnelles sont encore à l'état embryonnaire. D'ailleurs les limites sont plutôt assez imprécises. Des « fonctions phonostylistiques » ont pourtant été définies par Bühler, Troubetzkoy, Martinet, Jakobson, Riffaterre; P. Léon, dont nous utilisons ici les récents *Essais de Phonostylistique* (1971), a esquissé un bon classement fonctionnel.

Une « stylistique des effets » comme celle que conçoit Riffaterre est critiquable en stylistique littéraire, dans la mesure où elle n'atteint que des procédés, du banal, non ce qui fait qu'une œuvre est unique[1]. On a pourtant intérêt, surtout quand il ne s'agit pas de littérature, à s'appuyer sur de tels indices objectifs. La phonostylistique a pour but de les rechercher et d'envisager leur fonctionnement.

Tout en continuant de donner une information phonologique, grammaticale et sémantique, un énoncé comme « il va pleuvoir » peut transmettre en même temps :

— de l'irritation (identification émotive et caractérielle)
— des caractéristiques d'accent régional (identification géographique du locuteur)
— une injonction : prendre un imperméable (impression à produire sur l'auditeur).

Tout cela peut être considéré comme un *code* qui pourrait bien ne comporter qu'un nombre fini d'unités, les limites étant constituées par des contraintes articulatoires et perceptives.

D'autre part, ces unités semblent organisées en un système nettement structuré. A. Martinet appelle fonctions expressives du langage l'ensemble des fonctions de caractère affectif ou esthétique, et c'est le sens que donnent à ce terme les stylisticiens français.

Tout comme dans les chapitres précédents, le critère de *fonction* peut donc permettre de situer les faits de parole par rapport à un système. Voici un exemple, fourni par P. Léon : dans le théâtre de Sacha Guitry, il y a une jolie femme que l'on croit très intelligente tout simplement parce qu'elle a l'art de proférer des « hm-hm » avec l'intonation voulue, tandis que de graves messieurs discutent politique. Elle n'use pourtant pas du code phonologique! Mais il existe un second code reconnu et admis par les sujets parlants : c'est cela, le code phonostylistique. On a pu dire que tout message oral est « doublement codé » (Fónagy). Les deux codes s'organisent tous deux en systèmes. L'absence même d'indices expressifs est significative. Léon distingue, par la seule étude phonétique, entre un « style snob efféminé » (type du « minet ») et un « style snob emphatique » (type « Marie-Chantal »). Deux traits sont nécessaires et suffisants : l'antériorité et l'aperture. Ex. : le [ɛ] de *bête* est fermé et antérieur chez l'efféminé, ouvert et postérieur chez l'emphatique. En eux-mêmes, ces traits n'ont aucune valeur, ils n'en prennent que dans la mesure où ils appartiennent à un *système de relations*.

La difficulté est évidemment de délimiter, de fixer des seuils; mais n'est-ce pas là le problème majeur qui se pose à toute science ?[2]. On

1. J. Mourot, Stylistique des intentions et stylistique des effets, dans les *Cahiers de l'Association internationale des études françaises*, 16, 1964, pp. 71-79.

2. Ph. Martin a décrit dans sa thèse (Nancy, 1972) une procédure de reconnaissance automatique qu'on peut appliquer à ces indices.

remarquera que ces sortes de « phonèmes phonostylistiques » fonctionnent par *opposition* : la colère n'existe qu'en fonction de la douceur. Ils sont presque toujours constitués par un ensemble de « traits phonostylistiques », tout comme les phonèmes sont constitués par des traits distinctifs. Ainsi le [ɑ] postérieur dans *bonsoir madâme* peut révéler un accent « campagnard » *ou* un style emphatique. Il faut un deuxième trait si l'on veut spécifier. Lorsque l'articulation de tous les phonèmes est très ouverte et les consonnes légères, c'est qu'il s'agit d'emphase et non de style « paysan ». Jusqu'à présent, on n'a fait que des listes de faits, non des systèmes phonostylistiques.

P. Léon, suivant le modèle de Riffaterre, a proposé un schéma des fonctions expressives (nous l'avons légèrement modifié, et complété les fonctions psycho-sociologiques d'identification) :

I fonctions identificatrices du locuteur		II fonction impressive	III fonction phatique	IV fonction méta-linguistique
1. émotion 2. caractère 3. région géographique	4. catégorie sociale 5. culture 6. profession			

I. *L'identification* n'est généralement pas volontaire. Le trait phonostylistique permet d'identifier celui qui parle. Certains phénomènes dépendent étroitement de la physiologie de l'individu. L'émotion est passagère ou due au caractère. Le locuteur se trahit par des traits de français régional, montrant qu'il est du Midi (*e* muets, nasales), ou du Nord (les *a*), qu'il est professeur (accent d'insistance) ou de l'Est (pénultièmes allongées). Des caractéristiques du français régional (habitudes phoniques acquises) peuvent subsister plus ou moins. L'absence de marque dialectale est, elle aussi, significative. Il convient d'étudier les conséquences diverses du substrat (dialectes anciens) et de l'adstrat (langues en contact). Une carte de la Francophonie avec le trait prosodique le plus typique de chaque région montre une grande diversité (cf. 1.6.3.2.). Si on interprète certains types de [R] postérieurs comme vulgaires, c'est probablement du fait de leur distribution dans les différents milieux sociaux (Fónagy). Pour prendre des exemples extrêmes, un métallo a évidemment un phonétisme tout différent de celui d'une annonceuse de télévision, du moins pendant le travail! Un professeur révèle son métier, souvent à son insu, en plaçant nombre d'accents d'insistance à valeur didactique; nous en avons trouvé très peu, au contraire, dans le corpus spontané (ouvriers de Roubaix-Tourcoing) que nous avons étudié.

II. *L'impressivité* (on dit aussi fonction appellative, ou conative, avec des sens assez voisins) : c'est faire pression sur l'auditeur en vue de produire tel effet.

III. Jakobson définit la *fonction phatique* du langage (grec *phêmi* « je dis ») comme destinée à maintenir le contact entre le locuteur et l'auditeur. On « parle pour parler », plus que pour communiquer réellement des informations, en certaines situations.

IV. *Fonction métalinguistique :* c'est le commentaire de la parole par elle-même : le locuteur explique la manière dont il veut s'exprimer, met lui-même des étiquettes sur le message, au lieu d'exprimer p. ex. son émotion par l'intonation seule.

1.6.2. *Les sons ont-ils une valeur stylistique par eux-mêmes ?*

1.6.2.1. Ce chapitre intéresse surtout l'aspect littéraire de la phonostylistique. La valeur expressive des sons a donné lieu à de longs débats[1] qui tournent autour du caractère arbitraire du signe linguistique. « Conventionnel » est distinct de « arbitraire » : tous deux s'opposent à « motivé » (ex. : le mot *coucou*). Il y a d'ailleurs divers degrés de motivation et c'est une question fort difficile. Dans le dialogue de Platon qui porte son nom, Cratyle, philosophe « naturaliste », s'oppose au sophiste Hermogène qui croit que les sons n'ont qu'une valeur de convention. Grammont, et beaucoup de commentateurs après lui, considèrent qu'il existe bien des rapports entre son et sens. P. ex. J. Chaillet[2] signale dans *Bajazet* de Racine « des *t* et *d* de sarcasme... flèches qu'on décoche sans interruption... » :

« Ne te souvient-il plus de tout ce que je suis ? »

Pourtant, le comptage (après transcription phonétique) montre qu'il y a sept occlusives, mais aussi neuf constrictives. De plus, presque aucune occlusive ne figure sous l'accent. Il convient d'éviter l'usage d'une terminologie périmée (doux, guttural...) ; ces termes non techniques, subjectifs, sont en partie dépourvus de sens. Méfions-nous d'un vocabulaire linguistique qui, insidieusement, charrie des conceptions devenues caduques.

Les sonorités ont-elles un pouvoir suggestif en poésie ? P. Delbouille

1. Fónagy, Le Signe conventionnel ou motivé. Un débat millénaire, in *La Linguistique*, 1971 (2/7), pp. 55-80.
2. *Etudes de grammaire et de style*, Bordas, I, p. 222.

a montré (1961) que presque rien de ce qu'ont construit les théoriciens n'est vraiment solide. Les amusantes contradictions qu'il relève prouvent du moins que les théories générales ont toutes quelque chose d'excessif et d'erroné! On ne saurait donc montrer trop de circonspection en ce domaine : le danger est aussi grand lorsqu'on exagère le contexte extra-linguistique que lorsqu'on méprise le sens littéral.

B. Hála fait état de divers procédés objectifs : statistiques, structure syllabique, formants acoustiques, distribution de phonèmes[1]. Mais peut-on les apprécier en eux-mêmes ? Certes [p t k] sont abrégeants et [v z ʒ] allongeants, mais est-il possible que des consonnes puissent exprimer telle ou telle signification précise et universelle ? Si *brise* est « doux » et *brisure* « dur, cassant », c'est plus à cause de leur sens qu'à cause de la valeur phonique de [bR]. Outre leur usage incontestable de support mélodique, les voyelles peuvent contribuer à « suggérer », mais à condition que le sens le permette. Grammont, qui connaissait les limites de ses analogies, a proposé le classement suivant, fondé sur l'audition :

claires { claires : e, ɛ, ø
aiguës : i, y }

graves { sombres : o, u
éclatantes : a, ɔ, œ }

voilées { claires : ɛ̃
éclatantes : ɑ̃, ɔ̃, œ̃ }

On peut évidemment en contester bien des éléments (les éclatantes). Il vaut mieux opposer de grandes catégories, p. ex. graves et aiguës. L'acoustique est un moyen utile, mais il ne faut pas oublier que l'oreille filtre et mélange, qu'elle n'est donc pas objective (il est vrai que nos oreilles peuvent se tromper toutes dans le même sens!). Seul [i] peut être considéré comme porteur d'un symbolisme non ambigu : des enfants qui ne savent pas lire le représentent comme tout petit, filiforme, ce qui doit s'expliquer par ses formants très écartés, sa « bande passante » non concentrée comme celle du [a][2].

Pourquoi les stylisticiens ont-ils perçu dans les voyelles nasales un effet « voilé »? Sans doute à cause de la forte atténuation du premier formant (1.2.2.4.) et parce que l'intensité totale est relativement plus faible.

---

1. Quelques problèmes de l'euphonie, dans *Mélanges Straka*, pp. 23-31.
2. De M. Chastaing, trois articles sur le symbolisme des voyelles, dans le *Journal de Psychologie* (1958, 1964) et dans *Revue philosophique* (1964).

P. Léon, dans une conférence faite à Nancy, proposait le schéma suivant qui, disait-il, reste à valider :

i, y, e, ø, ɛ, ɛ̃, œ, œ̃	a, ɑ, ɑ̃, ɔ, o, õ, u.
←―――――――――	―――――――――→
+ antérieures —	— postérieures +

A mesure qu'on progresse vers la gauche, les connotations suivantes semblent plus affirmées : hauteur, proximité, rapidité, petitesse, clarté, acuité, légèreté, etc. A mesure qu'on progresse vers la droite, ce seraient les contraires qui s'affirment de plus en plus. Mais il y a polyvalence. Les effets se trouvent marqués non seulement par les répétitions de sons, mais par leurs oppositions. Dans *tic-tac*, *cric-crac*, *pif-paf*, etc., l'opposition *i/a* est acoustique : c'est celle d'une bande spectrale très large et d'une bande très étroite. Et tout cela, répétons-le, doit pour fonctionner être en conformité avec le sens. Un terme auditif comme *liquide* ne doit pas être pris au pied de la lettre. Quand Cratyle, dans le dialogue platonicien évoqué ci-dessus, dit que dans *l*, il y a un « glissement très marqué de la langue », il commet une erreur parce qu'il pense au grec *léion* « lisse » ou *olisthanein* « glisser ». Ce n'est qu'une convention, répond Hermogène! Au Moyen Age, les « nominalistes » soutiendront cela de nouveau contre les « réalistes ». Et tous ceux qui expliquent des textes littéraires doivent se pénétrer de l'idée de la *primauté du sens* : [l] ne convient ni plus ni moins qu'une autre consonne pour suggérer la liquidité.

Soit ce vers de Hugo (cité par Fónagy) :

« La lune, le soleil, le ciel et les étoiles... »

Huit [l] (il ne faut pas compter la graphie *eil*) soulignent sans doute un sentiment d'*immensité*, fréquent chez cet auteur. En revanche, dans cet autre vers de Baudelaire qui, lui, évoque l'eau, il n'y a pas de [l]!

« Jet d'eau qui jase/Et ne se tait ni nuit ni jour... »

Ainsi, il n'y a pas de rapport constant entre son et impression; les rapprochements sont le plus souvent fortuits : « fouet » [fwɛ] peut donner l'impression d'un claquement; or, ce mot vient du latin *fagus*, « hêtre »! On peut sans doute tirer davantage d'indications (à condition de savoir les interpréter) des *allitérations* (répétitions de consonnes) et des *assonances* (répétitions de voyelles). Mais, souligne J. Mourot[1], il importe d'éviter toute référence à la musique. Parler de la musicalité d'un langage, c'est se laisser abuser par une métaphore tout juste bonne à brouiller les idées. On ne saurait non plus parler généralement de l'*expressivité des sons*,

1. *L'Enseignement de la littérature française, son esprit, ses principes, sa progression.*

hormis les cas, assez rares, où il s'agit de franches onomatopées ou de consonances qui semblent réaliser une « harmonie imitative » ou, pour ainsi dire, une métaphore articulatoire. L'homophonie ne se situe qu'au niveau phonématique, et la prosodie, qui diffère, l'empêche d'être totale. Mais les quasi-homophonies, qui se rencontrent dans les vers ou dans la prose d'ambition poétique, ont pour effet d'attirer l'attention sur la *signification* même des mots consonants. Voici un exemple privilégié : « Le DÉSERT DÉRoulait maintenant Devant nous ses solituDes DÉmeSuRées » (Chateaubriand) : tous les phonèmes du mot *désert* se trouvent répétés dans les autres mots de la phrase, si bien qu'il en est comme multiplié et qu'il dégage la plénitude de son sens, en particulier la connotation de l'immensité. Jean Mourot conclut : « Dans une répétition de sons, ce qui importe, c'est la répétition même et son action sur le sens — la nature et la qualité du son étant en général indifférentes. »

On voit ainsi que la phonostylistique peut apporter à la littérature des matériaux, mais qu'elle ne saurait déterminer dans quelle mesure ceux-ci sont pertinents du point de vue littéraire.

1.6.2.2. Le phonétisme français actuel est-il moins beau que celui du siècle dernier ? Peut-on dire qu'une langue est phonétiquement « plus belle » qu'une autre ?[1] Il se pourrait qu'une langue ne soit jugée belle que par rapport à une *convention tacite* qui ne s'explicite que rarement. « Vous nous reprochez nos *e* muets, répondait Voltaire à Deodati, comme un son triste et sourd qui expire dans notre bouche; mais c'est précisément dans ces *e* muets que consiste la grande harmonie de notre prose et de nos vers. Empire, couronne, diadème, tendresse, victoire, toutes ces désinences heureuses laissent dans l'oreille un son qui subsiste encore après le mot prononcé, comme un clavecin qui résonne quand les doigts ne frappent plus sur les touches. » Cela est bien dit, mais l'Italien fut-il convaincu ? D'ailleurs le sens des mots cités évoque justement quelque chose d' « heureux »! Chaque génération hérite de certaines conceptions et réagit positivement ou négativement. Quoi de plus subjectif que les jugements pseudo-esthétiques qui font trouver « amusant » l'accent de Marseille et « vulgaire » celui de Lille ? En réalité, on infère cela d'un préjugé concernant des individus ou des régions. Il se peut aussi qu'on interprète certains sons d'arrière comme vulgaires parce qu'ils semblent partir des « bas-fonds » de notre corps. Charles Bally a bien montré l'arbitraire de telles associations. L'allemand est, dit-on, la langue pour parler aux chevaux, l'anglais pour parler aux domestiques, l'espagnol à Dieu, le français à sa maîtresse!... Il était « noble et beau » aux siècles classiques de dire « le roué, c'est moué » (avec un *r* roulé) ; Racine parlait

1. Cf. A. Martinet, *Le Français sans fard*, pp. 46-61.

ainsi. Aujourd'hui, cela semble « paysan ». Avant d'émettre des jugements fondés sur l'esthétique, il faudrait en mesurer le caractère tout relatif.

1.6.3. *L'intonation expressive*

Raimu, dans *Gribouille* (film de Marc Allégret, 1937), s'emporte avec sa véhémence célèbre en disant : « Prends garde, un de ces jours tu vas me faire faire une bêtise! » Mais quand il le répète mot pour mot au tribunal, il en modifie totalement l'implication (gronderie affectueuse) : la première phrase est dite avec une courbe mélodique à pente abrupte, brusques écarts, pauses, la seconde avec des modulations plus hautes, de faibles écarts, pas de pause. C'est un bon exemple d'opposition entre deux types expressifs.

1.6.3.1. Peuvent être distinctifs[1] :

— le registre intonatif,
— la largeur dans laquelle s'inscrit l'ensemble de la courbe intonative,
— la forme de la courbe.

Il faut tenir compte, non seulement de la ligne mélodique brute, mais aussi de la durée, de l'intensité acoustique, de l'articulation, des pauses, des variations du tempo, etc. A un même contour intonatif peuvent correspondre plusieurs sens différents.

Une modification de *l'ensemble* de la courbe intonative caractériserait surtout la fonction identificatrice des émotions et du caractère. On connaît l'histoire du télégramme envoyé par un fils en goguette et qui n'a plus le sou : « Envoyez-moi de l'argent » : la maman est apitoyée parce qu'elle le sent en détresse, le père refuse de le secourir parce qu'il trouve au texte un ton comminatoire qui lui déplaît. Ils le lisent chacun avec une courbe intonative très différente! La raideur croît avec le degré d'irritation. Une modification d'une *partie* de la courbe caractériserait surtout la fonction impressive. Si l'intonation de « Il ne viendra plus » comporte une sorte de petit crochet final, une nuance s'ajoute au sens ordinaire : « il est trop tard ».

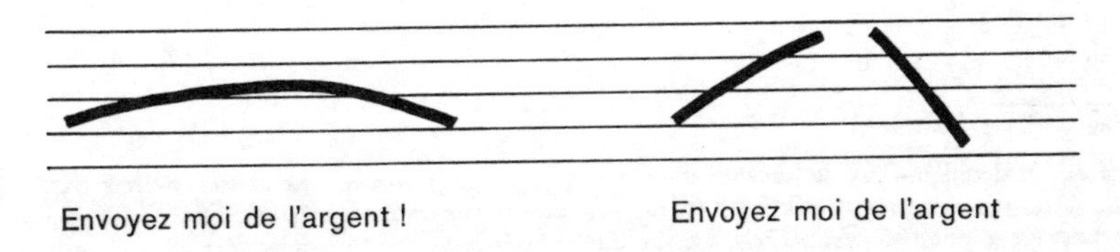

1. P. Léon, *Systématique des fonctions expressives de l'intonation.*

Le locuteur suggère quelque chose sans le dire expressément : c'est *l'implication*. On ne dit pas bonjour de la même façon selon qu'on implique « monsieur » ou « mon vieux »[1]. Léon estime que le passage en un seul point au niveau 5 (accompagné d'une intensité accrue) suffit à rendre *exclamatif* un énoncé : ainsi chacune des syllabes dans « il va partir » peut monter jusqu'au suraigu.

La *parenthèse* consiste en un décalage vers le registre bas d'une partie de la séquence (cf. 1.5.2.3.). Ce procédé est parfois impressif, c.-à-d. destiné à produire certains effets, p. ex. le dédain du rationnel dans cet extrait de *Nuits partagées* d'Eluard, dont voici une interprétation :

« La raison ((la tête haute) (son carcan d'indifférence) (lanterne à tête de fourmi)) la raison ((pauvre mât de fortune) (Pour un homme affolé) (le mât de fortune) ou bateau))... »

Dans *L'Epervier de Maheux* (Prix Goncourt 1972), Jean Carrière use abondamment de l'étagement tonal :

« Le pasteur avait fait son entrée... (mais comment diable s'appelle-t-il ? Quelque chose comme M. Barthélemy, ce qui est tout de même assez chic pour un pasteur)... son entrée vers une heure de l'après-midi »...

1.6.3.2. Traits intonatifs régionaux.

Chaque région a « ses » ou « son » trait intonatif caractéristique (niveau de langue familier et populaire). Sa fréquence et son caractère inhabituel le font reconnaître comme typique par les non-natifs : la forme du contour expressif, l'étendue des ruptures mélodiques, les changements de registre sont à peu près semblables, du moins à l'oreille. Nous avons appliqué une méthode d'analyse instrumentale à de tels traits prosodiques dans la région de Lille[2]. Nos recherches actuelles portent sur l'intonation lorraine; à Aix-en-Provence, on travaille de façon approfondie sur l'intonation méridionale ; Gendron, Boudreault, Rigault, Holder, Szmidt ont étudié l'intonation canadienne; H. Baetens-Beardsmore, celle de Bruxelles, etc. Il faut partir d'un corpus spontané dont les caractéristiques soient reconnues par des témoins sûrs, l'analyser instrumentalement, statistiquement et fonctionnellement. On ne peut faire prononcer une même phrase par des personnes différentes dans toutes les régions, car de tels traits prosodiques n'affectent pas néces-

1. Dans le deuxième cas, la courbe se termine par un petit crochet. Le musicien Erik Satie, dès la fin du siècle dernier, notait des indications, souvent humoristiques, qui rejoignent curieusement les observations des phonéticiens actuels. On lit sur les partitions des *Gnossiennes* (1890) : « de manière à obtenir un creux », « questionnez » (montée), « postulez en vous-même » (avec crochet final), etc.

2. *Pente et rupture mélodique en français régional du Nord. Analyse et interprétation d'un trait prosodique caractéristique*, Prague, 1967.

sairement un signifié identique. Voici quelques clausules reconnues comme caractéristiques (noter l'importance de la pénultième) :

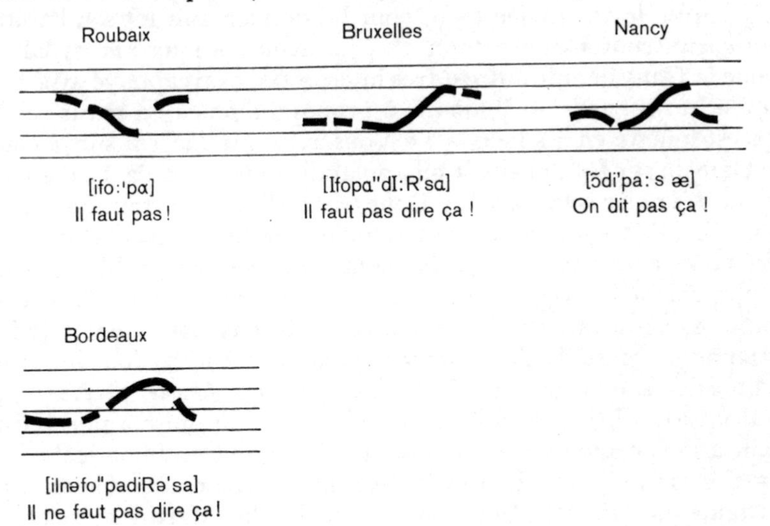

1.6.4. *L'accent d'insistance en français contemporain*

Le type français de mise en relief qu'on appelle traditionnellement « accent d'insistance » (ex. : ép*ou*vantable! *su*blime!...) a fait l'objet de nombreuses études et de descriptions minutieuses. Il est de nos jours en plein essor et il n'est pas inutile de faire le point sur cette question difficile : on expliquerait mieux sa fortune si on connaissait mieux son histoire.

C'est un élève de l'abbé Rousselot, Léonce Roudet, qui, le premier, a décrit scientifiquement le phénomène en 1907. Grammont, dès 1914, et surtout Marouzeau, à partir de 1923, en ont fait la théorie; celui-ci a distingué un accent « affectif » d'un accent « intellectuel ». Cette distinction a été contestée par Fouché en 1923; Dauzat, en 1934, a émis quelques réserves, ce qui a amené Marouzeau à retoucher sa théorie. C'est la forme précise qu'il lui a alors donnée que l'on enseigne encore aujourd'hui : il y a un accent « affectif » qui frappe soit la syllabe initiale, soit la seconde (si l'initiale est vocalique), et un accent « intellectuel » qui frappe l'initiale.

1.6.4.1. Origine et description.

L'initiale de mot, comme l'a montré G. Straka, est une position forte. Un accent expressif a pu affecter la syllabe initiale dès que l'accent a cessé d'être dynamique et que se sont développés l'oxytonisme et l'égalité rythmique qui caractérisent le français moderne. Mais nous n'avons pas trouvé d'attestation sûre de ce phénomène avant le milieu du XVIIIe siècle. Après la première représentation de sa tragédie *Oreste*, Voltaire écrit à Mlle Clairon, le 12 janvier 1750, pour lui donner, suivant son habitude, de judicieux conseils de diction : après avoir indiqué une syllabe sur laquelle la Gaussin, une autre de ses interprètes, avait appuyé avec succès (« la foudre va partir »), il ajoute, à propos du vers « La nature en tous temps est funeste en ces lieux » : « Vous avez mis l'accent sur *fu* comme Mlle Gaussin sur *fou* : aussi a-t-on applaudi; mais vous n'avez pas encore assez fait résonner cette corde. » Dans *funeste*, l'accent rythmique attendu est sur *neste*; l'accent mis sur *fu* est donc un véritable accent d'insistance, réalisé entre autres par un allongement du *f*, comme semble le prouver le rapprochement avec *fou* de *foudre*. Cet accent modifie la structure rythmique; ce devait être assez nouveau en vers pour que Voltaire le mentionne et conseille de l'appuyer davantage encore (ou de l'utiliser davantage). Dans son *Essai sur l'origine des langues* (vers 1755)[1], J.-J. Rousseau distingue en français un « accent oratoire » plus musical, servant à l'expression des émotions, et un « accent grammatical »; cette distinction figure p. ex. dans le *Dictionnaire* de Trévoux et elle est reprise par Domergue (1805), Mme Dupuis (1836), Ph. Martinon (1913), etc.

On peut difficilement concevoir les « imprécations au tailleur » de M. Jourdain (*Bourgeois Gentilhomme*, I, 5) sans de multiples accents d'insistance : « *mau*dit tailleur, *bou*rreau de tailleur, *trais*tre de tailleur... ». Les placards imprimés que distribuait à Lille, au début du XVIIIe siècle, Brûle-Maison, le chanteur des rues, comportent d'ailleurs des consonnes initiales redoublées *(mmordienne !)* et des *h* initiaux *(hironique)*. Ce ne sont peut-être que des cacographies, mais peut-être aussi des traces d'accent d'insistance, tout comme le « Hénaurme » cher à Flaubert, le « Phamme » ou le « grrrand » de Balzac.

L'origine de l'accent d'insistance ne semble pas devoir être cherchée dans les dialectes. Il n'y a guère que le patois d'Ardenne qui accentue systématiquement l'initiale. Le phénomène ne doit pas être rattaché non plus à l'allongement de la pénultième en français populaire. Bauche l'a bien décrit dès 1928 : dans « *Pa*ris » on entend un traînaillement, bien différent de l'accent expiratoire que nous étudions ici. Cet accroissement « faubourien » de la durée ne doit pas se confondre avec les accents d'insistance, nombreux dans la langue populaire qui baigne dans l'affectivité. Mais cet accent est, depuis l'époque classique, fréquent dans la déclamation, et chez les orateurs. Un traité de diction du XIXe siècle, celui de Becq de Fouquières, parle d'un « accent oratoire » qui affecte l'initiale de groupe. Son auteur veut réagir contre l'exagération de « l'ictus initial ».

---

1. Ed. Porset, p. 79.

La terminologie relative à l'insistance est confuse : on parle d'accent phatique, emphatique, affectif, expressif, antithétique, distinctif, oppositif, logique, psychologique, différentiel!... Comme chacun décrit plus ou moins consciemment son idiolecte, il n'est que trop facile d'opposer l'une à l'autre les descriptions de type impressionniste qui s'entendent sur certains facteurs de réalisation et sur l'importance de la consonne, mais pas sur la *place* de l'insistance. Vouloir faire une description à l'aide de sa seule oreille, et vouloir rendre compte de tous les cas, cela aboutit à une « extrême complication » selon le mot même de Marouzeau. Les observations de celui-ci datent d'un demi-siècle : elles sont sans doute justes pour son époque, mais elles ont le défaut d'être trop systématiques tout en manquant d'appui instrumental. D'autre part, on n'a pas intérêt à multiplier le nombre des accents au plan linguistique. P. Garde soutient que le français n'a qu'un seul accent : l'accent d'insistance serait en réalité un procédé d'insistance. Il est en effet difficile de faire entrer l'accent d'insistance dans un système défini fonctionnellement, car il peut aussi bien se superposer à un accent imposé en langue (ex. : sulf*a*te et non sulf*u*re »), qu'affecter d'autres syllabes de *groupe*. On fonde le phénomène sur le *mot* : or on sait que cette notion est contestée par nombre de linguistes. On appuie parfois sur deux syllabes successives *incro*yable [ɛ̃kkRajab] et même sur toutes les syllabes *(in-con-tes-table)*. Nous avons relevé des centaines d'exemples d'insistance sur des syllabes initiales de syntagmes (« *de* son côté, *la* conférence... »). Il s'agit alors d'un fait de démarcation. L'accent frappe aussi des monosyllabes isolées *(chic !, mince !...)*. Il est remarquable, comme l'a vu Marouzeau, que les interjections monosyllabiques isolées commencent rarement par des voyelles. La différence entre « accent intellectuel » et « accent affectif » n'est fondée que sur le sens des mots mis en valeur. Mais la fonction est indépendante, au moins partiellement, du sémantisme. Il existe des mots dont le sens se prête aussi bien à l'un et à l'autre accent. Il est sans doute possible d'accentuer de deux façons différentes, selon l'intention, un mot comme *impossible*, ou *considérable*. Mais nous ne pensons pas qu'à une valeur psychologique et à un sémantisme donnés corresponde de nos jours une réalisation constante de la proéminence repérable auditivement.

Nous avons examiné les nombreux accents d'insistance contenus dans un corpus (lecture et parole spontanée) émanant de six locuteurs, étudiants et étudiantes de vingt à trente ans, en utilisant les méthodes de l'analyse acoustique. Ni la durée des consonnes et des voyelles, ni la hauteur musicale, ni surtout l'intensité ne correspondent à ce que les descriptions laissaient prévoir. Dire que « dans l'accent intellectuel prédomine la hauteur et dans l'accent affectif, c'est l'intensité », c'est peut-être exact pour l'oreille, mais c'est loin de correspondre avec ce qu'on observe sur les tracés obtenus.

L'accent d'insistance supprime-t-il l'accent normal ? Il reste toujours un facteur de proéminence auditive, si faible soit-il, sur la syllabe finale (p. ex. dans « *i*nimaginable » : durée ou chute mélodique), mais l'auditeur non averti n'y est pas sensible, car c'est la syllabe initiale qui attire toute l'attention. Une proéminence à cette place est bien perçue parce qu'elle est contraire aux habitudes de la langue; mais on peut fort bien trouver un accent de type « didactique » sur la deuxième syllabe d'un mot comme « sul*fa*te » lorsqu'on éprouve le besoin de l'opposer p. ex. à « sul*fu*re », même si on n'exprime pas ce dernier terme. C'est la syllabe différentielle qui est affectée, mais pas toujours (ex. « in*con*testable » ou « *in*contestable », « on ne dit pas des vitr*ail*s, mais des vit*rau*x »...). Enfin, on n'a pas suffisamment parlé de la pause qui précède ou qui suit souvent la syllabe accentuée.

Pour tenter de rendre mieux compte de la complexité des faits, il faut les envisager en distinguant *fonction*, *réalisation* et *place*.

1.6.4.2. Fonction.

L'accent d'insistance est une mise en valeur subjective, stylistique, créant dans la chaîne parlée un *contraste* d'ordre *quantitatif*. Il n'altère pas le sens général de la séquence, mais modifie la hiérarchie des syllabes phonologiques en privilégiant telle unité au détriment des autres. A la différence de l'accent de groupe, il est *facultatif* : si je le désire, j'indique ce que je ressens ou ce que je pense à l'égard de ce que je dis. De plus en plus, les sujets que nous avons observés prononcent « *lu*ndi, *ma*rdi, *huit* heures » (et non « lund*i*, mar*di*, huit h*eur*es ») en insistant sur la syllabe différentiative. C'est là un emploi utile et il n'est pas rare que cela devienne automatique. Mais qu'il s'agisse d'émotion ou non, la fonction est la même.

Cet accent se distingue donc des faits qui font partie de l'*intonation* proprement dite, car celle-ci assume principalement une fonction *d'opposition* : ex. : « J'aurai mal à la tête ↗*si* je travaille trop » (mais si je me repose, non!). La même phrase, avec ou sans montée sur *si*, est différente : ce n'est pas un accent d'insistance, mais un fait d'intonation qui est à l'origine de cette différence.

L'accent d'insistance doit être fonctionnellement distingué aussi de la jointure (ou joncture) externe, dont la fonction est démarcative; celle-ci est devenue un tic professionnel, comme l'a montré P. Léon, chez les annonceurs et présentateurs de radio (ex. : « *mer*credi, à *l'El*ysée, le *Pré*sident a *re*çu... »). Ce trait a pour objet d'indiquer le début d'une unité importante, et il remplace souvent cet autre type de jointure qu'est la liaison (ex. : « des gens / inconscients... »).

La fonction propre de l'accent d'insistance est l'expressivité par culmination. Pour P. Léon, c'est l'exclamation de phrase ramenée au niveau du mot.

1.6.4.3. Réalisation phonétique.

Elle est acoustiquement et auditivement complexe. Les faits de perception sont fort délicats à analyser, les mirages fréquents. Il n'y a pas de réalisation constante au niveau acoustique. C'est ce qui nous a amené à chercher s'il n'y a pas une réalisation physiologique constante. La question pourrait en effet être moins compliquée si on envisageait le phénomène à sa source, c.-à-d. au niveau de la production[1].

Nous avons cherché les variations de la pression sous-glottique, dont nous avons corrigé les valeurs en fonction des variations de volume pulmonaire. On remarque que les accents d'insistance qui ont été repérés par un très fort pourcentage d'auditeurs sont ceux où apparaît une *brutale montée* de pression d'air sous-glottique qui commence sur une *consonne*. L'occlusive glottale ayant pour effet de faire croître rapidement la pression sous-glottique, on comprend pourquoi l'accent d'insistance français en fait si grand usage. Ce qui est caractéristique, c'est la brusquerie inattendue de l'effort expiratoire. Dans le cas de l'accent normal de groupe, quand l'accent est peu expressif, la montée de la courbe de pression sous-glottique est lente.

Que la valeur soit « affective » ou « intellectuelle », l'énergie expiratoire se développe avec une pareille soudaineté. Elle s'associe dans les deux cas à l'énergie articulatoire, mais celle-ci est beaucoup plus difficilement mesurable directement (la durée en est une mesure indirecte).

Une autre réalisation prend le relais : l'accroissement brusque des vibrations glottales. En effet, il y a entre la pression sous-glottique et les vibrations des cordes vocales des liens de causalité physiologique. Dans la grande majorité des cas, il y a accroissement parallèle de la pression d'air et de la hauteur des sons émis. Mais la fréquence vibratoire des cordes vocales est réglée aussi par la tension musculaire du larynx, dans des conditions encore mal connues. C'est pourquoi la hauteur monte sur certains tracés alors que la pression baisse, ou inversement. On constate enfin souvent une *pause* de quelques centisecondes avant la consonne ou le coup de glotte : bien que ce ne soit pas une réalisation spécifique de l'accent d'insistance, on ne doit pas manquer d'en tenir compte, car la pause concourt à l'effet d'attente, de relief et de discontinuité.

1.6.4.4. Place.

La jointure externe, par sa fonction même, est à une place fixe, à l'initiale de l'élément à démarquer. La mise en valeur par l'intonation n'a pas de place fixe, chaque syllabe pouvant être affectée librement. L'accent d'insistance, lui, n'est ni tout à fait fixe, ni tout à fait libre. Sa place dépend de celle de l'unité à mettre en valeur (ex. « cette affaire

1. Cf. notre communication au VIIe Congrès de Phonétique, Montréal, 1971.

*lou*che », « tout à fait *i*nimaginable »). Admettre l'effort expiratoire comme réalisation, c'est admettre que cet accent expressif déborde le cadre de la syllabe phonologique. Sa place, pour nos sujets du moins, est indépendante de la longueur du mot ou du groupe et de la nature du phénomène initial, mais pas de la constitution syllabique. C'est la place et le mode d'emploi qui sont expressifs, non l'accent lui-même.

1.6.4.5. Relations entre trois faits prosodiques.

Essayons de schématiser en un tableau les différences et les interférences constatées entre les trois faits connexes dont nous avons parlé. Chacun possède une réalisation physiologique spécifique; mais cela n'empêche nullement les deux autres réalisations d'intervenir (ainsi que d'autres encore, non mentionnées sur le tableau) car *à une même fonction peuvent correspondre plusieurs réalisations*. Un même effet auditif, p. ex. l'intensité subjective, peut très bien s'obtenir par diverses réalisations au niveau physiologique.

Phénomène	Fonction linguistique	Réalisation physiologique	Réalisation acoustique	Place
accent d'insistance	contrastive (quantitative)	effort expiratoire (importance de la consonne)	intensité, durée, degré de plénitude du timbre	libre avec limitations
Intonation (sens restreint)	oppositive (qualitative)	vibrations glottales	hauteur de la fondamentale	libre
jointure	démarcative	pause	pause	fixe

Nous poursuivons des recherches en ce qui concerne les *réalisations acoustiques*. Conclusions provisoires : les variations d'intensité acoustique ne correspondent pas toujours avec les variations de pression; à pression égale, cette intensité peut être plus forte si la fréquence est plus élevée. L'ajustement de la tension du larynx aurait donc un effet sur le niveau sonore. Mais le rapport intensité/pression est spécifique pour chaque voyelle et dépend de la structure syllabique.

1.6.4.6. Evolution de l'accent d'insistance.

Ces trois fonctions, tout en demeurant distinctes, tendent aujourd'hui à se rapprocher les unes des autres. Comme leurs réalisations sont parfois communes (et à fortiori les impressions auditives qu'elles suscitent), il n'est pas surprenant que notre description diffère de celles de

Grammont et de Marouzeau. Une étude comparative, instrumentale et fonctionnelle, des accents d'insistance dans d'autres milieux et aussi dans d'autres langues nous renseignerait sur les conditions de leur développement[1].

De nos jours, l'accent d'insistance est de moins en moins souvent intentionnel, par conséquent, il tend à affecter la plupart des « mots pleins » (particulièrement les dissyllabes) dans les discussions, les discours, etc.

Les facteurs qui ont pu concourir à cette évolution semblent être :

1. la polyvalence des réalisations des trois fonctions;
2. le terrain couvert par ces trois fonctions connexes, très vaste et très varié;
3. le souci de « décumuler » l'intonation structurale (finale de groupe) et l'accentuation (proéminences superposées);
4. le « bruit » (au sens que l'on donne à ce mot dans la théorie de la communication) : troublant la communication, il suscite un surcroît d'insistance;
5. les tensions inhérentes à la vie urbaine moderne;
6. le fait que le rôle démarcatif de l'accent diminue, car, devenu fixe, il n'exerce plus de fonction contrastive (au sens où l'entend Martinet) : d'où le développement d'une proéminence expressive.

Mais pour qu'il en résulte un changement du système accentuel français, il faudrait que son utilisation ne soit plus facultative, mais imposée en langue, ce qui suppose des changements beaucoup plus profonds, qui ne se sont pas produits jusqu'à présent.

1.6.5. *Les rythmes du français*

1.6.5.1. « Partir d'une définition précise est une facilité qui est refusée à tous ceux qui étudient le rythme. Le rythme n'est pas un concept univoque, mais un terme générique. Seule une analyse peut en découvrir les composantes et y dégager une unité hiérarchique » (Fraisse). La question est difficile et toujours en discussion, car on n'est à peu près d'accord que si l'on reste dans les généralités!

Il paraît bon de s'en tenir au point de vue perceptif et à l'idée de Fraisse, auteur d'une thèse qui fait autorité, *Les Structures rythmiques* (Presses Universitaires de Louvain, 1956). « Deux pôles sont toujours présents et indissociables : la structure se trouve toujours coulée dans

---

1. F. Carton, D. Hirst, A. Marchal, A. Séguinot, *L'accent d'insistance*, Paris-Montréal, Didier, 1976 (coll. « Studia Phonetica », nº 12).

une périodicité et la périodicité est toujours organisation de structures[1]. » Pour lui, la structure, c'est le rythme, la périodicité, c'est la mesure. La structure est le résultat « abstrait » d'une perception de la périodicité.

Les définitions fondées sur le « retour périodique de stimuli structurés » (Westphal, Werner), le « mode de succession tel qu'une périodicité y est sensible » (Monique Parent), « la périodicité perçue » (Pius Servien, Coculesco, Ruckmick), etc., prêtent le flanc à la critique en ce sens que le rythme n'existe pas sans la mesure qui lui donne son existence concrète; en revanche, la mesure linéaire ne fonde pas le rythme. C'est pourquoi nous optons pour la formule de Fónagy définissant le rythme selon Fraisse : « structuration d'une suite de stimulations ». Cette structuration obéit certes à certaines « lois » physiques et physiologiques, mais tout travail esthétique sur le rythme part de la perception consciente de ces « lois »[2].

La monotonie est quelque chose de facile, dit Malmberg. Toute variation, au contraire, implique une difficulté (cf. le jazz et la pop music). La monotonie du rythme aide à surmonter les difficultés du langage, à éviter une variation trop riche. Plus une structure est imprévisible, plus elle est arbitraire, plus elle se prête à communiquer de l'information. Au contraire, plus elle est prévisible (par les contraintes des règles linguistiques et par ses rapports avec le contenu symbolisé), plus elle se rapproche des stades de communication qui ont dû précéder, dans l'histoire de l'espèce humaine, la création du véritable langage. La monotonie du chant des oiseaux implique un message régulier dont chaque segment se prévoit par tout ce qui précède et par la connaissance du modèle. Ces messages sont pauvres en information : ils sont nettement prélinguistiques. Le chant, la musique et la poésie s'expliquent peut-être partiellement comme des évolutions, dans des directions différentes, à partir d'une substance sonore rythmée, mais monotone. Cet élément sonore, chez certains êtres vivants, a été mis au service des besoins de la communication dans les groupes sociaux, joints à d'autres éléments rythmés. A la longue, l'onde sonore issue du larynx et modifiée dans les cavités supra-glottiques est devenue supérieure à cette sonorité rythmée et monotone parce qu'elle avait des possibilités de variation plus riches.

---

1. Cf. *Les Rythmes*, Actes du Colloque de l'Institut d'Audiophonologie de Lyon, 1967 (J.F.O.R.L., 1968, n° 7, suppl.) et particulièrement les contributions de Fónagy, Fraisse, Lafon, Malmberg.

2. Becker s'oppose à Servien et à Fraisse (Cours d'Audiophonologie, Besançon, 1972). En se fondant sur les recherches musicales contemporaines (O. Messiaen, I. Xénakis, M. Leroux), il prétend qu'il faut tenter d'intégrer ce que Fraisse nomme les « arythmies » et la prose de communication. Ce serait alors « ruthmos », pas seulement « skêma » (Démocrite). On étudierait les « structures structurantes en genèse » qu'on pourrait appliquer, grâce aux combinaisons d'un modèle génératif, à la compétence « des sujets parlants ».

Mais y a-t-il des « structures structurantes » à priori ? Tout ce que nous pouvons faire, c'est de définir par induction les diverses formules d'organisation périodiques et de nous demander si elles retrouvent les cycles biologiques (et peut-être cosmiques) qui les fondent.

Le rythme dans le *vers* est assez facile à étudier, dit Jean Mourot[1], parce qu'il est lié au choix préalable du cadre métrique. C'est par rapport au mètre que se décrivent et se définissent tous les effets rythmiques, soit par les répétitions et les symétries qu'il actualise, soit par son mariage ou son conflit avec la phrase et la syntaxe. Il en va tout autrement du *rythme de la prose libre*, dont les définitions très complexes, très variables, ne représentent que des cas d'espèce. Le rythme non littéraire, celui de la *parole courante*, est encore plus compliqué à étudier.

1.6.5.2. Eléments constitutifs des rythmes.

Tout élément sonore susceptible d'être interprété comme distinctif par opposition à d'autres peut être utilisé pour des effets rythmiques. La différence entre éléments « segmentaux » (phonèmes) et « supra-segmentaux » (prosodie) est d'ordre fonctionnel : ce n'est pas une différence relative à la substance sonore. Le timbre vocalique, le bruit consonantique, les variations de durée, l'intensité relative, l'intonation peuvent être tous utilisés comme éléments rythmiques.

L'organisation des rythmes du français repose sur divers procédés de démarcation, fondés sur des tendances rythmiques qui se sont constituées au cours de l'histoire de notre langue. Elle repose aussi sur des contrastes à valeur expressive et sur des variations intentionnelles de la hiérarchie des proéminences.

En français « une syllabe en vaut une autre », le rythme est isosyllabique. L'unité rythmique est le groupe de syllabes dont une seule est proéminente. Ce n'est pas le « tacata » de la mitrailleuse, comme on le dit parfois, car les syllabes commencent doucement. C'est plutôt le battement d'un cœur : selon Aristote, celui-ci est la source même du rythme poétique. Mais il existe des rythmes plus subtils, interférant avec ceux des images et des thèmes et qui ressortissent à la poétique.

1.6.5.3. En versification, on parle d'un *accent rythmique*. Un exemple fera saisir la distinction avec l'accent normal : si je dis *une vieille maison*, dans la prononciation courante, j'émettrai quatre syllabes avec un accent intégrateur du syntagme [ynvjɛjmɛ'zɔ̃]. Mais si ces mots font partie d'un vers de facture classique, j'émettrai six syllabes avec deux accents rythmiques : [ynə'vjɛjəmɛ'zɔ̃]. La proéminence sur l'épithète *vieille* est liée au sens, mais elle n'est pas due à une contrainte syntaxique ni à une mise en valeur expressive. Elle contribue à créer le rythme poétique. C'est un accent rythmique.

On sait qu'il y a dans le vers classique un accent rythmique à place fixe, à la rime et à la césure de certains vers réguliers, et d'autre part

---

1. Cf. *Le Génie d'un style*, 2e éd., 1969.

des accents rythmiques « mobiles ». L'unité rythmique du vers français, déterminée par sa dernière syllabe (celle qui porte l'accent), est la *mesure rythmique*. Cela correspond au groupe accentuel dans tout discours non cadencé. Dans un vers, le rythme est fondé sur la distribution des accents. Il est égal (patron rythmique : 3′ 3′ 3′ 3′) et comporte quatre mesures dans :

« Je veux l*i*re en trois j*ou*rs l'Ili*a*de d'Hom*è*re. » (Ronsard.)

Il peut être descendant (6′ 4′ 2′) et comporte trois mesures d'ampleur décroissante dans :

« Pendant que nous viv*o*ns, entr'aymons-n*ous*, Sin*o*pe. » (Ronsard.)

ou ascendant (2′ 4′ 6′) :

« L'enn*ui*, fruit de la m*o*rne incuriosit*é*. » (Baudelaire.)

Remarquer la diérèse.

Un poème achevé est également tributaire du rythme de son architecture (agencement et enchaînement des strophes, disposition des rimes, etc.).

1.6.5.4. L'isochronie.

« Pour pouvoir mesurer et comparer les variations rythmiques d'une manière rigoureuse, il faut visualiser la parole[1]. » Soit ce vers d'Eluard : « Les champs sont labourés, les usines rayonnent. » Les tracés oscillographiques que nous avons faits de ce vers montrent que les diseurs tendent à allonger davantage le groupe dissyllabique *les champs* que le groupe de quatre syllabes *sont labourés*. Certains, bien que non prévenus, ont mis — exactement — un nombre égal de centisecondes pour ces deux groupes. Les groupes n'ont pas tous le même nombre de syllabes, mais, par suite d'une auto-régulation pré-consciente de la durée, le bon lecteur *tend* à donner à toutes les mesures rythmiques une durée sensiblement égale : c'est l'*isochronie métrique* (grec *isos* « égal », *chronos* « temps »), la restitution dans la diction d'une égalité subjective de durée pour les mesures inégales d'un vers. Cela fournit un critère pour juger de l'art du poète : les mots que le diseur est amené à allonger sont-ils des mots de valeur ou non ? Ex. :

« J'aime, que dis-je aimer, j'idolâtre Junie. »

(Racine, Britannicus, 384.) (1′ (+ 1) 4′ 3′ 3′)

La première mesure est allongée par accroissement de durée du [ε] et aussi par l'effet de syncope qui suit (syllabe *me* non accentuée reliée à la

1. Burgstahler et Straka, *Etude du rythme à l'aide de l'oscillographe cathodique combiné avec le sonomètre*, Strasbourg, 1963.

mesure suivante). En anglais, on tend à donner aux « pieds » adjacents une durée égale : dans la parole courante, l'anglais est isochrone, alors que le français est isosyllabique et n'établit une isochronie qu'en poésie. L'isochronie du français croît en fonction du potentiel poétique. La longueur des intervalles entre les accents dépend non du nombre de syllabes, mais de leur durée, des pauses, du débit, et du tempo.

1.6.5.5. Par *débit*, on entend la vitesse d'élocution en général : débit lent, rapide, saccadé, etc. Plus précisément, en versification, c'est le « nombre de syllabes qu'on profère durant une mesure » (Morier). Le *tempo* (T°), c'est l'intervalle de durée plus ou moins grand qui s'étend d'un accent à l'autre. Le tempo se définit par rapport à la seconde. Pour un poème descriptif, dépourvu de passion et lu par un adulte, le tempo est proche du rythme cardiaque, environ 80 battements à la minute. Cela signifie que l'accent en principe revient à cette cadence.

1.6.5.6. Coupe et syncope.

Dans un texte non poétique, il n'y a guère de périodicité; dans le vers classique, elle atteint son maximum. Soit la phrase :

> « Voudriez-vous aller me chercher du jambon,
> et prenez en même temps un peu de cresson[1]. »

Il y a deux lignes de douze syllabes, deux finales en *on*, mais ce sont de mauvais vers! C'est tout différent dans ce fragment de Baudelaire où l'effet poétique ne naît pas de l'image, qui est banale, ni du vocabulaire, mais du rythme :

> « La di*a*ne chant*a*it dans les c*o*urs des cas*e*rnes,
> Et le v*e*nt du mat*i*n soufl*a*it dans les lant*e*rnes. »

Etudions phonétiquement ces deux autres vers tirés de *l'Horloge* de Baudelaire :

> « Les vibrantes douleurs, dans ton cœur plein‿d'effroi
> Se planteront bientôt comme dans une cible. »
>
> [le vi'bRɑ̃:tə du'lœ:R // dɑ̃ tɔ̃'kœ:R plɛ̃dɛ'fRwa //]
> [sə plɑ̃təRɔ̃ bjɛ̃'to/' kɔmədɑ̃zynə'siblə//]
>
> 3 / 3 // 3 / 3
> 4 / 2 // 1 / 5

Cette représentation très répandue peut prêter à confusion car les coupes et les césures ne correspondent pas forcément à des *arrêts* de la voix. On ne doit pas les confondre. La *coupe* est la séparation entre deux

1. Exemples cités dans la *Grammaire Larousse*, p. 438.

mesures rythmiques. Il n'y a lieu de parler de coupe que si la séparation est nette, s'il y a une *pause*; le phénomène essentiel est celui de l'accent qui détermine les mesures. La non-coïncidence du rythme des accents et de celui (secondaire) des pauses aboutit parfois à de remarquables effets de *syncope*. La *césure* (lat. *caesura* « coupure ») est une coupe obligatoire dans certains vers réguliers. Elle fait suite à un accent fixe sur la sixième syllabe de l'alexandrin, sur la quatrième (ou la sixième) du décasyllabe. Dans la versification classique, elle doit coïncider avec la fin d'un syntagme :

> « Que toujours dans vos vers / le sens coupant les mots,
> Suspende l'hémistiche / en marque le repos. » (Boileau.)

Comme tout phénomène phonétique, la pause peut s'envisager d'un triple point de vue : physiologique, acoustique ou perceptif. Ces trois aspects ne correspondent pas forcément.

Le *e* « muet » fait problème en versification. La mesure rythmique s'achève-t-elle dans tous les cas par une syllabe accentuée ? C'est là l'enseignement de Grammont :

> « Les vib*ran* / tes dou*leurs*... »

On dit que la coupe est *enjambante* [ˊ / ə]. Le problème du *e* final de *vibrantes* ressortit à l'étude des attaques (premier temps des mesures rythmiques). Si la syllabe non accentuée initiale de mesure est précédée d'une pause, on a affaire à une *anacrouse* (grec *anacrousis* « prélude »), selon Morier « syllabe accentuée qui, dans le vers libre ou dans la prose artistique sert de prélude à la cadence rythmique »; ex. dans « Soit — que dirais-t*u*, que diriez-v*ous*... » (4′ 4′), *soit* forme anacrouse.

L'opinion de Grammont n'est pas partagée par Straka, Morier, Faure et Rossi. Le *e* de *Horloge* fait bien partie de la première mesure dans :

> « Horloge ! dieu sinistre, effrayant, impassible... »

On a affaire à une *syncope* (grec *sunkopê* « brisure ») : une syllabe féminine (avec *e* non muet) termine une mesure et précède une pause, n'étant pas reliée à la mesure suivante.

On peut dire aussi que c'est une *coupe lyrique* [ˊ ə // -]. Ce terme ne serait pas alors réservé à la césure féminine des lyriques médiévaux.

1.6.5.7. Etude instrumentale du rythme.

Voici comment on peut, à la suite de Morier, calculer le *rythme* à partir d'un tracé oscillographique : le locuteur donne de légers tops sur le micro, ou mieux, à l'aide d'un marqueur électrique spécial, comme nous le faisons (technique du *tapping*). Ces ictus (en angl. *beats*) se situent le plus souvent sur la consonne initiale de la syllabe accentuée; ils sont le reflet du « rythme agi » (non « subi »). Il ne faut pas oublier de marquer les « ictus morts » (en angl. *silent beats*, terme d'ailleurs contesté) au début (sorte d'anacrouse) et en finale (sorte de coda) : on bat « un temps pour rien ». On mesure alors en centisecondes la durée qui sépare les ictus. Il convient ensuite de déterminer les variations du tempo par la formule : T° du deuxième groupe moins T° du premier groupe divisé par T° du premier groupe :

$$\frac{T_2 - T_1}{T_1}$$

Le résultat donné en pourcentage est soit positif (accélération), soit négatif (ralentissement).

Pour le quatrième vers de *L'Horloge*, voici les valeurs obtenues :

« Se planteront bientôt comme dans une cible. »

Durées (en cs) entre 2 ictus :	68	64	44	92	42	(*cible* est entouré de 2 ictus)
T° :	88	93	136	55	142	
Variations :	+ 5 %	+ 5 %	+ 46 %	— 59 %	+ 15 %	

Les accélérations et les ralentissements paraissent avoir, en poésie, une fonction métaphorique directe. Mais il faut une variation d'au moins 10 % pour que l'écart soit perçu par l'auditeur et soit significatif. Ici l'accélération de 46 % semble correspondre à la flèche qui est décochée : elle file vers sa cible et le fort ralentissement prépare l'accélération finale du choc, souligné par le [s] de l'accentuée.

Un jeu télévisé proposait de retrouver des vers ou des proverbes connus à partir de « patrons rythmiques » semblables, la plupart des phonèmes étant différents. Ainsi : « La voiture est à Jean, mais la remorque à Paul » (la parole est d'argent, mais le silence est d'or) ! On trouvait la réponse d'autant plus rapidement qu'il y avait plus de syllabes accentuées semblables, si on remplaçait *voiture* par *bagnole* par ex. L'étude du « patron rythmique » ne doit pas aller sans celui des timbres.

Etudier le rythme, pour un phonéticien, c'est faire des mesures comme celles que nous avons présentées, mais c'est aussi considérer la fonction démarcative des proéminences auditives, dans sa relation avec l'expressivité et avec les différentes situations linguistiques. Le monologue et le dialogue ont des flux différents. Les rythmes intentionnellement structurés à des fins esthétiques diffèrent des rythmes communs, égaux et rassurants : ils surprennent.

1.6.5.8. Conclusion.

La phonostylistique, dont les liens avec la phonétique sont évidents, peut rendre de grands services à la stylistique littéraire, en particulier si elle analyse les effets des matériaux sonores *potentiels*, comme le fait l' « école de Toronto »[1]. Il ne s'agit plus de tirer des conclusions à partir d'enregistrements sonores d'un texte lu : toute interprétation, même celle de l'auteur, n'est qu'une variante du texte. Ce qui importe c'est de dégager, dans une œuvre, les traits pertinents d'un système phonostylistique afin de mieux appréhender le mécanisme des effets. Tous ne se réalisent pas de la même manière chez tous les lecteurs.

1.7. CARACTÈRES FONDAMENTAUX DU FRANÇAIS CONTEMPORAIN

Son phonétisme est dominé, comme l'a montré P. Delattre, par quatre tendances principales : l'antériorité, le mode croissant, la tension, l'égalité rythmique. Wioland a tenté d'appuyer cette étude par des considérations statistiques.

1.7.1. *L'antériorité*

Le lieu d'articulation se porte de préférence vers l'avant de la cavité buccale. « Il faut, disent les hommes de théâtre, parler dans le masque ». Il y a à peu près trois fois plus de phonèmes d'avant que de phonèmes d'arrière. Auditivement, l'effet de la résonance est comme projeté vers l'extérieur parce que la langue est rarement creusée.

L'antériorité des voyelles dépend surtout du fait que la langue est le plus souvent en position « pointe en bas », la partie dorsale restant convexe. Toute consonne suivie d'une voyelle labiale est automatiquement labialisée, ce qui allonge le canal vocal : comparez la position des lèvres pour le [R] de *rue* et celui de *riz*. Beaucoup de patois du Nord-Est semblent « venir du fond de la gorge », mais on ne peut pas dire cela du français normal, qui paraît « pointu » à des Canadiens français.

1.7.2. *Le mode croissant*

Voici ce qu'implique cette tendance : les voyelles et les consonnes se réalisent généralement avec une énergie physiologique qui commence *doucement* et s'accroît progressivement (sauf à l'initiale dans l'émotivité) : c'est le phénomène de *l'attaque douce*. La partie dominante de la syllabe, du point de vue acoustique, se fait dans un mouvement ouvrant pro-

---

1. Cf. récemment Renée Baligand, *Les Poèmes de Raymond Queneau, Etude phonostylistique* (1972). Cf. aussi l'important numéro de *Langue française* sur « La Stylistique », 1969, n° 3.

gressif. De là résulte une forte détente des consonnes finales. De là aussi l'absence d'assourdissement des sonores finales : *base* est différent de *basse* (cf. prononciation alsacienne). Le mouvement fermant appartient plutôt à la transition syllabique entre voyelle et consonne; la consonne se rattache à la voyelle qui suit plutôt qu'à celle qui précède. C'est ce qui fait que les assimilations des consonnes sont plus souvent anticipantes que progressives. Les voyelles prennent psychologiquement une place dominante dans les syllabes, et en les prononçant le Français n'anticipe guère la consonne, comme c'est le cas en anglais et en allemand : nous avons de la difficulté à dire *infarctus* et ce n'est pas seulement par fausse étymologie *(fracture)* que *r* s'anticipe. Nous avons signalé ce fait à plusieurs reprises : en passant d'une syllabe à une autre, le Français tend à ouvrir les syllabes chaque fois que c'est possible (syllabation libre : *fa-illite*, *bu-dget*), ce qui entraîne la non-nasalisation des voyelles orales suivies de consonnes nasales.

1.7.3. *Tension*

Nous avons souvent rencontré ce terme, qui s'oppose à « relâchement » et qui est traditionnel — bien qu'il soit difficile de mesurer l'activité de tous les muscles qui entrent en jeu pour tel ou tel son, tout autant que de déterminer à quels corrélats acoustiques il correspond. On veut seulement dire par là qu'il y a une grande dépense d'énergie pour tendre les muscles articulatoires, économie de mouvements, précision, relative stabilité des voyelles, absence de diphtongaison des accentuées. Pour les consonnes, cela signifie pas ou peu d'affrication : *tu* [ty] et non [tˢy] comme en français « pied noir » ou en canadien-français. Généralement, le contact lingual est ferme, les consonnes finales ont une forte détente : si *viet* est prononcé par un Vietnamien, le Français entend [vje], car il tend à dire [vjɛt(ə)] ou [vjɛt(h)].

La « tension » correspond aussi à un relatif synchronisme du fonctionnement des cordes vocales avec des mouvements articulatoires des consonnes. Selon Bothorel et Petursson (*Travaux I. P. Strasbourg*, 1973, pp. 100-128), notre netteté articulatoire résulte d'un type de coarticulation lié à la syllabation ouverte, non d'une « tension ». Entre occlusives et voyelles, il n'y a de souffle [tʰa] que dans l'insistance. Les consonnes contiguës sont en union étroite.

Plus le français est soigné, plus il semble y avoir prédominance de l'action des muscles élévateurs, d'où rétrécissement, fermeture. La mélodie d'une voyelle accentuée ne comporte normalement pas de « glissade » mélodique à forte pente; elle est rarement modifiée pendant son émission, quelle que soit sa durée. Le jeu labial (projection, arrondissement) est particulièrement important.

Cela expliquerait pourquoi « le Français ne trahit aucunement son effort... (Il y a une) grande sobriété de la mimique phonatoire » (P. Fouché).

1.7.4. *Egalité rythmique*

Dans la lecture littéraire, ou dans une conversation soignée, la proéminence accentuelle est beaucoup moins marquée que dans les autres langues européennes. La phrase française apparaît à beaucoup d'étrangers comme une succession de syllabes presque égales, avec une certaine stabilité intonative à l'intérieur du groupe accentuel. Cependant, nous avons constaté en français spontané contemporain deux tendances complémentaires : écrasement des mots mineurs et démarcation des mots majeurs, ce qui aboutit à disloquer la chaîne parlée.

Ces quatre tendances se sont manifestées peu à peu tout le long de l'histoire de notre phonétisme; il en découle une série de conséquences très importantes, et c'est de celles-ci que nous partirons pour établir notre étude diachronique.

Tableau résumé

1. Antériorité	–	prédominance des voyelles d'avant
2. Mode croissant	1	progressivité
	2	assimilation progressive
	3	anticipation vocalique
	4	nasalité nette
	5	syllabation ouverte
	6	enchaînement
3. Tension	1	non-diphtongaison
	2	synchronisme
	3	labialité
	4	fermeture
	5	palatalisation
4. Egalité rythmique	1	importance du groupe accentuel
	2	tendance à l'isosyllabisme

DEUXIÈME PARTIE

LA FORMATION ET L'ÉVOLUTION DU PHONÉTISME FRANÇAIS

2.1. L'ÉVOLUTION PHONÉTIQUE

Essayons de montrer comment se sont peu à peu formés le système et les caractères fondamentaux du phonétisme français. Pour une étude évolutive, on peut s'y prendre au moins de quatre façons différentes :

— chronologiquement, en regroupant par périodes (Dauzat),
— prospectivement, à partir des sons du latin (Bourciez),
— rétroactivement, à partir des sons du français (Brunot et Bruneau),
— de façon explicative, par grands changements (Pope, Straka, Fouché, Borodina).

C'est cette dernière méthode que nous avons préférée, parce qu'elle permet de grouper les faits connexes et de les expliquer en fonction de l'étude synchronique et physiologique.

Nous n'esquissons qu'à peine la phonétique dialectale, qui a fait l'objet d'une étude détaillée dans cette même collection : l'*Introduction à la dialectologie française*, par J. Chaurand. On sait aujourd'hui que le « francien », ce dialecte qui aurait éclipsé les autres, est un mythe; les autres « grands dialectes » aussi, en grande partie : à y regarder de près, leur unité n'est qu'apparente. Il faut pourtant faire appel à des tendances régionales pour expliquer bien des évolutions : l'aboutissement [œ] *(peuple)* est à peu près général pour *o* ouvert accentué, mais limité au « français littéraire » et au picard pour *o* fermé accentué. Les deux produits de la diphtongue [ei] (suffixes *-ais* dans *français* et *-ois* dans *suédois*), même si on trouve aventurées les idées de H. Schogt, doivent se placer dans la perspective d'une distinction dialectale. Mais nous nous bornons ici à exposer les tendances qui sous-tendent l'évolution de base du français « littéraire ».

Nous insistons sur l'ancien français et sur le moyen français, plutôt que de sauter directement du latin au français moderne. A vrai dire, il y a pour l'instant peu d'études d'ensemble qui joignent une bonne connaissance des faits articulatoires à une analyse phonologique sûre. L'étude détaillée du dynamisme des systèmes de fonctionnement, l'emploi des statistiques et des ordinateurs, les recherches de formalisation, les descriptions génératives — toutes recherches qu'on ne peut mener à bien sans de solides appuis philologiques — changeront sans doute bien des perspectives.

2.1.1. *Causes des évolutions phonétiques*

D'abord, existe-t-il des « lois » qui régissent ces évolutions ? Oui, ont répondu les « néo-grammairiens », Leskien (dès 1876), P. Hermann, Grimm et Verner (« lois de mutation des consonnes germaniques »). Ils n'ont eu que le tort d'affirmer que ces « lois » ne souffrent aucune exception. Mais ne perdons pas de vue qu'en règle générale, « toutes les réalisations d'un phonème donné changent dans le même sens et à la même allure »[1]. Si [ɛ] accentué libre devient [iɛ] dans *pĕ́tra*, il en est de même pour les [ɛ] de *mĕ́l*, *fĕ́l*, *fĕ́ru*, etc. De nos jours, on préfère parler de *tendances*.

Les changements sont parfois assez rapides pour qu'on puisse les observer en une génération. L'abbé Rousselot (1892) a noté les modifications phonétiques dans une famille charentaise : le patois de l'enfant différait de celui des parents sans qu'aient joué des influences étrangères. En cinquante ans, à Paris du moins, *lindi* a supplanté *lundi*.

Mais la phonétique évolutive est si compliquée que les manuels se contentent souvent de décrire. Ainsi, ils opposent traditionnellement des changements « conditionnés » à des changements « spontanés ». Il semble préférable de distinguer avec A. Martinet[2] :

1° *La pression de l'entourage phonétique dans la chaîne parlée* (influence d'autres phonèmes du même mot ou de mots voisins). Dans lat. gámba > fr. jambe, la nasale a influencé *a* accentué entravé. Il arrive qu'un phonème « commande » à un autre : c'est celui qui a le plus de force, de stabilité ou de résistance. Cette « loi du plus fort » fut formulée par M. Grammont dès 1895.

2° *Le conditionnement des changements* qui affectent toutes les variantes combinatoires (dues à l'entourage phonétique) d'un phonème donné (lat. dúra > [dyra]). Un phonème n'étant attesté que par ses réalisations, l'une d'elles, à un certain moment, l'emporte sur les autres. C'est une sorte de pression, mais *dans le système* cette fois.

3° *Les facteurs qui permettent* à ces pressions de se donner libre cours. Ex. : possibilité d'élimination du [t] intervocalique dans lat. mūtā́re > fr. muer.

1. A. Martinet, *Economie des changements phonétiques*, p. 27.
2. *Les problèmes de la phonétique évolutive*, 5e C.I.S.P. (1964), pp. 82-102.

4° *Les facteurs qui empêchent* ces pressions de s'exercer.

Les explications par la race ne sont pas convaincantes. Mais l'influence des substrats, du bilinguisme et des dialectes (ex. : *beurre* au lieu de *burre* est dialectal) ne sont nullement à écarter[1]. L'imitation de certains traits d'un parler prestigieux (motivation sociale) est un facteur non négligeable. Il convient de distinguer les changements qui interviennent dans la *compétence* du locuteur, et la généralisation de ces mutations, qui concerne la *socio-linguistique*.

2.1.2. *Pressions et influences diverses dans la chaîne parlée et dans le système*

2.1.2.1. L'essentiel, pour qu'un système phonologique fonctionne bien, c'est de maintenir les phonèmes le plus possible distincts les uns des autres. Est-il nécessaire de chercher, pour le passage du latin populaire → roman → ancien français, un « moteur initial » ? Non. Il est douteux que l'accent soit « une cause première, un phénomène inexplicable, éclatant comme l'orage dans un ciel d'été » (Martinet). C'est *l'évolution même* de la langue et des *besoins de la communication linguistique* qui a entraîné une réorganisation du système accentuel, ou tout au moins les changements prosodiques dont nous constatons les effets. Selon Martinet, si on a rendu plus proéminent le segment initial de *asinu* au point de rendre à peu près inaudible le *i* (*asne*, deux syllabes), c'est que cela convenait pour le succès de la communication.

Il y a *conflit permanent* entre :

1° la tendance de chaque locuteur à *restreindre sa dépense d'énergie* (moindre effort, inertie),

2° *les besoins de clarté et d'expressivité* de l'ensemble des locuteurs : pour cela il faut que soient maintenus tel ou tel contraste de la chaîne parlée, telle ou telle distinction.

Ce qui est économique pour celui qui réalise un changement représente souvent une entrave à la compréhension, et risque d'être une complication pour les générations à venir. Il y aura *toujours* des économies à réaliser en transférant des traits distinctifs sur des phonèmes de l'entourage, ou en éliminant du système les oppositions de faible rendement.

Lorsqu'une négligence dans la réalisation correcte de l'opposition entraînerait l'incompréhension (elle a des cheveux blonds ? ou blancs ?), il faut maintenir /ɔ̃/ ~ /ɑ̃/. Quand il s'agit de la fréquence générale de deux phonèmes dans les mêmes contextes, c'est différent : [ɛ̃] avec 1,2 % est plus fréquent que [œ̃] avec 0,5 %, mais très rares sont les cas comme brin/brun où [œ̃] s'oppose à [ɛ̃]. Les changements peuvent

1. Cf. J. Chaurand, *Introduction à la dialectologie française*, Bordas, 1972.

s'expliquer par des modifications de systèmes (manque de symétrie, cases vides, etc.), mais n'oublions pas que les fréquences d'apparition des phonèmes peuvent être très différentes les unes des autres. Des facteurs statistiques (quantitatifs) sont susceptibles de déclencher des modifications qualitatives. Parce que ce serait une complication inutile, les locuteurs éliminent les traits distinctifs qui ne correspondent qu'à une faible quantité d'information à véhiculer.

Nous allons énoncer les règles combinatoires du français moderne qui, ayant souvent commencé par de telles modifications combinatoires, ont été *fixées* pour les raisons évoquées ci-dessus, surtout sociales.

Le plus souvent, plusieurs prononciations *coexistent* pendant quelque temps, jusqu'à ce que la nouvelle prononciation soit seule employée. Ex. [r] roulé et [R] grasseyé.

La pression des contextes phonétiques et les modifications des variantes peuvent avoir eu lieu en contact ou à distance.

2.1.2.2. En contact.

1° *L'assimilation* (cf. 1.4.7.) a affecté principalement en français :

— *la glotte* qui peut vibrer trop tôt, trop tard, ou cesser complètement : c'est la sonorisation (= voisement) ou l'assourdissement (= dévoisement, désonorisation) : lat. fáta > prov. fáda;

— le jeu du *voile du palais* qui peut s'abaisser trop tôt (cas le plus fréquent), trop tard, ou ne plus s'abaisser : c'est la nasalisation : lat. an(nu) > an, et la dénasalisation : lat. fem(i)na > [fãm] > [fam];

— l'avancée et l'arrondissement des *lèvres* : c'est la labialisation et la délabialisation : *e* suivi de *u* issu de la vocalisation de *l* (ill(o)s > els) aboutit à [ø] *eux* ;

— l'avancée ou le recul du *lieu d'articulation* : anc. fr. paveillon > pavillon, car *e* est devenu *i* sous l'influence du [λ] palatal. C'est la palatalisation ou la vélarisation. Certains réservent le terme de palatalisation aux consonnes qui prennent le lieu du yod ;

— *l'aperture :* lat. mercátu > marché : [a] est plus ouvert que [ɛ].

2° *La différenciation* peut être considérée historiquement comme un moyen de défense contre l'assimilation (cf. 1.4.8.). L'assimilation tend à niveler les différences entre les sons, et si elle agissait à plein, la compréhension serait entravée puisque celle-ci repose surtout sur des oppositions de timbres. La différenciation a affecté des consonnes (germ. *wardan > g(u)arder) et des voyelles. Dans l'exemple suivant, les lieux d'articulation tendent à s'éloigner les uns des autres : lat. mē > *[mei] > [moi] prononcé comme l'angl. *boy* au XIIe s., Est et Centre > fr. *moi*. Ce processus a eu beaucoup d'importance dans l'évolution des diphtongues de l'ancien français. La différenciation est dite *préventive* quand au lieu de changer le cours de l'évolution, elle empêche celle-ci de jouer. On évite de conserver la même position articulatoire au cours de l'énoncé de deux sons consécutifs.

3° *L'interversion :* c'est le changement de place de deux sons contigus, comme aujourd'hui astérisque et Astérix!

lat. *formáticu* (dér. de *forma*) > anc. fr. formage > fromage.

2.1.2.3. A distance.

1° *Dilation :* c'est le transfert de traits distinctifs d'un phonème sur d'autres phonèmes non contigus, par anticipation ou par inertie. La métaphonie (inflexion)[1] est une dilation vocalique. En synchronie cela s'appelle *harmonie* ou *harmonisation vocalique* : ébène → ébéniste (cf. 1.4.11.).

En français, la dilation ne concerne que l'influence d'un ī final et ne peut être que régressive. Elle a eu lieu avant le VIIIe s. :

lat. passé simple 1re pers. *vḗni* > vin « je vins ».

2° *Dissimilation :* c'est l'inverse de l'assimilation. Deux sons identiques ou présentant des traits communs tendent à devenir différents : l'un d'eux modifie, déplace ou supprime l'articulation de l'autre. Elle a affecté des consonnes :

lat. *álb(ŭ)la* > fr. able d'où ablette (l-l → zéro-l).

ou des voyelles :

lat. *divísa* > fr. devise (i-i > e-i).

La dissimilation de consonnes non identiques paraît aujourd'hui discutable. K. Togeby[2] observe qu'on a souvent abusé de cette explication : M. Grammont n'a-t-il pas établi vingt « lois » fondées sur la dissimilation ? L'évolution de beaucoup de mots français devrait, à cet égard, être reconsidérée : l'étymologie populaire, les croisements ou les changements de suffixe peuvent expliquer *colidor*, *cribler*, etc.[3].

3° *Métathèse :* c'est le déplacement d'un son (parfois d'une syllabe) à distance : lat. scintilla > *stincilla (échange t/k), d'où fr. *scintiller* (savant), mais *étincelle* (populaire). Pour certains, métathèse est synonyme d'interversion. C'est l'un des procédés du contrepet (Tino Rossi devenant Tony Sirop; « mon oncle perd courage devant les amas de patentes », etc.).

2.1.2.4. Ces changements sont soit *progressifs* (→) soit *régressifs* (←) ou mieux, anticipants. Ce dernier cas est le plus fréquent en français.

---

1. Ce phénomène (dit aussi *umlaut*) est beaucoup plus fréquent dans les langues germaniques : le vieil anglo-saxon *fōt* « pied » avait pour pluriel *fōti*, d'où l'alternance anglaise *foot/feet*.

2. Qu'est-ce que la dissimilation? dans *Romance Philology*, 1964 (17-3), pp. 642-667.

3. Pour R. Posner (1961) la notion de dissimilation ne peut être explicative que dans une perspective *phonologique*, la consonne la plus « forte » n'étant pas nécessairement forte dans le mot en cause, mais pouvant être l'allophone d'un phonème « fort ». La partie initiale de la syllabe, plus riche en information, est plus « forte »; cependant, en français, la chute des voyelles finales a rendu plus riche en information la partie terminale de la syllabe précédente.

Une consonne nasale nasalise plus souvent la voyelle qui précède que celle qui suit. Il peut y avoir simultanément assimilation progressive et régressive : [səgɔ̃] second.

2.1.2.5. Toutes ces actions peuvent se *combiner*. C'est ce qui rend difficile à prononcer rapidement les virelangues (« Vous prendrez trente pruneaux cuits ou crus ») ou certains termes savants et rocailleux comme *réciprocité*.

2.1.2.6. Un changement peut être *total* :

> anc. fr. *c*er*ch*ier, fr. mod. *ch*er*ch*er (cf. angl. *search*),

on *partiel* :

> lat. *fŭi* > anc. fr. fu, « je fus ».

2.1.2.7. On appelle *épenthèse* (grec ep-en-thesis « intercalation ») le développement d'un son de transition (cf. 2.2.5.).

> lat. *ess(e)re* > anc. fr. estre > être,
> lat. *co(n)s(ue)re* > anc. fr. cosdre > coudre.

Comparer avec la prononciation populaire *théiâtre* pour « théâtre » (intercalation d'un yod) ou *castrole* pour « casserole ».

2.1.2.8. Signalons l'*haplologie* (grec *haplos* « simple »; on dit aussi *hapaxépie*, grec *hapax* « une fois » et *épie* « prononciation »). Au lieu de prononcer deux fois consécutivement une syllabe ou un groupe de sons, on ne les dit qu'une seule fois. Ex. : le mot *morpho-phonologie* est devenu *morphonologie* chez beaucoup de linguistes.

2.1.2.9. Signalons encore la *prosthèse* (grec « posé en avant »; on dit aussi *prothèse*) : une voyelle s'est ajoutée (sauf en lorrain et en wallon), devant un groupe de consonnes initiales : lat. class. *scutum*, lat. pop. *iscutum*, fr. *escu*. On dit que le ĭ de *iscutum* est pro(s)thétique. On trouve *eschola*, *iscola* « école » dans des inscriptions du IIe siècle. De là des doublets comme *strictu* > étroit et strict, ou *scribere* > escrire, alors que *scriba* → scribe. L'initiale des mots *épaule*, *étable*, *étang* ou *état* est d'origine prosthétique *(spatula*, *stabile*, *stagnum*, *status)*. Des mots germaniques *(éperon*, *écrou*, *épier)* et même orientaux ont subi le même traitement. La prosthèse ne s'est pas produite dans des termes médicaux comme *spasme*, mais on la trouve parfois dans des emprunts tardifs : ital. *stampa* → estampe[1].

---

1. Fouché fait état de la *paragoge* (adjonction d'une voyelle) : insĭmul > *insimule « ensemble »; presbĭter > *presbitere « prestre » (cf. *Phonétique historique*, pp. 654-655). Ces *l* et ces *r* étant exposés à l'amuïssement, la langue a paré à ce danger en les faisant suivre d'un *e*.

2.1.2.10. Quand un ou plusieurs sons cessent d'être prononcés à l'initiale d'un mot, on dit qu'il y a *aphérèse* (grec *aph-airesis* « suppression ») : c'est ainsi qu'*(h)emicrania* est devenu *migraine* par perte du *e*, et oignon > gnon (« coup »). Quand de telles disparitions se produisent à l'intérieur d'un mot, on les nomme *syncopes* (grec *syn-copê* « chute ») : lat. *solida* > *solda. En finale, ce sont des *apocopes* (grec *apo-copê* « coupure »). Les mots très longs tendent à s'apocoper (grec *apokoptô* « je coupe ») en mots de deux syllabes; c'est là un rythme que le français moderne semble apprécier : métro, télé...

2.1.2.11. Nous relevons enfin des *agglutinations*, par ex. de l'article et du substantif : l'ierre → lierre, du lat. *(h)ĕ́d(ĕ)ra*, et des *déglutinations* *(l'ospital → lo spital)*.

2.1.2.12. Mais il ne faut pas perdre de vue qu'un phonème n'évolue généralement pas indépendamment des autres phonèmes. Il s'agit moins de suivre le passage du *á* du lat. *mare* jusqu'au [ɛ] que d'étudier l'évolution de tout le système, et les facteurs favorables ou défavorables à cette évolution. Un changement ne s'opère pas dans le vide : tout se tient dans une langue. Celle-ci évolue tantôt très vite (comme du ve au VIIIe siècle), tantôt plus lentement. En cette fin du XXe siècle, l'évolution du français est plus rapide qu'à la « Belle Epoque ». Il vaut mieux ne plus dire que le moyen français (1345-1610) est une période transitoire : comme l'ancien français, il possède un système phonologique qu'on peut dégager et qui, comme tous les systèmes des langues vivantes, est partiellement instable.

Les travaux de phonologie diachronique française ne sont pas encore assez avancés pour que nous puissions tirer tout le parti souhaitable de cette méthode d'analyse qui, sans prétendre à remplacer les autres (il faut aussi considérer les éléments extérieurs à la langue), peut rendre beaucoup de services. Comme l'écrit J. Batany[1], « Dès que les structuralistes ont quitté les langues vivantes pour celles du passé, ils ont eu la tentation d'utiliser leur conception synchronique des « systèmes » pour expliquer les changements mêmes de la langue. A première vue, c'était un cercle vicieux : si la structure explique que le système tienne, elle ne peut pas expliquer aussi qu'il s'effondre; il faut donc faire intervenir des facteurs externes, comme l'a souligné K. Togeby (1960) dans un compte rendu qui est une sorte de conclusion sceptique à tous les essais tentés depuis 1949 pour constituer une phonologie diachronique des langues romanes (Haudricourt et Juilland, A. Martinet, G. De Poerck, H. Lüdtke, H. Lausberg, V. Horejsi, H. Weinrich). A vrai dire, Weinrich avait

1. Ancien français, méthodes nouvelles, dans *Langue française*, n° 10, mai 1971, p. 35.

prévu l'objection, et posait, au départ des changements affectant le système de la *langue*, les variantes individuelles de la *parole*, transformant les oppositions ou entrant en collision avec des phonèmes voisins »... Pour Martinet, le changement est perpétuel, mais les phonèmes se tiennent en respect tant que l'équilibre ne se trouve pas affecté.

2.1.3. *Facteurs qui permettent ou empêchent les pressions*

2.1.3.1. Souvent l'action d'un *groupe social* a favorisé certaines évolutions du système. Les « non-ouistes » ont imposé le type *chose* plutôt que le type *chouse*. Au XVIIe siècle, les grammairiens ont enrayé le passage d̮ > g̮; c'est en partie pourquoi nous disons *étudier* et non *étuguier*, comme les gens du peuple dans les comédies de Molière. Mais cette action d'un groupe s'appuyait sur un ralentissement du processus de palatalisation. C'est pour réagir contre une prononciation urbaine (*coffe* pour *coffre*, *lette* pour *lettre*) qu'on a dit *arbalètre* (d'où *arbalétrier* qui a été conservé) au lieu de *arbalète*, la forme normale issue de *ar(cu)bal(l)ista*. C'est un hypercorrectisme par fausse régression. On admet généralement que les « doctes » du XVIIe siècle ont imposé [ə] > [e] dans *b'ni*, *d'fendre*. Mais si l'influence des grammairiens l'a emporté, c'est surtout parce qu'elle s'appuyait sur le risque d'incompréhension. Des paysans entendus récemment par l'auteur à Aubers-en-Weppes (S. O. de Lille) disent encore la locution figée *d'l'eau m'nite* (= bénite). Le prénom Philippe est une restitution étymologique : on disait à l'époque classique *Flipe* (d'où *Flipote*) et *Félipe*. *D'sir* et non *désir* était encore de tradition à la Comédie-Française au début du siècle, bien que le Dictionnaire de l'Académie de 1762 ait mis un accent aigu. On entend encore aujourd'hui *retable* et *rétable*, *registre* et *régistre*.

2.1.3.2. L'influence de la *graphie* n'est pas négligeable, comme l'a montré Vl. Buben (1935). Les Français disent [dɔ̃ptœr], du latin *dom(i)-tare* (sans *p*), au lieu de [dɔ̃tœr], mais [kɔ̃tœr], bien que le latin ait *computare* et malgré le risque de confusion avec *conteur*. C'est le mouvement de latinisation qui a fait que les gens de plume et les imprimeurs ont noté *obscur (obscurus)* et *subtil (subtilis)*, ce qu'on prononçait normalement [ɔskyr] et [syti]. Ces adjectifs furent ensuite prononcés comme ils s'écrivaient.

2.1.3.3. On connaît depuis longtemps le rôle de *l'analogie* : César a écrit un traité sur ce sujet ! L'analogie peut être *sémantique* : le produit du lat. vulg. et du celtique **cássănu* aurait dû être *chasne*, et c'est d'ailleurs la forme de l'anc. fr. Mais à cause de l'analogie de *fraisne*, *fresne* < fraxinu, nous avons *chesne*, *chêne*.

Beaucoup plus nombreux sont les cas d'analogie *morphologique* :

— les formes accentuées ont influencé les formes non accentuées ou inversement : il y a eu alignement ou remplacement d'une terminaison par une autre. Le subjonctif *dicam* devient *die*, forme régulière de l'anc. fr. Si nous avons *dise*, c'est par analogie avec *disais*, *disant*;

— les formes d'une conjugaison ont influencé celles d'une autre conjugaison : si on a *devez*, c'est par analogie avec *chantez*, alors que le *ē* de *debḗtis* se diphtongue normalement dans la forme de l'Est : *devoiz*.

Les alignements paradigmatiques ont joué un rôle très important dans les conjugaisons du français; ainsi *amer* (lat. *amare*) a été remplacé par *aimer* sous l'influence de *aime*, *amat*. Les oppositions sémantiques furent moins déterminantes; cf. lat. class. *grávem* (lourd) > *grévem* en lat. vulg. à cause de *lĕvem* (léger).

2.1.3.4. *Ecrasement* des mots très courants, comme les appellatifs. Si on dit *ma(de)m(oi)selle* [mamzɛl], *m(on)sieur* [msjø] et [psjø], c'est que l'information véhiculée par ces mots est relativement faible, du fait de leur emploi fréquent.

2.1.4. *Problèmes d'emprunt*

Il n'y a qu'une minorité de mots français qui soient venus, par une lente évolution, du latin parlé au français. On n'a jamais cessé d'emprunter, non seulement au latin écrit et ecclésiastique, mais aussi à beaucoup d'autres langues :

Exemple d'évolution : lat. sacraméntum > anc. fr. sairement > serment. Exemple d'emprunt : lat. ecclésiastique sacraméntum > sacrement. De même *separáre* a abouti régulièrement à *sevrer* (mot dit « populaire »), mais aussi, par un calque tardif, à *séparer* (mot dit « savant »). Le couple résultant est un *doublet*. Autre exemple : lat. frágile > fraile, frêle; plus tard on a emprunté directement fr. *fragile*.

Les mots dits « savants » (pour le sens et pour la forme) ont été évidemment exempts des changements phonétiques effectués avant leur venue dans la langue française. Il n'y a pas eu diphtongaison de *ŏ* dans *école* : comparez avec l'ital. *scuola*. L'[*á*] n'est pas passé à [*e*] dans les mots *avare*, *rare*, contrairement à ce qui s'est passé pour *cher* (cáru), *mère* (mátre). Les occlusives intervocaliques de *idée*, *odeur*, *noter*, *fatal* n'ont pu s'amuïr comme celle de fáta > fée, puisqu'il s'agit d'un emprunt.

Il existe aussi des mots « demi-savants » qui ont subi un des traitements « populaires » attendus, mais pas tous. C'est le cas de *peuple* < póp(ŭ)lu dont le *ŏ́* accentué s'est bien diphtongué, mais dont le groupe [pl] n'est pas passé à [bl] comme dans double < dúplu (*poble* existe en anc. fr.).

Les emprunts faits au provençal, à l'italien, à l'espagnol, à des dialectes, etc., comportent évidemment d'autres traitements phonétiques : *a* accentué libre s'est maintenu dans *salade* ou *muscat*, alors qu'il serait passé à [*e*] s'il était issu directement du latin. Le [ʃ] de *biche* trahit une origine picarde ou normande.

2.1.5. *Facteurs prosodiques*

2.1.5.1. Pour étudier l'évolution phonétique d'un mot, il faut connaître :

— son étymon,
— la syllabe accentuée : en principe, chaque mot latin, même monosyllabique, porte un accent,
— la quantité de la voyelle accentuée.

En latin, la place de l'accent est fixe : sur l'avant-dernière syllabe si la voyelle de celle-ci est longue par nature : *fărī́na* « farine ». Si la voyelle pénultième (lat. *paene* « presque ») est brève, l'accent est alors antépénultième (lat. *ante* « devant ») : *ánĭma* « âme ». Evidemment, si le mot est dissyllabique, l'accent est pénultième : *lŏ́quax* « bavard ». Si la voyelle pénultième est brève, mais *entravée*, elle est accentuée, la syllabe étant longue (une voyelle latine est longue par nature ou par position) : *incŭ́rvo* « je courbe ».

En résumé :

⏓ _́ [⏓   ⏓ ⏑́] ⏓   ⏓́ ⏓   ⏓́ ⏑ ⏓

Les monosyllabes sont accentuées en général, mais, dans certains mots très utilisés, le développement se présente de façon inattendue : ainsi rien < rem a gardé son *-m* final; *mal* n'est pas devenu **mel*, etc.

2.1.5.2. Seuls les clitiques (grec « incliner » cf. 1.5.3.3.) sont inaccentués : ce sont des mots « outils » courts, qui *précèdent* le mot accentué dont ils dépendent (*pro*clitiques) ou qui le *suivent* (*en*clitiques). Leur développement phonétique a été différent de celui des mots accentués : *ma*, *ta*, *sa*, *car* gardent leur *a*, *et* (conjonction) ne se diphtongue pas, etc. Ils font corps avec le mot sur lequel ils s'appuient, et il faut étudier comme un ensemble indissociable le groupe accentuel :

proclitique :

in illo cámpo > e(n)l cámpo > el cham(p), ou cham(p) (= dans le champ)

enclitique :

víde illum > vois-le.

En latin, mis à part les clitiques, chaque mot porte un accent : *vénit ad pátrem* « il est venu chez son père » (*ad* est un proclitique par rapport à *patrem*).

2.1.5.3.
— Est oxyton un mot portant l'accent sur la dernière syllabe (grec *oxy* « aigu ») : *móns* « montagne ».
— Est paroxyton un mot portant l'accent sur la syllabe pénultième (grec *para* « à côté de ») : *gubernáre* « gouverner ».
— Est proparoxyton un mot portant l'accent sur la syllabe antépénultième (grec *pro* « devant ») : *cámera* « chambre ».
Si le lat. *lepore* avait été paroxyton, accentué sur le *o*, on aurait sans doute eu en français **levuer* ou **leveur*; mais il était proparoxyton, c'est pourquoi on a eu *lièvre* (avec diphtongaison).

2.1.5.4. Dans le passage du latin au roman, l'accent n'a pas changé de place :

lat. *veníre* > fr. mod. venir.

Mais la voyelle accentuée qui persiste toujours s'est souvent altérée, même si la graphie actuelle ne reflète pas l'évolution :

lat. *múru* > fr. mod mur ['muru] > ['myr].

2.1.5.5. Dans leur passage au roman, les mots issus des diverses langues germaniques ont également conservé leur accentuation.

2.1.5.6. Accent secondaire.
Dans les mots longs, par suite d'une cadence naturelle et d'un rythme instinctif, on trouve souvent une alternance des syllabes accentuées et des syllabes non accentuées; des syllabes se trouvent affectées d'une proéminence dite « accent secondaire ». Dans *bónitáte* « bonté », la syllabe initiale est plus préominente que la deuxième. Selon Miss Pope, c'était l'initiale qui portait l'accent secondaire dans les mots de cinq syllabes. C'est celle-là qu'elle appelle *contre-tonique*. L'initiale, dit Straka, est une position particulièrement forte. La *contre-finale* est alors la syllabe qui se trouve entre la contre-tonique et l'accentuée. Il semble impossible d'admettre qu'en lat. vulg. il y ait eu un accent secondaire « contre-tonique remontant de deux syllabes à partir de l'accentuée » (Dauzat). On ne pourrait expliquer le cas de mots ayant deux prétoniques internes dont la première s'amuït : dans auct*o*ricáre > octroier, le *o* ne portait certainement pas d'accent secondaire puisqu'il a disparu.

2.1.5.7. Résumé terminologique :
ma(n)-sio-ná-ti-cu (qui aboutit à « ménage »)
1 2 3 4 5
1. initiale (contre-tonique)
2. contre-finale (pré-tonique)
3. antépénultième accentuée (tonique)

4. pénultième (post-tonique)
5. finale.

2.1.5.8. Déplacement d'accent.

Il y a déplacement d'accent en latin vulgaire par rapport au latin classique dans les proparoxytons où la voyelle pénultième est suivie de groupes combinés avec *r* :

cáthĕdra → catédra > anc. fr. chaière « chaise » (picard *cayère*), fr. chaire.
cólŭbra → colóbra « couleuvre ».

Pour Bourciez, cela viendrait d'un changement de coupe syllabique (ca-the-dra → cathed-ra). Mais la diphtongaison des voyelles accentuées ne peut s'expliquer si de tels groupes sont disjoints. Pour Dauzat, s'appuyant sur un témoignage de Quintilien, cela viendrait du fait que la voyelle + consonne + *r* pouvait être indifféremment brève ou longue en lat. class. : la langue parlée, tendant à éliminer les proparoxytons, la faisait longue, ce qui attira l'accent.

2.1.5.9. En latin vulgaire, les voyelles longues accentuées à l'anté-pénultième tendent à s'*abréger* :

lat. class. cṓperit → cŏ́perit *(il couvre)*,
lat. class. centḗsimum → centĕ́simu *(centième)*.

2.1.5.10. L'accent, fait de langue, s'actualise toujours par plusieurs facteurs de réalisation qui se relaient mutuellement, même lorsque s'observent des dominances et des tendances statistiques assez régulières. Parler d'un « accent d'intensité » c'est établir une relation terme à terme entre forme linguistique et substance phonique. Nous avons vu (1.5.3.2.) que cela ne correspond nullement à la réalité observable.

Or, on enseigne habituellement que l'accent du latin était « de hauteur » et que c'est sa transformation en « accent d'intensité »[1] qui déclencha les changements que nous observons dans la formation du roman. Et si c'était la *perception* auditive qui avait changé ? Car chacun entend en fonction de ses propres habitudes phonatoires. Nous ne savons guère ce qu'étaient les réalisations de l'accent germanique, et encore moins comment les gallo-romains le percevaient ! Un exemple moderne fera mieux comprendre notre scepticisme : nous avons l'impression que l'accent de l'allemand moderne est « d'intensité »; or, les études instrumentales montrent qu'il n'en est rien et que les facteurs de réalisation sont, par ordre décroissant, la hauteur, la durée et l'intensité acoustique. D'ailleurs, le mot « intensité » employé sans épithète est ambigu.

---

1. On invoque une influence des strats, mais sans préciser la manière dont ceux-ci ont pu agir. Il faudrait orienter les recherches vers le bilinguisme et les diverses situations de « langues en contact » observables de nos jours (cf. le processus décrit par A. Lanly, *Le français d'Afrique du Nord*, Bordas, 1970).

On pourrait peut-être dire qu'il se produisit au IIIe et au IVe siècle un accroissement de l'énergie physiologique globale, que les besoins de la communication et ceux de l'expressivité — dont l'importance grandit en situation de langues en contact — ont probablement joué un rôle déterminant dans ce processus. Mais on ne peut aller plus loin, pour le moment du moins. Une chose est sûre : il y eut alors une modification de la prosodie et de la proéminence accentuelle (la place de l'accent de mot ne changeant pratiquement pas), comme il se produisit des bouleversements du système accentuel en moyen français et comme il pourra s'en produire à la fin du XXe siècle, si l'accent dit « d'insistance » continue à gagner du terrain.

2.2. FORMATION DU CONSONANTISME

2.2.1. Les consonnes latines et germaniques se sont révélées généralement plus stables que les voyelles. Le système des consonnes du latin semble avoir été le suivant sous l'Empire :

occlusives	: p	t	k		constrictives	: f	s
	b	d	g			v	
sonantes	: m	n	l	r	laryngale	: (h)	
semi-consonnes :		w	j				

[h] ne se trouve que dans des emprunts. Quant au ζ (dzéta) grec, il semble avoir été [dj] dans les mots grecs empruntés par le latin (Fouché, p. 910 : *oridia* pour *oriza* « riz »).

Le latin oppose des simples et des géminées : carrum/carum (char/cher) et possède entre autres les variantes combinatoires [k̯, t̯] (palatalisées) et [k^w, g^w] (« labio-vélaires »).

2.2.2. Une consonne latine ou germanique peut se comporter de six façons différentes :

2.2.2.1. En position forte (initiale de mot ou de syllabe précédée d'une autre consonne), elle a tendance à *se maintenir* :

lat. *fálsa* > fausse.

2.2.2.2. En position faible (finale de syllabe, devant une autre consonne et surtout en position intervocalique), *elle s'affaiblit*, tend à disparaître en passant de la sourde à la sonore, puis de la sonore à la constrictive :

lat. *ripa* > riva > rive,
lat. *venit* > vien(t).

2.2.2.3. Dans certains cas, cet affaiblissement va jusqu'à la *disparition totale* (amuïssement) :

germ. spátha > [espaða] > [espẹ̥ðẹ̥] > espée (cf. espa*d*on, spa*d*assin).

2.2.2.4. Certaines consonnes se transforment en une voyelle ou en une semi-consonne :

[ɫ] > [u] (vocalisation)
[ḳ̯], [g̣̯] > [j] (« résolution » en yod).

2.2.2.5. Des consonnes sont *assimilées* par une consonne voisine :

lat. vulg. *sapia(m)* > sa(p)ʃẹ̥ > sache

le *p* a rendu le yod sourd, c'est une assimilation partielle progressive.

lat. vulg. *nŏtrīre* > nodrir > nourrir

le *r* a sonorisé le *t*, c'est une assimilation régressive.

2.2.2.6. Des consonnes enfin sont *dissimilées* par une autre consonne :

paraverédu > parevred(u) > palefroi

dissimilation partielle régressive du *r* qui passe à [l].

vivénda > viande

dissimilation totale progressive et amuïssement du *v*.

2.2.2.7. On dit qu'un son, un groupe et l'entrave résultante sont *primaires* quand ils existent dans la forme étymologique, *secondaires* quand ils apparaissent au cours de l'évolution. Dans *pas-ta* « pâte », l'entrave est primaire (latine), mais dans *man(ĭ)-ca* « manche », elle est secondaire (romane) (cf. 1.4.2.).

2.2.3. *Assourdissement et sonorisation*

2.2.3.1. Assourdissement des consonnes finales.

On considère traditionnellement que la consonne sourde est plus « forte » que la sonore correspondante et qu'elle nécessite davantage d'air phonatoire.

Il y a assourdissement parce que la sonorité finit trop tôt : il y a anticipation de la position de repos des cordes vocales. Les consonnes latines sonores, une fois devenues finales, se sont assourdies :

grand(e) > anc. fr. grant, d'où en liaison, fr. mod. [gRɑ̃tɔm]
largu > anc. fr. larc.

(La forme fr. mod. a été refaite d'après le féminin issu de *larga*.)

clav(e) > clef, clé.

Les noms de nombre *dix*, *six*, portent trace de cette tendance ancienne : en finale on dit [is], mais devant voyelle [iz].

2.2.3.2. La sonorisation, dit Straka, est un affaiblissement. Ce phénomène commence surtout en position intervocalique, mais aussi en position implosive (finale de syllabe) dès le latin vulgaire[1]. D'après Bourciez, le *s* s'est sonorisé à l'intervocalique au même moment que [p, t, k] (époque barbare), et d'après une tendance analogue :

> lat. class. ['rosa] > anc. fr. [roze] > [ro:z] rose,
> germ. ['wisa] > [gwize̥] > [gi:z] guise.

Alors que nous rapportons à deux signifiés différents *rose* et *rosse*, un gallo-romain prononçant ['roza] exprimait la même chose que ce que d'autres, plus conservateurs, prononçaient ['rosa].

Ce changement n'a pas été noté (on écrit encore *s*). Il a pourtant affecté de nombreux mots latins et germaniques.

Une sonorisation identique a eu lieu dans les groupes voyelle + *sj* : lat. [basi'arɛ] > baiser (mais pas dans les groupes voyelle + ssj).

Elle affecte aussi les occlusives et constrictives sourdes et des groupes de consonnes dont la deuxième est *l* ou *r* (déjà sonore) :

> pl > bl : duplu > double,
> pr > br : capra > chèvre.

br primaire s'affaiblit en *vr* qui ne s'amuït pas : labra > lèvre.

2.2.3.3. Amuïssement des consonnes intervocaliques.

C'est un phénomène d'affaiblissement qui, dans certains cas, succède à la sonorisation : les consonnes s'amuïssent, c.-à-d. deviennent non prononcées, muettes. Il vaut mieux éviter de dire qu'elles « tombent » : cette image de chute ne convient qu'au processus de disparition du *e* caduc qui est instable en synchronie. Il s'agit ici d'un lent processus diachronique :

> lat. catḗna > fr. chaîne, par amuïssement du *t*.

Dès le latin vulgaire, les intervocaliques sourdes [p, t, k] se sonorisent, les sonores [b, d, g] primaires ou secondaires continuant le relâchement s'ouvrent et deviennent constrictives, puis s'effacent.

1° t > d (IVe s.), d > ð (VIIIe s.), ð s'efface (XIe s.) :

> lat. class. vīta > lat. vulg. *vida > viðe écrit vithe > vie̥
> sudāre > suer.

2° Dans la séquence consonne + *t* à l'intérieur d'un mot, on observe deux traitements :

— maintien de la sourde *t* : comp(u)tare > conter
— sonorisation (voyelle amuïe plus tard) et maintien du d < t : sub(i)tanu > soudain

---

1. L'empereur Claude (mort en 54 apr. J.-C.) proposa d'écrire *f* au lieu de *v* pour distinguer *v* de *u* : c'est donc que *f* était déjà sonorisé. D'autre part, nous l'avons vu, il n'y a pas de phonème /ʃ/ en latin.

3° *k* et *g* (vélaires) s'amuïssent devant *o*, *u* :

paucu > anc. fr. pou, fr. mod. peu.

β > v : lat. class. rīpa, lat. vulg. *riba > [riβa] > rive.

4° Les occlusives labiales *p* et *b* deviennent constrictives devant *a*, *e*, *i* :

cubare > couver.

5° f > v puis s'amuit :

refusare > reüser > ruser.

6° Très tôt, *v* (primaire ou secondaire) s'amuït entre deux voyelles dont l'une est d'arrière *(o, u)* :

pavore > peeur (2 syllabes en anc. fr.) > peur.

2.2.3.4. Amuïssement des consonnes finales.

Ce phénomène atteint, à la pause, les consonnes finales primaires (pré-roman et anc. fr.) et secondaires (moy. fr. et fr. mod.). Dans cette position, qui est la plus faible de toutes, il y a anticipation de la position de repos. Les consonnes cessent d'être prononcées, elles ne sont plus articulées avec une énergie suffisante, l'occlusion est moins ferme et la constriction moins étroite, car « sous l'effet de l'affaiblissement articulatoire, les consonnes s'ouvrent » (Straka).

1° Nasales

[m] et [n] avaient généralement cessé d'être articulées dès le IIe siècle av. J.-C. : après voyelle, on n'entendait que la résonance nasale de ces sonantes, sans qu'il y ait mouvement labial ou lingual.

2° Occlusives

Des textes archaïques ont encore des dentales : *qued* pour *que*. Entre voyelles, *t* et *d* s'amuïssent : fid(e) > foi, mais elles ont résisté, dit Straka, plus longtemps que les vélaires en cette position. L'effacement des désinences bouleverse la morphologie verbale :

amat > aime.

Après consonnes, elles se sont conservées plus longtemps; *d* s'est assourdi et on entendait encore *t* au XVIe siècle. Jésus-Chri(st) se prononce encore, chez les catholiques, sans les consonnes finales, mais pas chez les protestants. Les occlusives subsistent dans la graphie :

amante > aimant, grande > grant,

d'où la liaison en fr. mod. : [grãtɛspRi] *grand esprit*.

La liaison (cf. 1.4.9.) conserve, dans certains groupes très soudés, la sourde *t* de l'anc. fr. : *prend-il*; *t* existe encore dans la désinence de 3e personne du pluriel en picard[1].

1. F. Carton, *La désinence picarde de 6e personne*, 1969 : *viennent* prononcé [vjɛnt].

k s'amuït dès le latin populaire du IIIe siècle :

sīc > si
*ecce hoc > ço > ce.

De même *k* et k < g devenus secondairement finals après effacement d'un élément final latin ou germanique, s'amuïssent :

burgu > anc. fr. borc, fr. mod. [bu:R]
longu > anc. fr. lonc; on dit encore à Roubaix-Tourcoing « lonque et larque » (long et large).

Le *g* graphique a été restitué pour rappeler le mot latin; dans la « Marseillaise », *sang impur* se liait encore naguère en *k*. Ce n'est que dans quelques monosyllabes que *k* s'est maintenu : *bec*, *duc*, *parc*, *sac*, *sec*.

3° Vibrantes

r s'est amuï dès l'anc. fr., mais surtout en moy. fr. et inégalement selon les dialectes. On a dit *dormi(r)* (cf. *couri* dans la chanson de Guilleri), *dormeu(r)*, *mouchoi(r)*, au XVIe et au XVIIe siècle. On dit encore dans des parlers régionaux : *brou(e)tteux*, *partageux*, et dans le vocabulaire aristocratique de la chasse : *piqueux*. Les suffixes *-eur* et *-eux* se sont confondus. En partie sous l'influence des grammairiens, *r* final a été rétabli à diverses époques (XVIIIe s. notamment), mais pas partout. Agrippa d'Aubigné faisait rimer en *r* *mesler* et *air*; aujourd'hui les infinitifs en *-er*, le suffixe *-ier* et les substantifs en *-ger*, *-cher* ne comportent plus de *r*, ni *monsieur* parce que ce mot est plus usité que *sieur* et *monseigneur*. *Plaisi(r)* était recommandé par Littré.

4° Constrictives

p, *b*, *v* devenus finals après voyelle > f :

lat. vulg. cápum > anc. fr. chief.

s indiquait en anc. fr. le cas et le nombre :

rósas > roses,
cántas > chantes.

Les langues romanes de l'Est, tel l'italien, ont perdu cet *s* final. Nous l'avons gardé comme marque graphique (les moutonss' de Topaze); mais il était amuï dès le XIIIe siècle, d'abord devant les mots commencés par une consonne : *moins/fort*. Il se sonorise devant l'initiale vocalique : *moins‿amis*. La disparition des déclinaisons découle en partie de ce fait phonétique.

On a rétabli *s* final à une époque récente dans quelques mots comme *jadis*, *hélas*, *mœurs* (que Molière fait rimer avec *auteur* dans *Les Femmes savantes*). Cette tendance à la restitution continue à s'exercer.

5° Latérales

[l] et [λ] ont tous deux cessé d'être sensibles à la finale en moyen français. Ce fut, et c'est encore une tendance régionale et populaire

(i vient, i viennent, formidabe...) ; *i* pour *il* se trouve déjà en anc. fr. Dans de nombreux mots, *l* fut rétabli à l'époque classique. Si on l'omet dans *outil, sourcil, fusil, gentil* et quelques autres, c'est, selon Bourciez, sous l'influence des anciens pluriels *gentis, sourcis*, ...

2.2.4. *Groupes consonantiques disjoints*

On entend par là un groupe de consonnes séparées par la coupe syllabique. La consonne implosive, en position faible, disparaît assez tôt en finale de syllabe devant une autre consonne.

2.2.4.1. Seule la vibrante [r] persiste :

porta > porte,

ou s'assimile si elle est suivie d'un [s], sauf exceptions (Fouché, p. 801 : ours, vers, etc.) :

dorsu > dossu > dos.

2.2.4.2. *s* implosif (devant consonne) et final se « désarticule » dès le début de l'époque littéraire :

lat. i(n)s(ŭ)la > isle > île
crusta > crouste, croûte

(Le wallon et le picard septentrional ont *crousse.*)

lat. spasmáre > pasmer, pâmer (*spasme* est savant).

En ancien haut-allemand, on a *h* pour *s* dans les mots empruntés au fr. : *foreht* (forest, forêt) dans *Parsifal*. Les graphies *h* ou *gh* notent une constrictive relâchée de type [x] (1.1.2.3.), avec un soulèvement relativement avancé du dos de la langue. On a ensuite la constrictive glottale [h] (1.1.1.4.). Ce cheminement vers un amuïssement total s > h > zéro est physiologiquement le seul possible. D'ailleurs, on retrouve ces étapes dans des parlers vivants d'aujourd'hui[1].

Causes : ce phénomène est dû, selon Martinet, à la tendance française qui veut que la syllabe finisse par une voyelle; selon Grammont, à une influence de la voyelle précédente qui a augmenté l'aperture de la consonne; selon Allières, à l'assimilation de la consonne suivante. Straka (avec Rousselot, Chlumsky et Malmberg) y voit un affaiblissement (toujours latent chez une consonne implosive) qui aboutit à des résultats divers selon qu'interviennent d'autres causes d'affaiblissement. Cette explication est la plus probable.

Conséquences : en général, en syllabe accentuée, il y a allongement

1. Straka, Remarques sur la désarticulation et l'amuïssement de *s* implosive, *Mélanges M. Delbouille*, 1964.

« compensatoire » (généralement et tardivement noté par un accent circonflexe) : le souffle [h] devient sonore sous l'effet de la voyelle précédente, puis se confond avec celle-ci. Au XVIIIe siècle, on notait encore ces *s* alors qu'on ne les prononçait plus depuis cinq siècles ! Ce n'est que dans l'édition de 1740 du Dictionnaire de l'Académie que *teste* est écrit *tête*. Autres conséquences : le *o* s'est fermé (costa > côte) ; le *a* est devenu postérieur (asne > âne) ; le *e* s'est ouvert (festa > fête) ; on a musca > mouche sans allongement du [u], de même que spatha > espée, épée.

Devant constrictives, sonantes et occlusives sonores, ce changement est antérieur à 1066 (conquête de l'Angleterre) :

insula > angl. isle, fr. île,
anc. fr. mesle > meddle, avec sans doute [ð].

Devant les occlusives sourdes, l'amuïssement est postérieur à cette date :

angl. beast < beste spy < espion.

2.2.4.3. *m*, *n* implosives nasalisent la voyelle précédente : leur résonance nasale étant anticipée, elles cessent d'être articulées (plusieurs siècles plus tard).

2.2.4.4. *p*, *b*, *t*, *d* implosifs s'amuïssent après être devenus constrictifs ; *p*, *t* se sonorisent au préalable :

advenire > avenir (d'abord verbe),

Meigret écrit en 1546 : « Le *b* semble quelque peu sonner en *obvier*, combien que ce n'est pas naïve prononciation française. » Il y avait alors conflit entre graphie et tendance à l'amuïssement.

Le groupe *tl* devient [tr] après la disparition tardive de *ŭ* dans :

capit(ŭ)lu > chapitre (mot demi-savant : Fouché, p. 799).

Les autres groupes *tl*, *dl* secondaires deviennent *ll* :

spat(ŭ)la > anc. fr. espalle > épaule.

2.2.4.5. Les consonnes géminées persistent, mais à l'état de consonnes simples :

cŭppa > coupe (alors que cūpa > cuve),
attingere > ateindre (écrit : *atteindre*).

2.2.4.6. Lorsque trois consonnes se rencontrent, les faits sont plus compliqués. En général, la troisième consonne subsiste toujours, la deuxième s'amuït le plus souvent, la première se maintient :

mast(i)care > maschier,
blasph(e)mare > blasmer,
comp(u)tare > conter (l'orthographe *compter* est savante),
dorm(i)torium > dortoir.

Mais cette « règle » peut moins que toute autre être énoncée d'une façon absolue. La nature consistante de certaines consonnes assure leur maintien là où elles devraient disparaître, et ce sont les autres alors qui cèdent, ou inversement. Ainsi, dans *pers(i)cum*, le *s* est très solide et se maintient, c'est le *c* qui disparaît pour donner *perse*. Dans *pers(i)cam*, au contraire, c'est la première consonne qui est sacrifiée pour faire *pesche* (pêche).

2.2.5. *Développement d'une consonne épenthétique*

La rencontre de certaines consonnes amène l'apparition de sons intercalaires. Ce n'est pas parce que sont réunis « des sons difficiles à prononcer ensemble » ! Soit le latin *cam(ĕ)ra* : l'accent est sur la syllabe *ca*; quand le *e* bref a cessé d'être prononcé, on a eu un groupe secondaire *mr*; il suffit de prononcer *cam're* en appuyant sur *ca* pour percevoir que, tout naturellement, un son de passage se fait entendre. Le voile se relève trop tôt; la fin de la nasale [m] a perdu une grande partie de sa nasalité tout en restant bilabiale et sonore. C'est un phénomène de segmentation : le [m] perd sa nasalité et le deuxième segment qui en résulte est le germe du [b].

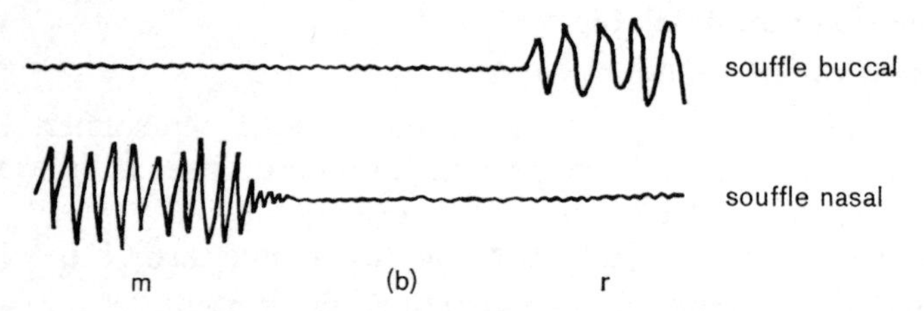

FIG. 19. — Tracé montrant l'épenthèse dans le groupe m' r (ex. : chambre).

Or, notre système possède une bilabiale sonore non nasale, c'est l'occlusive *b*, d'où :

cám(ĕ)ra > chambre,
Cam(ĕ)rácu > Cambrai.

On observe qu'il s'agit de groupes de consonnes dont la seconde est *r*, *l* et la première une sonante ou *s*. La consonne atteinte est toujours la première, l'implosive, donc la plus faible.

Pour Fouché, la cause en serait une anticipation de la coupe syllabique. Mais ceci pourrait tout aussi bien être une conséquence. D'autres modifications peuvent survenir : assimilation de sonorité ou de lieu articulatoire.

Ce processus attesté en latin classique est achevé dès nos premiers textes et même dans les inscriptions en latin vulgaire. Mais le wallon, le picard et le lorrain ont fait peu d'épenthèses.

2.2.5.1. Epenthèse à peu près régulière (2 constrictives ou sonantes).

1. mr > mbr : cam(ĕ)ra > chambre.
2. ml > mbl : *trem(ŭ)lare > trembler.
3. nr > ndr : pon(ĕ)re > pondre (*ponere* = déposer).
4. lr > ldr : mol(ĕ)re > moldre > moudre.
5. sr > sdr : co(n)s(u)ere > cos̬dre > codre, coudre. (*s* s'était sonorisé par assimilation.)
6. ssr > str : *ess(ĕ)re > estre > être. (*s* et *t* sont deux alvéolaires.)
7. nl > n, nl > dl > gl : spín(ŭ)la > *espinlă > espingle. (Le groupe *dl* n'existe pas dans la langue.)

2.2.5.2. Epenthèse sporadique.

1. Un [j] se développe parfois entre deux voyelles (cf. fr. pop. *théiâtre*) :
   exsūcāre > anc. fr. essuer > essuyer.
2. Un [t] de transition s'est développé entre [λ] ou [ɲ] et [s] final : *ts* fut écrit *z* :
   [λ] : tripalios > travauts > travauz (travaux)
   [ɲ] : signos > seinz (*z* note *ts*).
3. Un [v] de transition s'est parfois développé dès le latin vulgaire :
   lat. class. pluere > lat. vulg. *plovēre > pleuvoir.

Mais il s'agit plutôt d'une analogie de *avoir*, *devoir* dans l'évolution :

lat. vulg. *potere > anc. fr. pooir > pouvoir.

2.2.6. *Amuïssement des* h *latins et germaniques*

La disparition des *h* soufflés (dits « aspirés ») latins était déjà un fait accompli au Ier siècle et peut-être avant. En anc. fr., on ne les notait même plus :

aronde < *hirunda (cf. hirondelle),
ome < hŏmine (cf. homme).

Des *h* soufflés initiaux apparurent dans les mots empruntés aux langues germaniques, à partir des grandes invasions du Ve s. Les emprunts au moyen-anglais, au moyen-néerlandais, etc., furent continuels. Sauf en lorrain et en normand, ils étaient amuïs au XVIIe s., mais on continue à écrire des *h* « disjonctifs » (Fouché), c.-à-d. servant à interdire liaison et élision : *harnais*, *hutte*, *hagard*, *hameau*... Vaugelas lui-même disait : *j'haïs*. Ce n'est qu'à la fin du XVIIe s., dit Rosset, que cette forme fut jugée « peu distinguée ».

Un *h* graphique s'ajoute à des mots qui, étymologiquement, n'auraient pas dû en avoir : celui de *haleine* (anc. fr. *aleine*) est dû à une réfection d'après *halare* « souffler ». Dans un mot comme *huile*, d'abord *olie*, *oile* (cf. angl. *oil*), un *h* graphique fut introduit pour assurer la lecture *u* et non *v*.

2.2.6.1. Dans les mots franciques commençant par *hl* (cf. 1.1.1.4.), l'élément initial a été généralement remplacé par le phonème de l'anc. fr. qui produisait l'effet auditif le plus semblable. Ainsi, d'une racine *hlod*, on a eu *Clovis*; sans le [h], ce fut *Loois (Louis*, all. *Ludwig)*; avec une constrictive, c'est devenu *Flobert* (Flaubert). Ces formes diverses s'expliquent par l'époque d'adaptation ou de pénétration des mots.

2.2.7. *Palatalisation consonantique*

On admet généralement que ce phénomène consiste en un relèvement du dos de la langue vers le palais dur (lat. *palatum*, d'où le nom). Les consonnes se palatalisent devant les voyelles *d'avant*. Cette position est à peu près celle du [j] ou du [i], c'est pourquoi les consonnes palatalisées ont un timbre qui rappelle celui du yod. Pour Delattre, la palatalisation ne serait pas un mouvement mais un lieu : les consonnes prennent le lieu du yod tout en gardant leur mode articulatoire. Selon cette conception, il n'y aurait donc pas de palatalisation, mais seulement des palatales.

D'autres linguistes désignent par ce terme tout déplacement vers l'avant : les passages [a] accentué libre à [ε], [u:] à [y] seraient des palatalisations vocaliques. Mais pour la majorité des phonéticiens, le mot palatalisation au sens large se dit de trois processus différents :

1° La palatalisation proprement dite (terme auditif : mouillure), déplacement vers l'avant, accompagné d'un changement de la façon d'articuler : k > k' > k̯.

2° Le passage palatale → mi-occlusive (terme auditif : affrication[1]) : t̯ > t͜s.

3° Le passage mi-occlusive → constrictive (terme auditif : spirantisation complète) : t͜s > s.

On a sans doute intérêt, pour traiter la question avec toute la précision requise, à réserver le mot de palatalisation au premier de ces trois processus. Mais cela suppose qu'on ne compte parmi les consonnes palatales ni [k, g] (vélaires), ni [ʃ, ʒ, tʃ, dʒ] (post-alvéolaires).

2.2.7.1. Causes de la palatalisation proprement dite.

On constate de telles divergences dans les explications que beaucoup estiment que la réponse définitive n'est pas encore fournie. Quelques rares chercheurs pensent qu'une influence celtique fut déterminante (Becker, 1947). Mais alors, que dire des palatalisations espagnoles ? D'autres penchent pour une origine germanique (Diez, 1838; Dauzat, 1937). Mais la deuxième palatalisation, qui a affecté le français à partir du xvie siècle (dans les Mazarinades, on lit *guière* pour *guère* ; dans la prononciation faubourienne, on entend *paquiet* pour *paquet*), ne saurait être imputée à une influence d'outre-Rhin. D'ailleurs les langues germaniques ne palatalisent guère. K. Ringenson (1922) a mon-

1. L'assibilation (lat. *sibilare* « siffler ») ne concerne que le développement d'un *s*.

tré que la deuxième palatalisation ne répète nullement la première.

D'autres l'expliquent uniquement par des facteurs internes : Haudricourt et Juilland (1949) ont tenté une explication structurale, fondée sur le souci qu'a le locuteur de maintenir l'équilibre du système, d'éviter les « cases vides »; mais cela laisse intact le problème des palatalisations gallo-romanes qui ont modifié le système du latin classique.

L'abbé Rousselot, influencé par R. Lenz (1888), a défini la palatalisation comme un affaiblissement. On a enseigné après lui (Roudet, 1910; Ringenson, 1922; Delattre, 1940, etc.) que les palatales sont des articulations faibles : c'est pourquoi on les appelle *molles* ou mouillées (du lat. cl. *mollire* « amollir »), terme qui évoque fâcheusement et à tort on ne sait quelle « liquidité » ! Mais la palatalisation ne comporte pas forcément un relâchement articulatoire. L'allemand, moins relâché que l'anglais, a résisté à ce processus, le roumain ou le normand le connaissent.

Nous résumerons la théorie de Straka, qui considère la palatalisation comme un *renforcement*. Cette théorie est étayée par l'évolution parallèle des langues romanes et slaves, et elle est bien appuyée instrumentalement. Il reste à préciser comment sont entrés dans le système quatre phonèmes absents du latin [ʃ, ʒ, ɲ, ʎ] et comment le système des palatales a évolué.

Selon Straka, il ne suffit pas de définir les consonnes palatales uniquement par leur lieu d'articulation; il faut aussi voir que la langue s'élève plus vers le palais et s'applique plus largement sur lui que pour les non-palatales. Chlúmsky (1931) avait déjà observé l'augmentation d'énergie pour les palatales : la durée de [m] est plus grande, la détente plus forte et plus longue, les lèvres plus contractées et resserrées quand le mot *merci* est prononcé en palatalisant [m̮ɛR'si]. Les appellations *mouillé* et *mou*, dit Straka, ne sont pas d'ordre articulatoire, mais auditif : elles traduisent *l'impression* que ces consonnes produisent sur l'oreille, et qui est due à leur détente prolongée. Les personnes dont le parler habituel ne comporte pas de palatales interprètent la détente comme un yod, privilégiant celle-ci au détriment de l'occlusion. C'est pourquoi elles le transcrivent comme des sons composés : [dj] au lieu de [d̮]. En réalité, ce sont des articulations uniques et des sons simples pour les sujets qui usent de ces sons. Rousselot a confondu la *naissance* des palatales, très fréquentes jadis dans les langues romanes, et une tendance plus récente à les affaiblir et à *s'en débarrasser*. Ainsi, de nos jours, [ɲ] est en voie de désarticulation. Straka distingue donc consonnes palatales et palatalisation :

alvéo-dentales	palatalisées	palatales	palatalisées	vélaires
t	t'	t̮ = k̮	k'	k
d	d'	d̮ = g̮	g'	g
n	n'	n̮ = ŋ̮	ŋ'	ŋ

——————————→ ←——————————

palatalisation palatalisation

Ces nuances représentent les stades intermédiaires par lesquels les non-palatales sont passées avant de devenir des palatales véritables; dans une inscription de 179 apr. J.-C., on lit TERCIAE pour TERTIAE : c'est que [t̬] était confondu avec [k̬]. On ne voit habituellement dans ce passage qu'une simple assimilation de lieu articulatoire. Pourtant en anglais, en allemand ou en espagnol, le lieu d'une consonne suivie de [i, e, j] ne change pas. Dans d'autres langues, au contraire, il existe des palatalisations devant voyelles vélaires sans qu'aucune influence assimilatrice ou de voisinage ait eu lieu. La géminée *-ll* s'est palatalisée en franco-provençal devant [u] sous le seul effet de l'énergie articulatoire, par soulèvement du corps de la langue. La présence d'une voyelle palatale ou d'un yod ne suffit pas : le plus souvent, assimilation et énergie vont de pair. L'énergie que Chlúmsky (1931) a remarquée dans l'articulation parisienne de *k' (cinquième)*, *g' (guère)*, *t' (naturel)* devait exister au XIIIe siècle, au moment où l'on commençait à noter par ex. *guiet* pour *guet* (Michaëlson, 1956). C'est elle qui a provoqué puis développé cette tendance.

Deux conditions doivent être remplies simultanément pour qu'un changement soit considéré comme une palatalisation : déplacement de lieu d'articulation et élévation linguale (zone centrale du dos de la langue).

Toutes les consonnes ne se palatalisent pas avec une même facilité. L'ordre dans lequel s'est déroulé le processus serait celui-ci selon Straka[1] : consonne + yod (dès le début du IIe s.); *k*, *g* + *e*, *i* (début du IIIe s.); *k*, *g* + *a* (début du Ve s.); d'abord *g*, *k* puis *n*, *l*, *t* + yod (milieu du IIe s.); *s* + yod, *r* + *y*, les labiales étant les plus résistantes.

2.2.7.2. Une dépalatalisation s'est effectuée ultérieurement en français (comme dans les autres langues romanes) par l'un des trois processus suivants :

1° par diminution de la pression linguale contre le palais et rétrécissement du contact : [t'] issu de [jt] > [t] : ex. *moitié* (début de l'époque littéraire);

2° par relâchement de la partie médiane du dos de la langue (les bords restant appuyés : [l] > [j]; [ɲ] semble actuellement atteint lui aussi[2] : [aɲo] > [an-jo];

3° par empiétement de la détente qui gagne en durée sur la tenue, d'où la segmentation en mi-occlusive (terme auditif : affrication), puis la « simplification » de celle-ci en une constrictive. Ex. de notation dès le lat. vulg. : MARTSES pour MARTIEIS, en 140 apr. J.-C. : [t̬] > [t̬s] ou [tʃ] > [s] ou [ʃ].

1. *La dislocation linguistique de la Romania*, 1956. Il est possible que ces dates doivent être retardées : on réédite actuellement les *Grammatici latini* de Keil, parus au siècle dernier, et on s'aperçoit que certains textes, sur lesquels on se basait, sont fautifs.
2. Mme P. Simon, La désarticulation de la consonne palatale ɲ, *Mélanges Straka*, pp. 67-98.

L'affrication a eu lieu avant le changement de *a* accentué libre en [a͜e] ou [æ] (cf. 2.3.6.9.), puisque les altérations subies par [k, g] devant *e* diffèrent beaucoup de leur évolution devant *a*.

On peut schématiser ainsi le développement de lat. *k*, *g* :

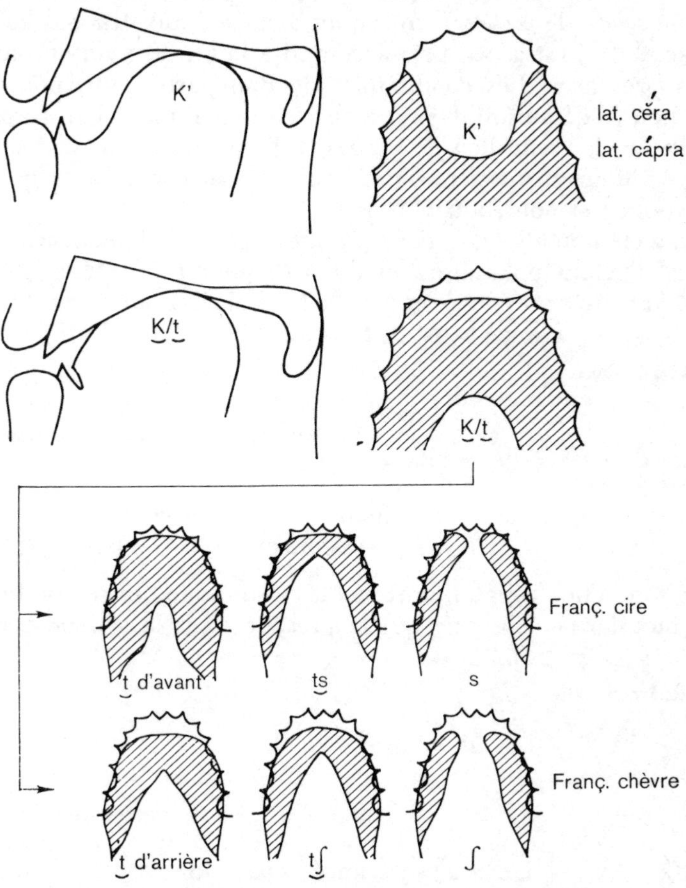

Fig. 20. — Palatalisations k + e, i > ts > s et k + a > t͜ʃ > ʃ.
(Straka, *Album phonétique*, pl. 113.)

2.2.7.3. Palatalisations proprement dites.

Un déplacement et un raffermissement précèdent l'affrication et la simplification :

1° nj > ɲ :

montanea > montagne; fingente > feignant; cuneu > coin.

On trouve aussi [ɲ] dans des mots savants : *bénigne*, *signifier*... Si la voyelle suivante s'amuït, [ɲ] disparaît après avoir nasalisé la voyelle précédente. Les graphies en anc. fr. sont : *ign*, *ing*, *gn*, *ngn*.

2° lj > λ :

pálea > paλ (ẹ̥).

[λ] fut remplacé par [j] (du fait d'un abaissement de la pointe de la langue) dès le XIIIe s. selon Straka. Une des premières traces écrites est la graphie *coion* (de *coglione*), sobriquet appliqué aux Italiens au XVIe s. Le passage λ > j est à peu près accompli à la fin du XVIIIe s., sauf dans quelques provinces. Les condisciples de Bonaparte à Brienne disaient [paλ] et non [paj] puisqu'ils singeaient celui-ci en l'appelant [lapaλone], « la paille au nez » au lieu de [napɔλɔne]. Au milieu du XIXe s., Littré, très conservateur en matière d'orthoépie, tenait encore à ce qu'on dise [butɛλ] ,[sɔlɛλ] et non [butɛj], [sɔlɛj].

Ce son a été noté *ill*, *lli*, *li*, *lh* (cf. *Paulhan*), *gl* (cf. ital. mod. *figlio*), *lg*, *ilg*. Le picard n'a pas palatalisé *l* et dit *palle* pour *paille*. Mais on entend encore [λ] en Suisse romande et dans le Midi de la France (fig. 21).

3° kj > k̯ > t̯ avancé > ts' > ts > s :

fácia > face.

4° tj > t' > ts' > jts > jdz ↗ intervocalique > -jdz- : (sonorisé) ratione > raison.
↘ final > -js : (assourdi) palatiu > palais.

Outre son action palatalisante sur la prétonique qui se combine avec lui, [j] modifie la consonne qui le précède dans la syllabe accentuée.

5° sj > s' > js' > jz' > jz :

basiáre > baiser.

6° ssj > s's' > js's' > js' > js :

bassiáre > baisser.

7° k (après voyelle) + i, e > k̯ > t̯ avancé > jts > jdz ↗ intervocalique : placere > plaisir.
↘ final jts > js : placet > plaist.

8° k appuyé (intervocalique) + i, e > k̯ > t̯ avancé > t͜s' > t͜s > s :

lat. class. caélu > lat. vulg. ['kɛlu] > ciel.

9° g appuyé (intervocalique) + i, e > g̯ > d̯ reculé > dʒ' > dʒ > ʒ :

argéntu > argent.

10° kl et gl (intervocaliques) > λ > j.

Selon Fouché : jl > jλ > λ. Selon Straka, on passe par un son inter-

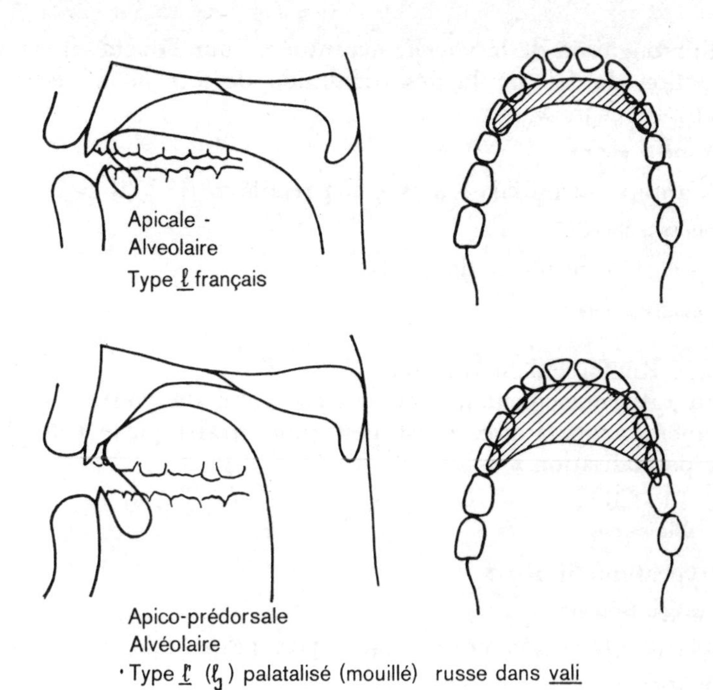

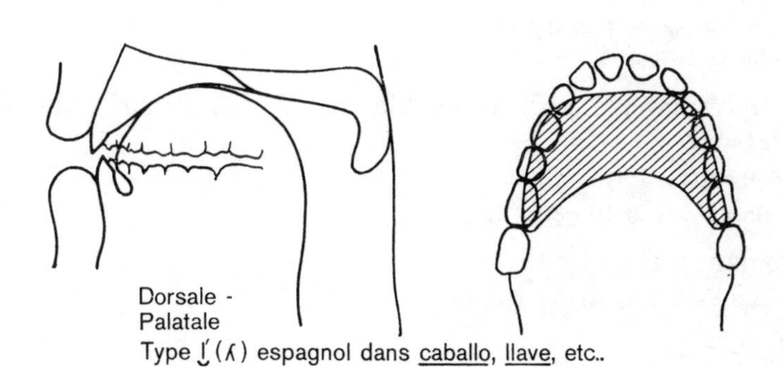

Fig. 21. — Trois types de L.
(Straka, *Album phonétique*, pl. 36.)

médiaire entre [kl] et [λ] qu'on retrouve en Auvergne dans [k̬λo] « clé » : solic(ŭ)lu > soleil [sɔ'lɛλ] puis [sɔ'lɛj].

En position forte, ces groupes restent intacts : sing(ŭ)lare > sanglier [sɑ̃gλe] dissyllabique (p. ex. chez Agrippa d'Aubigné).

11° gn > ɲ; *gn* était prononcé en latin vulgaire [ŋn] (Bourciez, n° 175). Cette transformation est comparable à la précédente : le [j] noté *i* devant [ɲ] devenu final s'explique comme son de passage entre voyelle et palatale : sígnu > sein(g); lónge > ['loɲe] > ['loiɲ] > loin.

après diphtongaison de la voyelle accentuée. Pour Fouché, il y a un [j] de réfraction du fait de la désarticulation de ɲ > jɲ (cf. *peign' sale*).

12° rj > r′ et jr′ > jr :

pária > paire.

13° k appuyé et initial + a > k̮ > t̮ reculé > tʃ′ > tʃ > ʃ :

fúrca > fourche.

g + a > g̮ > d̮ reculé > dʒ′ > dʒ > ʒ :

gáudia > joie.

2.2.7.4. Renforcement du yod.

Il y a raffermissement au même lieu (celui du yod), mais pas de déplacement articulatoire. C'est pourquoi Straka parle cette fois de « fausse palatalisation » :

1° dj, gj > jj :

rádiu > rai,

à l'intervocalique jj > j :

exágiu > essai.

On relève déjà AIVTOR pour ADIVTOR dans les inscriptions pompéiennes.

2° j initial > d̮ > dʒ > ʒ :

iam > anc. fr. ja (« déjà »),
diúrnu > jour.

3° j après labiale > d̮. Il semble que la labiale ne s'assimile pas mais s'efface.

bj > roman dʒ > ʒ :

tíbia > anc. fr. [tidʒe̥] > tige,

pj > roman > tʃ > ʃ :

sápia > anc. fr. [satʃe̥] > sache,

vj > dʒ > ʒ :

cávea > [kadʒe̥] > cage,

mj > ndʒ > ʒ :

sómniu > [sondʒe̥] > songe.

2.2.7.5. Relâchement en yod.

C'est ce qu'on appelle traditionnellement « résolution en yod ». Il y a abaissement de la langue : pour Straka, ce n'est pas une vraie palatalisation.

1° g intervocalique + i, e > j :

pagénse > anc. fr. païs, pays.

2° k, g intervocaliques + a > j :

pacáre > paiier, payer.

3° k, g finals de syllabe (implosifs) + consonne > j :

laxáre [lak-sa-rɛ] > anc. fr. laissier, laisser,
lácrima > anc. fr. lairme, larme.

Dans les cas 2 et 3, il y a assimilation et relâchement, à cause de la faiblesse des *positions* implosive et intervocalique. Pour Fouché et Bourciez, [k, g] suivis de consonne alvéolaire ou dentale ont *déplacé* leur lieu d'articulation vers la région de constriction du yod. C'est pourquoi ils se sont confondus avec *j* qui s'est combiné avec la voyelle précédente.

2.2.7.6. Datation (selon Straka).

	Palatalisation proprement dite	« Fausses » palatalisations	
		renforcement du yod	relâchement en yod
Iʳᵉ moitié du Iᵉʳ s.		dj : radiu gj : exagiu	
IIᵉ s.	nj : montanea lj : palea kj : facia tj : palatiu sj : basiare ssj : bassiare		
Iʳᵉ moitié du IIIᵉ s.	k + i, e : centu g app. + i, e : argentu kl, gl : solic(u)lu	j initial : iam	g interv. + i, e : pagense
fin du IIIᵉ, début du IVᵉ s.	gn : ligna signu rj : paria	bj : tibia	g interv. + a : paganu kg + cons. : lacrima
Iʳᵉ moitié du Vᵉ s.	k, g app. + a : furca		k interv. + a : pacare

roman	affrication : t̯ẽnt > tsɛ̃nt (cent)
XIIIᵉ s.	spirantisation : tsɛ̃nt > sɑ̃nt (cent)
du XVIᵉ au XXᵉ s.	2ᵉ palatalisation : étudier > étuguer (Molière)

2.2.8. *Formation des semi-consonnes*

2.2.8.1. Le yod existait déjà en latin classique dans des mots comme *iunctio* (jonction). Pour ceux qu'a formés le français, il faut distinguer deux ordres de faits :

1° Il peut provenir d'abord (très tôt) de *k*, *g* dans un entourage de voyelles d'avant : c'est la « fausse palatalisation » ou « résolution en yod », qui résulte d'un *affaiblissement* articulatoire puisque ces consonnes *s'ouvrent* davantage :

lat. class. nĕcā́re > lat. vulg. *negáre > neier, noyer.

2° Il provient aussi de *k* et *g* implosifs > [x], [ç] (ach-Laut de l'allemand, et ich-Laut). Il y a eu abaissement de la langue, ce qui a produit un bruit de friction :

coxa > ['kok-sa] > ['kox-sa] > [koj-se̥] > cuisse,
factu > ['faxtu] > [fajt], fait.

lat. class. fragáre, lat. vulg. flag-ráre > flairer (d'abord « exhaler une odeur »).

2.2.8.2. Yod peut aussi provenir d'une *fermeture*, celle des voyelles d'avant, *e*, *i* en hiatus : [ie], [iẽ], [io] primaires sont devenus [je],]jẽ], [jo], puis [dʒe̥] > [ʒe̥]. La langue s'est rapprochée davantage du palais dur, au point qu'il s'est produit un bruit de constriction suivi d'un renforcement en semi-occlusive. Celle-ci a perdu au XIIIe s. son élément occlusif.

De même, après consonnes sonores :

d : dĭurnu > [djurnu] > [dʒorn] écrit jorn > jour
b : tibĭa > tige
m : commĕatu > congié, congé
n : extranĕu > estrange
v : cavĕa > cage
r : lat. vulg. *sturione > esturgeon.

et après consonnes sourdes :

p : sapĭam > sache.

2.2.8.3. Yod a exercé une grande influence; il a entravé certaines syllabes : ainsi dans lat. faciat > anc. fr. face (subj. de faire), le *a* accentué n'est pas passé à [ɛ], ce qu'il aurait fait s'il avait été libre.

D'autre part, il a souvent influencé les voyelles précédentes, même « par-delà » les groupes consonantiques. C'est ce que Fouché et Bourciez appellent « anticipation du yod » : lat. óstrĕa > anc. fr. oistre, huître. Un simple déplacement, que l'on retrouve dans paria > paire (2.2.7.3, 12°), est difficile à justifier physiologiquement. Il n'y a « saut » que si l'on considère la transcription graphique. Tout se passe comme s'il y avait transposition, mais ceci n'est pas une explication articulatoire, c'est une façon pédagogiquement commode de s'exprimer. Les croquis montrent que dans l'articulation du yod, la langue se masse vers l'avant, le canal de constriction est très long et très étroit. C'est pourquoi la tendance palatalisante, liée à un dynamisme articulatoire, peut affecter aussi bien ce qui précède que ce qui suit, et produire ainsi un effet acoustique prolongé. Une telle « réfraction » affectant la syllabe accentuée n'a rien de surprenant si on admet que la palatalisation est liée à l'énergie articulatoire. C'est de la même façon que l'on peut expliquer le passage nj > ŋ̑ > jn devant *t* ou en finale : cĭncta > ceinte. Le suffixe *-ārĭu*, *-ārĭa* a subi une transformation particulière en [je], [jɛ:R] et plusieurs théories s'affrontent pour l'expliquer[1].

2.2.8.4. La semi-consonne palatale [ɥ] comme dans fr. *huit* n'existait pas en latin. Elle provient de *ŏ* latin combiné avec un [j] qui le suit, ou d'un [y] français devant voyelle, le yod influençant tout l'entourage :

cŏrĭu > [kuo̯irju] > [kyiR], cuir,
nŏcte > [nojt] > [nyi], nuit.

Dans plusieurs régions de la francophonie, on est resté au stade voyelle + voyelle. A Paris, on est passé au stade semi-consonne + voyelle : nuage [nɥa:ʒ] au lieu de [nya:ʒ].

2.2.8.5. Nos semi-consonnes vélaires [w] ne proviennent pas des *w* latins ou germaniques, car tous ceux-ci se sont transformés. Ceux du français moderne sont issus de diphtongues ou d'hiatus :

[u̯a] écrit *oi* : proie, froid,
[u̯e] : fouet, loué,
[u̯i] : enfouir, Louis.

2.2.8.6. Evolution du *w* germanique.

Un processus particulier se développe à l'initiale (position forte) de mots germaniques empruntés. Physiologiquement, il s'agit d'un *renforcement* sous l'action des muscles élévateurs. Devant la constriction vélaire du [w] se développe une occlusion vélaire, puis la constriction labiale disparaît comme dans lat. *qui* [kwi] > [ki] :

*wísa > *gwise, fr. guise [giz],
*want > gant,
*wérra > guerre,
*wárnjan > garnir.

---

1. A. Lanly, *Fiches de philologie française*, p. 48.

Des *v* initiaux latins, peut-être influencés par le germanique, n'ont pas évolué en [v] : ayant maintenu [w] ils ont connu ce renforcement :

vágine > gaine, véspa > guêpe, vádu > gué.

(Dé)vaster et gâter < guaster ont le même étymon latin : *vastare.*

2.2.9. *Le R et ses évolutions*

2.2.9.1. Passage de consonnes à *r* (rhotacisme).

Le rhotacisme (grec *rhô* « r »), phénomène assez courant, n'a affecté le français que sporadiquement. C'est seulement [s, z, ð] intervocaliques qui, à certaines époques, sont passés à un [r]. Le dos de la langue étant abaissé, la pointe a perdu son point d'appui et a esquissé par compensation un *r* apical, lequel était sans doute alors assez faible. Son lieu articulatoire (alvéoles) est aussi à peu près le même que pour [s, z, ð] :

mĕ́dicu > anc. fr. miege, [mieðje̥] mais aussi mire (« médecin »)

deux aboutissements différents.

C'est par le rhotacisme que Bourciez explique la formation du suffixe *-aire.*

En moy. fr., *r* est passé à *z* et *z* primaire est passé à *r* par fausse correction et par régression dans plusieurs régions de France, à Paris et sporadiquement en anc. provençal. Ces deux phénomènes inverses ont coexisté au XVIe s. :

r > z : frère > frèze; mari > mazi; murailles > muzailles,
bérícles > bésicles (cf. béryl)
z > r : doux‿ami > doux rami (dans Cl. Marot).

Ce passage existe aussi en anc. picard :

vássalitu > vaslet > varlet.

Le mot argot *Rital* « Italien » est venu (fin du XIXe s.) par apocope de [lezital] > [leRital], d'où *un Rital*[1].

2.2.9.2. [r] > [R] et [ʁ].

Pourquoi [r] apical (roulé) est-il devenu R dorsal comme cela se produit encore aujourd'hui en suédois, en espagnol, en allemand et en néerlandais ? Sans doute ce passage a-t-il été favorisé par la tendance à l'anticipation vocalique. La place de /r/ dans le système phonologique lui permet une grande latitude de réalisation. Mais les opinions divergent sur l'origine de ce phénomène, qui se généralise en Europe. On peut

---

1. La prononciation des « Incroyables », que l'on trouve notée dès 1790 (plus tôt qu'on ne le dit souvent), ne consiste pas seulement en l'amuïssement du *r* : par paresse affectée, on effaçait divers traits distinctifs des consonnes : yeutenant = lieutenant, poïce = police, inimazinable = inimaginable, en véïté = en vérité, etc. (J.-P. Seguin, *La Langue française au XVIIIe s.*, p. 253).

penser que le [R] uvulaire est le modèle que les diverses régions imitent par souci de prestige culturel et social. Le [r] apical, paraissant plus archaïque, fait partie des traits conventionnels du parler « gendarme » ou « paysan ».

2.3. FORMATION DU VOCALISME

2.3.1. *Le système du latin*

Le système des voyelles en latin classique comportait une diphtongue *(au)*, cinq longues et cinq brèves :

ī / ĭ ū / ŭ
ē / ĕ ō / ŏ
ā / ă

La durée avait une valeur distinctive :

> mălum « mal » s'oppose à mālum « pomme »,
> lĭber « livre » à līber « libre »,
> uĕnit « il vient » à uēnit « il vint ».

Jacēre « être étendu » et jácĕre « jeter » sont distingués par la durée des *e* pénultièmes, donc par la place de l'accent. On pouvait trouver des longues ou des brèves en syllabe fermée : *tēctu*, *lĕctu*. Les diphtongues anciennes *oe (poena)* et *ae (praeda)* s'étaient monophtonguées en *ē* et *ĕ*. La seule diphtongue qui restait, *au (causa)*, tendit à se monophtonguer en *ō* en latin vulgaire. Les voyelles se nasalisaient plus ou moins par assimilation devant consonnes nasales, mais la nasalité n'avait pas de valeur distinctive.

2.3.2. *Modification du système latin*

Un processus d'une importance capitale fut la disparition des distinctions de durée à valeur phonologique et leur remplacement, dans la syllabe accentuée du moins, par de nouvelles distinctions fondées sur l'aperture. N'oublions pas que les deux traits, durée et timbre, ont coexisté pendant un certain temps[1]. Peu à peu le trait de durée est devenu redondant. De même deux traits coexistent dans l'opposition des deux *a*, encore vivante de nos jours dans les parlers lorrains : [a:] est toujours postérieur et s'oppose à [a] bref qui tend vers [æ], [ɛ]. Dans l'opposition de l'anglais *seat/sit*, deux traits coexistent (timbre et durée), mais un seul a valeur distinctive.

1. Straka, *Durée et timbre vocalique*, p. 287.

En syllabe *accentuée*, on constate l'évolution suivante :

lat. class. : ī ĭ ē ĕ ā ă ŏ ō ŭ ū
↓ ↘ ↙ ↓ ↘ ↙ ↓ ↘ ↙ ↓
lat. vulg. : i e ɛ a ɔ o u

i ouvert et *e* fermé, *u* ouvert et *o* fermé étaient très proches et se sont confondus. Les voyelles du système pré-roman peuvent être longues ou brèves, mais la quantité n'y joue plus un rôle distinctif.

En syllabe *non accentuée*, on constate une tendance centralisatrice :

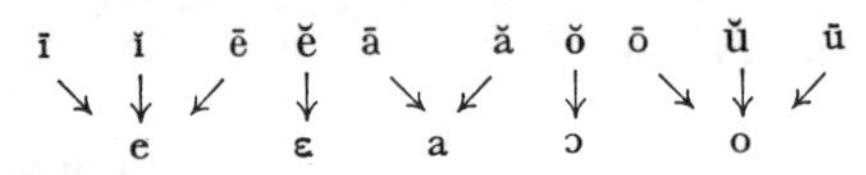

Les néo-grammairiens estimaient que ce changement eut pour *cause* unique l'accentuation — brèves et longues ayant en latin classique le même timbre. Pour Fouché, les brèves étaient plus relâchées que les longues correspondantes. Depuis une vingtaine d'années, plusieurs tentatives ont été faites pour expliquer d'une manière conforme aux exigences de la linguistique moderne cette transformation du système vocalique. Haudricourt et Juilland (1949), puis Weinrich (1958) en donnèrent une interprétation structurale. Joseph Herman[1] a formulé l'hypothèse suivante fondée sur la statistique : dans les mots de plus de deux syllabes, les locuteurs bilingues ou fraîchement assimilés en seraient venus à ne prononcer que des brèves dans les syllabes où les longues n'apparaissaient que rarement et n'avaient aucune fonction distinctive. L'opposition de quantité devait aussi être difficile à sauvegarder en syllabe finale (jamais accentuée). L'autonomie fonctionnelle de l'ablatif (type *rosā*) était fragile. Un système d'inaccentuées, sans distinction de durée, coexistait avec un système d'accentuées qui possédait cette distinction (menacée par les déplacements d'accent en flexion et en suffixation). La communauté linguistique tendait donc graduellement à utiliser partout les *mêmes traits distinctifs*. En Sardaigne, la suppression s'est produite sans compensation; ailleurs, il y eut remplacement par des distinctions de timbre en syllabe accentuée.

Pour G. Straka, longues et brèves présentaient déjà en lat. class. une différence de timbre, comme cela s'entend p. ex. en canadien français pour le *ī* de pire, par rapport au *ĭ* de pis. Si on compare instrumentalement les [ɛ] de *paix* et de *peine*, on s'aperçoit qu'une durée exagérément longue fait naître un timbre différent. « Une voyelle longue voit ses caractéristiques renforcées par rapport à la brève » (Chlúmsky). L'aperture de *i*, *u*, *e*, *o* latins était telle que ces voyelles se fermaient sous l'effet d'une durée longue. Il y eut certainement un stade intermédiaire où le trait de durée coexistait avec le trait de timbre. Sur les inscriptions de Pompéi

1. *Statistique et diachronie : essai sur l'évolution du vocalisme dans la latinité tardive*, 1968.

(détruit en 79), « la monophtongue issue de *ae*, qui par son origine était une voyelle longue, se confond plutôt avec un *ĕ* (ouvert) qu'avec *ē* (fermé) » (Väänänen). La chronologie de ces changements est à reconsidérer dans la mesure où certains textes des grammairiens latins sur lesquels on s'appuyait ne signifient pas ce qu'on voulait leur faire dire.

2.3.3. *Principales tendances de l'évolution des voyelles*

2.3.3.1. Les voyelles *finales* (position très faible) se sont en général amuïes. Mais *a* est devenu *e* central (anc. et moy. fr.), puis *e* muet (fr. mod.) :

lentu(m) > lent,
lenta(m) > lente.

Il en est résulté une opposition morphologique d'un très grand rendement : masculin sans *e* / féminin avec *e*.

D'autre part, la voyelle finale subsiste sous forme de *e* de soutien dans les proparoxytons (1.5.3.) qui n'avaient pas perdu leur pénultième dès le latin : árbŏre ['arbɔre] > [arbrə]. Straka explique cette persistance par le fait que dans ces mots la voyelle finale avait pris très tôt le timbre [e̥], semblable à ce que donnait le *a* final et que ce timbre particulier l'a protégé contre l'amuïssement au VIIe siècle[1].

2.3.3.2. Les voyelles des syllabes qui *suivent* l'accent (post-toniques) se sont toutes amuïes (position faible) :

vír(i)ḍe > verd (vert).

2.3.3.3. Les voyelles en syllabe *contre-finale* (précédant l'accentuée, prétoniques, position faible) s'amuïssent, sauf *a* qui se maintient sous la forme d'un *e* sourd (« loi » de Darmesteter, cf. 2.3.4.5.) :

dorm(i)tóriu > dortoir,
firmaménte > fermement.

2.3.3.4. Les voyelles *initiales* persistent (position moyennement forte), mais le plus souvent avec des altérations :

maintien : clar(i)táte > clarté,
altération : debére > devoir (passage à *e* sourd).

2.3.3.5. Les voyelles *accentuées libres* se maintiennent, mais avec des altérations, alors que les voyelles accentuées entravées (position forte) restent généralement intactes (cf. 1.4.2. et 2.2.2.7.) :

pá-tre > père,
ás(i)nu > âne.

---

1. Cf. *Revue des Langues romanes*, 1953, pp. 297-303; *Revue de Linguistique romane*, 1956, p. 251; *Travaux de Linguistique romane*, 1964, p. 35.

L'entrave romane dans *as-nu* a empêché le passage a > ε qui eut lieu dans *pa-tre* où *a* est resté libre.

2.3.3.6. Deux voyelles en *hiatus* peuvent se fondre en une seule : pavóne > paon [pɑ̃], ou bien la voyelle accentuée (forte) peut « absorber » la voyelle en hiatus qui précède :

satŭllu > saoul [su].

2.3.4. *Oxytonisme*

2.3.4.1. Le français est oxytonique (= l'accent y est final), parce qu'au cours de leur évolution, les mots se sont réduits : le proparoxyton *árbore* a gardé son accent, mais les deux autres voyelles se sont amuïes, d'où ['aRbR] « arbre ». On peut tracer de nos jours une ligne (isophone) qui sépare à peu près horizontalement la France en deux (selon Tuaillon, elle part du canton de Neuchâtel) : ce n'est qu'au Sud de cette ligne que les langues et dialectes romans ont des mots paroxytons et proparoxytons.

Un phénomène déconcertant se produisit au XIVe et surtout au XVe siècle : alors que les mots se mettent à s'étirer dans l'écriture et que des lettres parasites les allongent démesurément, ils se raccourcissent dans la prononciation !

2.3.4.2. C'est sans doute entre le XIVe et le XVIe siècle que se fait le passage de l'accent de mot à l'accent de groupe. Ce phénomène avait été préparé bien auparavant par l'amuïssement des voyelles finales autres que [a] et la neutralisation de cette voyelle aboutit à [ẹ̥] « sourd », central selon Fouché (comme dans l'allemand *alle*). Palsgrave, professeur de français à la cour d'Henry VIII d'Angleterre, explique qu'il sonnait alors comme un *o*. Pour Sébillet (milieu du XVIe s.) c'était « un son mol et imbécile », mais il se prononçait en toutes positions. Les premiers exemples d'amuïssement en anglo-normand datent du XIIIe s. Cet [ẹ̥] ne disparut en hiatus qu'entre le XIVe et le XVIe siècle (Gougenheim) avec allongement compensatoire. Quelques mots étaient en retard, comme *eage* « âge », trissyllabique selon R. Estienne; mais des graphies comme *gehenne* (gêne), *meur* (mûr) sont archaïques : en prose, le premier *e* de *Jehanne* ne se prononçait pas plus que dans *Jeanne* mais il pouvait se prononcer en poésie. Le passage de [ẹ̥] à [ə] (*e* muet) ne fut achevé qu'au XVIIIe s., et encore, pas en occitan. Cette évolution est toujours en cours. [ẹ̥] avait une valeur fonctionnelle importante puisqu'il marquait le genre, en langue parlée comme en langue écrite. Pour cette raison, il fut retranché dans quelques noms masculins comme *canari*, qui a remplacé *canarie* au début du XVIIIe siècle. Les terminaisons ont influé sur le genre (*limite* devient féminin au XVIIe s.), et les suffixes ont exercé une influence analogique considérable : *pleur* était féminin dans Mathurin Régnier, Malherbe et d'Urfé, comme les noms du type *rougeur*.

2.3.4.3. Ainsi le *e* « sourd » est issu :

1° de *a* final et contrefinal. Il ne se dit plus en finale : vie < vi(t)a. En contrefinale, il s'est généralement maintenu : orphanínu > orphelin, mais il s'est amuï devant une voyelle en hiatus qui suit : imperatóre > anc. fr. emperedor, empereour (empereur), ou s'est absorbé dans la voyelle qui précède :

media nócte > anc. fr. mienuit (minuit);

2° de voyelles en syllabe pré-accentuée :

*quad*r*ifúrcu > car*re*four;

3° de *e* initial libre :

debḗre > devoir;

Les mots d'origine populaire où l'on prononce actuellement [e] à l'initiale ont subi une réfection savante : désert, périr, etc.

4° d'une voyelle latine finale après consonne + *l*, *r*, *j* :

fébre > fièvre   sī́miu > singe;

5° d'une voyelle finale dans les proparoxytons qui n'avaient pas perdu leur pénultième dès le latin :

véndere > vendre;

6° selon Fouché (cf. 3.1.1.), après *r* et *l* finals latins (particulièrement exposés à l'amuïssement et effectivement disparus en italien), un *e* se serait ajouté dès le latin parlé en Gaule du Nord avant la disparition de la pénultième inaccentuée (*Phonétique historique*, p. 654) : lat. class. *sŭ́lfŭr*, ital. *solfo*, lat. vulg. Nord Gaule *sŭ́lfure, fr. soufre. D'autres parlent d'un *e* « d'appui » après les groupes de consonnes qui se formèrent après amuïssement de la voyelle inaccentuée (cf. p. 138, n. 1) :

semp(e)r > anc. fr. sempre(s) « toujours »
int(e)r > entre.

2.3.4.4. Amuïssement des post-accentuées.

Dans les proparoxytons, où la syllabe pénultième est inaccentuée, il y a de bonne heure syncope (Fouché); *a*, *e*, *i*, *u* se sont amuïs après syllabe accentuée :

cál(a)mu > chaume,
cám(ĕ)ra > chambre,
ál(ĭ)na > aune,
másc(ŭ)lu > mâle.

Datation : l'Appendix Probi (liste de fautes à corriger, du ve s.) indique qu'il faut dire *speculum* et non *speclum*, *calida* et non *calda*. C'est d'abord entre consonne + *l*, *r* ou entre *l*, *r* + consonne que cet amuïssement s'est produit. La jointure, en effet, y est particulièrement étroite :

táb(ŭ)la > table,
vír(ĭ)de > verd, vert.

2.3.4.5. « Loi de Darmesteter ».

La contre-finale se comporte par rapport à la contre-tonique (cf. 1.5.7.) comme la finale par rapport à la tonique et disparaît sauf *a* qui se maintient sous la forme d'un *e* sourd. Cette « loi » porte le nom d'Arsène Darmesteter qui la présenta en 1876 dans un article de la *Romania*. Elle est parfois troublée par l'analogie et par des réfections savantes :

firm*a*mente > fermement

(*firmament* a été refait sur le lat. eccl. *firmamentum*.)

ī : rad(i)cína > racine
ĭ : bon(i)táte > bonté
ē : blasph(e)máre > anc. fr. blasmer
ĕ : cer(e)bĕlla > cervelle
ō : dér. de taxō « blaireau » : taxōnāria > taisniere (tanière est une forme dialectale)
ŭ : sim(u)láre > anc. fr. sembler
ū : adj(u)táre > anc. fr. aidier
ō < au : lat. eccl. parabolare > *par(au)láre > parler.

Il en est de même pour les voyelles que des groupes consonantiques empêchent de s'amuïr : suspectione > anc. fr. sospeçon (soupçon). Datation : Période gallo-romaine (IV-Ve s.).

2.3.4.6. Traitement des voyelles initiales.

Elles disparaissent entre deux consonnes dont la seconde est *r* :

dīrectu > dreit, droit,
vērāce > vrai.

a initial libre se maintient :

clar(i)táte > clarté.

Il y a cependant, en hiatus, une tendance soit à l'affaiblissement en [ə] soit à la fusion avec la voyelle qui suit, ou même à la disparition :

matúru > meür > mûr.

ă libre devient [ə] après [k] :

cabállu > cheval.

ĭ, *ē*, libres, s'affaiblissent très tôt en [ə] (selon Fouché, peut-être au xe s.) :

pĭláre > peler,
dēbēre > devoir.

ē est devenu [a] devant sonante, mais il y a des hésitations :

per térra > parterre,

mais

permittere > permettre

(cf. le couple fenaison/faner).

Fouché explique l'évolution de

*bilancia > balancia > balance,
tripáliu > *trapaliu > travail, etc.

par une dilation (assimilation régressive à distance)

e-á > a-á (époque mérovingienne).

En hiatus devant voyelle, le *e* s'affaiblit en [ẹ̥] puis disparaît :

vĭdíst(i) > [vẹ̥is] > vis.

2.3.4.7. L'amuïssement de voyelles *finales* paraît se produire dans les mêmes conditions; *a* passe aussi à [ẹ̥] quelle que soit sa quantité : porta > porte.
Mais on a (après les diphtongaisons, que cela n'entrave jamais) :

her(i) > hier,
nāv(e) > nef,
perd(o) > anc. fr. pert.

Ce fut probablement dès la fin du VIIe s. qu'on a dit [mae͜n] pour *manu*. Quand *ĭ* ou *ŭ* étaient second élément de diphtongue, ils ne s'amuïssaient pas en anc. fr. :

déu > anc. fr. deu > dieu,
pótui > anc. fr. poi « je pus » (de pouvoir).

Ces amuïssements antérieurs à l'anc. fr. et avalisés par l'orthographe *(mur* issu de *muru)* doivent être distingués des amuïssements du fr. mod. où on a un *e* muet conservé dans l'orthographe :

baum(e) issu de anc. fr. balme (2 syll.) < balsamu.

2.3.5. *Changements d'aperture : ouverture et fermeture des voyelles*

Nous avons vu que les oppositions d'aperture jouent un rôle distinctif important. Voici comment elles se sont constituées :

2.3.5.1. Ouverture : e > ɛ dans les positions suivantes :

— accentué entravé : deb(i)ta > dette

-ittu > -et (suffixe masculin),
-itta > -ette (suffixe féminin) (vers le XIIe s.).

— accentué + [ɲ] :

dignat > anc. fr. deigne, fr. mod. daigne

— accentué libre + nasale articulée :

plḗna > pleine

— initial + [ɲ, λ] :

melióre (avec [e]) > meilleur (avec [ɛ]).

2.3.5.2. Ouverture : o > ɔ dans les positions suivantes :

— accentué ou initiale libres + nasale articulée :

donáre > doner, donner,

— accentué ou initiale + [ɲ] :

cuneáta > cognée.

2.3.5.3. Passage de ɛ à a.

Entre le XIIIe et le XVIe s. (Fouché, Bourciez), [r] apical est passé en certaines positions à [R] dorsal. On comprend mieux le phénomène si on s'imagine la langue qui bascule en se gonflant vers l'arrière, d'où accroissement de l'aperture du *e* qui précède (agrandissement du résonateur) :

ɛ > æ > a.

Dès le XIIIe s., Rutebeuf fait rimer *large* et *sarge* (serge < serica); le phénomène se répand surtout au XVIe s. : le peuple de Paris disait « Piarre pour Pierre, guarre pour guerre, Place Maubart pour Place Maubert » (H. Estienne, 1582). Les grammairiens influencés par les graphies réussirent à contrarier la tendance en s'appuyant, écrit Mme Borodina, sur la tendance française vers une articulation antérieure et fermée. On trouve cependant des traces de cette prononciation plus tard, chez les paysans de Molière : *parsonne*, *libarté*, et en français moderne dans quelques mots comme *écharpe* (anc. fr. *écherpe*). Signalons aussi des fausses régressions comme *cercueil*, issu de anc. fr. *sarkeu* < sarkŏphagos, qui aurait dû garder son *a*, de même que *gerbe* < anc. fr. *jarbe* < germ. garba. Mais on a réagi en disant *e* là où il y avait normalement un *a*.

2.3.5.4. Fermeture en [u].

Les [u:] du latin étaient passés à [y], alors que, nous l'avons dit, les [ŭ] se sont confondus avec *o*. Voici l'origine des [u] du français :

1° lat. ō, ŭ et ŏ accentués entravés > anc. fr. [o] > u :

tōtu > tōttu > anc. fr. tot > tout,
co(h)orte > cort > cour.

2° ō (ŭ) + kl > u également :

fenŭc(u)lu > fenouil.

3° ŏ initial (non accentué, libre ou entravé) > [u] (XIe s.) :

lat. class. cŭbáre > lat. vulg. *cováre > couver,
lat. vulg. *cōrté(n)se > courtois.

4° ŏ + l + consonne > u :

ultra > oltre > outre.

5° au non accentué > o (monophtongaison) > u :

laudare > loer > louer.

Quand une forme populaire et une forme savante étaient en concurrence, il y eut maintes hésitations et régressions du fait de la restauration par Erasme de la prononciation latine.

Au milieu du XVIe s., des discussions ont opposé les « ouïstes » (cf. 2.4.5.) qui disaient *souleil*, *froument*, et les « non-ouïstes » qui disaient *soleil*, *froment*. Finalement, on a dit *rosée* et non *rousée*, *portrait* et non *pourtrait*. Mais ceci ne vaut pas pour les mots savants.

2.3.5.5. Fermeture en [ø] après disparition de la consonne finale : *eu*, *ue* > [ø] (XVIe-XVIIe s.) :

en syllabe entravée (fermée) > [œ] : veuf, leur,
en syllabe libre (ouverte) > [ø] : peux, nœud.

2.3.5.6. Fermeture en [o].
ɔ + s (qui s'amuït) > [o] :

costa > ['kɔsta] > côte.

2.3.5.7. k et g + [e] accentué libre : il y a eu palatalisation et dégagement d'un yod > i sans diphtongaison (Bourciez), et, d'après Fouché, une triphtongue [iɛi] : mercḗde > merci.

2.3.6. *Diphtongaison*

On distingue généralement :

— un processus de diphtongaison que le français partage avec d'autres langues romanes, comme celui qui affecte *ĕ́* et *ŏ́* latins :

nóve > nuef > neuf (it. *nuove*, esp. *nuevo*).

— un processus particulier au français comme celui qui affecte *ē*, *ō* latins :

tḗla > teile, toile.

2.3.6.1. On ne confondra pas ces processus :

1° avec la *diphtonçue par coalescence* (lat. *coalescere* « se fondre ») : la voyelle ne se segmente pas, mais au contraire elle s'unit à un son voisin :

> [au̯be] > aube (résulte de la vocalisation de [ł]).
> a + j > ai > ɛi (début XIIe s.) > ɛ (XIIe-XVIIe s.) : fácĕre > faire.
> au + j > o̯i puis wa : gaudia > joie.
> ē + j > e̯i > o̯i puis wa : tḗctu > toit.
> ū + j > y͡i : fructus > fruit.
> ō + j > o̯i puis wa : vṓce > voiz, voix.

2° ni avec la *diphtongaison conditionnée*, segmentation de la voyelle provoquée par la présence dans son entourage de certains sons, particulièrement d'un yod d'origine diverse :

> j + a > ie : cáru > anc. fr. chier > fr. mod. cher.
> j + a + j > ī : jácet > *dʒjajet > gît.
> ŏ + j > u͡ɔi > ui : nŏcte > *nuoit > nuit.
> ĕ + j > i͡ɛi > i : pĕ́jor > *pieior > pire.
> j + ē > i : pāgḗ(n)se > païs, pays.

Pour Fouché, dans négat > ['nɛjɛt] > ['njɛjɛt] > nie (subj. de *nier*), il y a deux phénomènes à distinguer : la coalescence e + j créant une diphtongue et, à l'intérieur de celle-ci, la diphtongaison conditionnée de [ɛ] en [i̯ɛ] qui change la diphtongue en triphtongue.

La diphtongaison de [ɛ] en [ɛa] fut conditionnée par un [w] subséquent dans [ɛwe] « eau » > [ɛawe], d'où *eau*, encore triphtongue au début du XVIe s.

3° ni avec le fait que la triphtongue i̯e͡u (deus > dieu) est devenue diphtongue au XIIe s.

Tous ces sons complexes se sont monophtongués, comme ceux dont il va maintenant être question.

2.3.6.2. Causes de la diphtongaison proprement dite.

Quand *e* et *o* accentués sont entravés, ils ne subissent que peu de changements :

> — ouverture : dé(bi)ta > dette,
> — fermeture : *bórba > bourbe.

ou se maintiennent : terra > terre. Le processus de diphtongaison proprement dite n'affecte que les voyelles accentuées libres (sauf dans certains dialectes). L'opinion la plus fréquemment avancée est que la diphtongaison des voyelles latines brèves *e* et *o* sous l'accent serait due à un allongement de la syllabe survenu en syllabe ouverte et, dans certaines langues comme l'espagnol, étendu à toutes les positions. Des romanistes ont voulu y voir un rapport avec la palatalisation (Burger : influence de [i] ou [y]), ou avec la dilation (F. Schürr, *La diphtongaison romane*, 1970); quelques-uns considèrent que ces phénomènes sont les causes mêmes de la diphtongaison. G. Paris, W. Von Wartburg, A. Dauzat attribuaient le phénomène au très fort accent du francique et Ch. Bruneau à la confusion des timbres résultant du bilinguisme roman-français. Saverda de Grave et Verrier l'attribuaient à l'accentuation d'un segment initial des langues latines. P. Spore[1] présente une nouvelle théorie selon laquelle tout [ĕ] et [ŏ], quelle que soit sa position, aurait subi une « semi-diphtongaison » dans les langues de la Romania occidentale. Sans l'influence d'un élément extérieur, cette semi-diphtongaison mène soit à une re-monophtongaison générale (portugais), soit à la diphtongaison complète (espagnol). Si le résultat est double en français, c'est principalement dû à un affaiblissement de la syllabe finale.

On a certainement avantage à replacer dans un ensemble les faits particuliers au français. Les diphtongaisons de l'allemand ou de l'anglais présentent à la fois des points communs et des différences : ainsi ĕ > ie et ŏ > uo dans le Sud-Ouest de la Teuthonia. Il est probable que des strats (surtout le superstrat germanique) ont pu contribuer à accélérer les diphtongaisons, même s'ils n'en sont pas la cause.

Le parallélisme du traitement de ē et ō peut être aussi l'indice d'un fait de structure. Haudricourt et Juilland (1949) ont proposé une explication phonologique : a > a͜e et au > a͜o, puis les voyelles des séries [e, ɛ, a͜e] et [o, ɔ, a͜o] n'étant pas assez différenciées, une diphtongaison se produit par réaction. Corbett (1971) fait appel à la phonologie générative. L. Romeo (1968) étudie l'économie de la diphtongaison romane dans son ensemble selon les mêmes perspectives.

Il faudrait appuyer ces raisonnements sur de solides bases articulatoires. Pour Fouché, il y aurait eu à l'origine un relâchement de la tension musculaire dans la partie finale, puis une dissimilation. Mais on n'a pas encore pu étudier scientifiquement comment joue la tension musculaire. L'explication la plus convaincante, parce que la mieux appuyée instrumentalement, est celle de Séguy et de Straka. Il restera à montrer comment cela s'est « phonologisé ». Pour G. Straka, il faut distinguer la vraie diphtongaison et l'apparition d'un son additionnel entre consonne et voyelle.

1° La *vraie diphtongaison* s'explique physiologiquement par « l'inaptitude à tenir les organes en place pendant l'articulation d'une voyelle longue, à lui garder le même degré d'aperture — parfois le même lieu d'articulation — pendant toute sa tenue. Or les organes, après avoir occupé pour la partie principale de la voyelle la position requise, peuvent s'ouvrir (sous l'action des muscles abaisseurs) vers la fin d'une articulation longue et augmenter ainsi l'aperture de sa position finale; ou bien ils

1. *La diphtongaison romane*, Etudes romanes de l'Université d'Odense (Danemark), vol. 1, 1972.

peuvent se resserrer davantage et diminuer l'aperture du segment »[1]. On a donc :

ɛ: > ɛa; ɔ: > ɔa,
e: > eẹ (ei); o: > oọ (ou) (fig. 22).

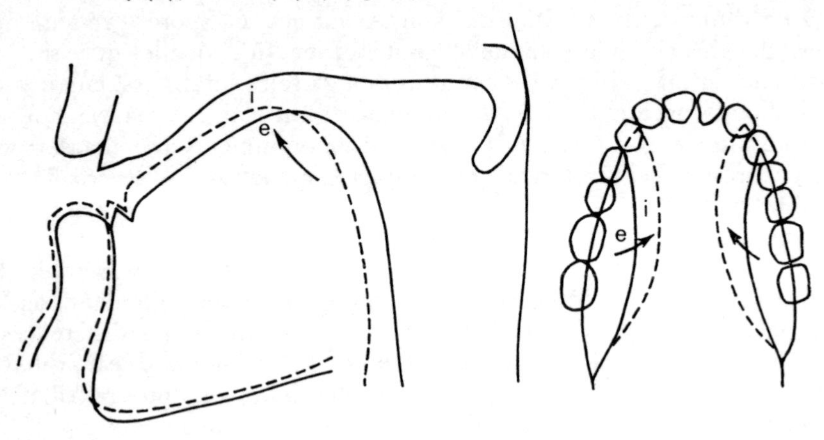

Diphtongaison de ḗ libre

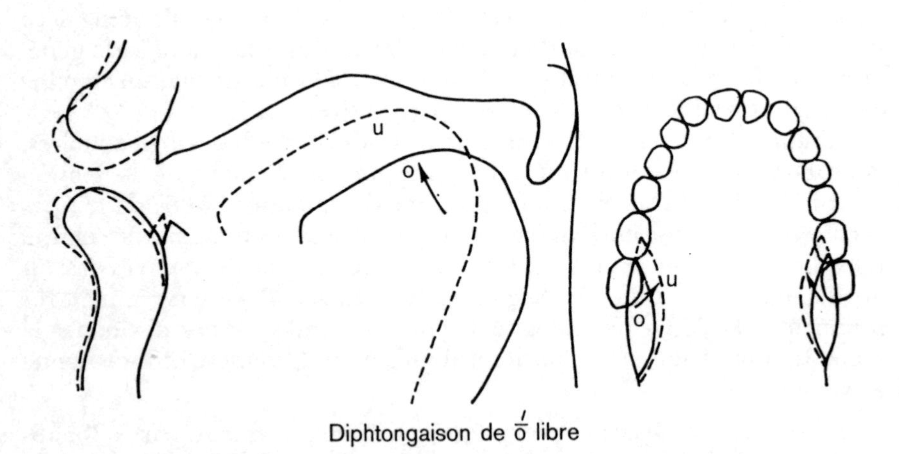

Diphtongaison de ṓ libre

FIG. 22. — Diphtongaison de ḗ libre et ṓ libre.
(Straka, *Album phonétique*, pl. 41.)

L'ouverte tend à s'ouvrir encore plus en finale, la fermée à se fermer davantage; ces tendances opposées s'aperçoivent nettement sur les films radiologiques quand la voyelle est tenue.

---

1. *Durée et timbre vocalique*, pp. 294-299.

2° *Apparition d'un son additionnel*

Comme l'ont montré Rousselot[1] et Séguy[2], la durée et l'intensité de l'articulation vocalique en syllabe accentuée peuvent être telles que la position de la voyelle empiète par anticipation sur l'articulation de la consonne : on peut entendre [pu̯ɔR] au lieu de [pɔR] si l'ouverture des lèvres vient à être ralentie. L'énergie ferme la consonne et ouvre la voyelle : c'est pourquoi un son de passage peut devenir audible. « La diphtongaison des [ɛ] et [ɔ] est le résultat de l'apparition d'un son additionnel au passage d'une consonne énergique à une voyelle intense. La tendance à ouvrir dans leur portion finale les voyelles ouvertes allongées a dû agir dans le même sens, mais seulement en second lieu. »[3]

2.3.6.3. Première diphtongaison.

C'est celle de *ĕ* et *ŏ* (ouverts) libres qui, selon Straka, remonte au IIIe ou IVe s. Mais pour W. Von Wartburg, ce phénomène est lié aux invasions germaniques et à la diphtongaison de a > a͜e̯ et ne remonte pas au-delà du Ve s. :

ɛ > eɛ > ie : péde > pié (pied),
ɔ > oɔ > uɔ > ye : bóve > buef (bœuf),
cor > cuer (cœur).

Elle affecte aussi des mots germaniques :

*faldistôl > anc. fr. faldestuel (VIe s.) > fauteuil.

La diphtongaison s'est produite aussi quand on avait ĕ + n̮ ou ŏ + l̮ :

Compendia > Compiègne,
folia > fueille > feuille.

Il y a discussion pour savoir si les diphtongues de l'anc. fr. étaient décroissantes (c.-à-d. le premier élément plus proéminent que le deuxième). Des formes comme *lie* [lieə̯] < laeta (faire chère lie) et les monophtongaisons dialectales du Nord et de l'Est : [pie̯] > [pi] semblent établir qu'il a existé des diphtongues décroissantes. Pour les monophtongaisons ultérieures (réductions), cf. 2.3.6.7.

2.3.6.4. *ĕ* accentué entravé se diphtongue régulièrement en wallon, à Lille, dans le Hainaut (fiête = fête, cf. esp. *fiesta*), et sporadiquement en Bourgogne, Calvados, Savoie, etc.

Quelques mots du français actuel présentent ce traitement : il y a

1. *Principes de phonétique expérimentale*, p. 937.
2. *A propos de la diphtongaison du e et o ouverts*, p. 307.
3. Straka, *Durée et timbre vocalique*, p. 299.

diphtongaison devant une consonne implosive suivie d'une mi-occlusive palatalisée [ŝ̯] :

lat. tertiu > tier(s),
gaul. *pettia > pièce.

Pour *o* accentué entravé, il n'y a guère d'exemples qu'en wallon et en lorrain septentrional : cuorde = corde.

2.3.6.5. Seconde diphtongaison.

C'est celle de *ẹ́* et *ọ́* (fermés) accentués libres :

1° [e:] > [eẹ] (VIe s.) > [ei̯] puis :

a) [ɛ] entre Seine et Loire, écrit *ai* :

monḗta > monnaie

b) [oi̯] ailleurs, écrit *oi*, et prononcé majoritairement [wɛ], minoritairement [wa] :

tḗla > toile, mḗ > moi.

Rabelais écrit *tirouer* « tiroir », et [wa] était jugé par Théodore de Bèze (1519-1608) « prononciation très corrompue ». La prononciation minoritaire finit par l'emporter pour des raisons de mode : on se moqua des émigrés à leur retour après la Révolution parce qu'ils disaient [mwɛ] et non [mwa].

Tout porte à croire que le résultat du *e* long accentué libre pouvait être à Paris, au XIe-XIIIe s., suivant les locuteurs : *ei*, *oi*, *wa*, ou [ɛ] pour certains mots. C'est ce qui explique les couples roide/raide, François/Français, Benoît/benêt, chinois/japonais, Langlois/Anglais, etc.

2° [o:] > [oọ] > [ou̯], plus tard parfois *eu* :

flṓre > flour > fleur,
amṓre > amour.

Jusqu'au XIIe s., on a [ou̯] < ō (écrit *ou*, *o*, *u*). Ensuite [ou̯] et [eu̯] (fin du XIIe s.), d'abord au Nord puis dans le Centre. Enfin [eu̯] > [œ], [ø] (peut-être début du XIIIe s.). Le mot *amour* représente la forme la plus répandue, celle de la littérature courtoise.

Voici quatre mots clefs qui résument ces deux importantes évolutions (notation des romanistes) :

brèves	bǫ́v(e) > buef > bœuf	pę́d(e) > pie(d)
longues	flọ́r(e) > flour > fleur	tẹ́la > teile̥ > toile

2.3.6.6. Triphtongues.

Nous avons donc

1° des « fausses triphtongues » qui sont en réalité j + diphtongues;

2° des triphtongues à dernier élément *vélaire* :

[i͜ɛu] issu de la segmentation de [ɛ] dans la diphtongue [ɛu] : dĕu > dieu, ou de la coalescence de [i͜e] avec un [u̯] :

lat. graecu > anc. fr. grieu (grec).

[uɔu̯] issu de la coalescence de [uɔ] avec [u̯] et affectant en particulier les produits de lŏ́cu > lieu, jŏ́cu > jeu, fŏ́cu > feu; sarcŏ́phagu > anc. fr. sarkeu « cercueil » :

jŏcu > ['dʒuɔwo] > [dʒuɔu̯] > [dʒuɛu̯] > [dʒɥeu̯), jeu

[eau̯] (2.3.6.1. et 2.3.9.1.), très répandu, issu de la segmentation de [ɛ] dans [ɛu̯] : capéllus > anc. fr. chapeaus. Il y a eu, selon Fouché (p. 336), « déplacement de l'accent sur l'élément le plus audible » :

[éau̯] > [ɛáu̯]

(début du XIIe s.);

3° des triphtongues à dernier élément *palatal* :

[uɔi̯] provenant de la segmentation de [ɔ] dans la diphtongue [ɔi̯] (cf. 2.3.6.1. et 2.3.5.4.) :

ŏ́cŭlu > [uɔλo] > [uɛλ] > [ɥøλ] > œil

[iɛi̯] dont le traitement est à peu près parallèle au précédent (2.3.5.7.).

[aɔi̯] > [ɔi̯] :

gaudia > joie

(cf. 2.7.3.).

2.3.6.7. Evolutions dialectales.

Nous n'avons présenté dans ce chapitre que les évolutions types du français « littéraire ». Des évolutions différentes ont eu lieu selon les régions. Ainsi, les diphtongaisons conditionnées par yod, du type léctu > lit ou nócte > nuit, ne concernent que l'Orléanais, l'Ile-de-France, la Champagne, la Picardie et le Hainaut. Mais le wallon p. ex. présente *leit* « lit », *noit* « nuit ». Le passage ei̯ > oi̯ (XIIe s.) a pu être d'origine dialectale (Nord et Est). Contrairement à ce qu'on enseigne encore parfois, la forme *biau* n'est pas seulement picarde ou dialectale; elle est aussi bien parisienne, mais *beau* lui a été préféré (Fouché, p. 336). Pour tous ces problèmes, consulter Chaurand, *Introduction à la dialectologie française*.

Ces faits sont très complexes. Parmi les voyelles diphtonguées en syllabe accentuée libre qu'on entend dans de nombreux parlers régionaux, certaines semblent continuer des voyelles longues (fém. en *-ée*, en

Bourgogne, Savoie, Lorraine, Wallonie, etc.); d'autres, des diphtongues de coalescence (a + j : [maȇ̯] « mai », Forez). Il y a aussi des diphtongues héréditaires ([a͜otr] « autre ») distinctes des diphtongaisons spontanées récentes ([abrik͜ɔa] « abricot »[1]). Dans le Nord, nous avons trouvé à la fois des « vraies » diphtongues [tȇ̯ɛt] « tête » et des « fausses diphtongues » [kapȇ̯ɔ] « chapeau ». En français canadien, on a [tɛȋ̯t] « tête » qui renvoie à d'anciennes oppositions de quantité (tête/tette).

2.3.6.8. Les voyelles diphtonguées tendent à se *monophtonguer* aux XIIe et XIIIe s. : anc. fr. cuer > [kœr]. On a tenté d'expliquer cela par un changement dans la nature de l'accent, par la fin d'une influence germanique, etc. Il est plus probable que les risques de confusion, dus à un trop grand nombre de phonèmes vocaliques, ont amené à rechercher un meilleur équilibre du système vocalique. L'anc. fr. « classique » (XIIe s., Ile-de-France) comptait plus de diphtongues et de triphtongues que de monophtongues (cf. 2.4.2. et 1.1.3.10.).

1° De bonne heure, sans doute par suite d'un déplacement de la proéminence du premier segment sur le deuxième, la diphtongue [i͜e] est devenue [je]. Elle ne s'est monophtonguée que dans le Nord, le Nord-Est et l'Est (*pi* « pied »).

2° La diphtongue issue de [u͜o] s'est monophtonguée aux XIIe et XIIIe s. En anc. fr., les graphies sont *ue* (*cuer*, *nuef* : trace de l'antériorisation du XIe s.) et *eu* (rare). En fr. mod. les sons issus de cette diphtongue s'écrivent *eu*, *œu*.

3° [a͜u] s'est monophtongué en [ɔ] : auru > or. Ce passage eut lieu *après* la palatalisation de k + a, puisque celle-ci s'est produite dans *chose* < causa, mais avant la vocalisation du *l* puisque a͜u < a + l ne s'est réduite que beaucoup plus tard.

2.3.6.9. Evolution du *a* accentué libre.

Elle a affecté de très nombreux mots, entre autres les infinitifs et les participes passés des verbes du premier groupe (*aimer*, *chanté*). Pour l'expliquer, il y a deux théories en présence :

1° *l'antériorisation* (2.3.8) : a > [e:] ou [æ] (comme dans angl. *cat*). Ce serait un passage direct (Meyer-Lübke). En Gaule du nord, cet *a* qui devait être moyen en lat. vulg. serait devenu plus antérieur, comme celui du parisien populaire dans [pæRi] Paris.

2° *la diphtongaison* : a > [a͜e] > [ɛ], [e] (Straka, Bourciez, Fouché, etc.). Dans la *Séquence de Sainte Eulalie* (env. 880), on a la graphie *maent* < man(e)nt. Ce processus, qui est généralement admis aujourd'hui, est

---

1. Mgr Gardette, *Géographie phonétique du Forez*, p. 213.

le plus plausible (cf. Fouché, pp. 227-228)[1], mais les résultats obtenus diffèrent de celui des diphtongaisons évoquées ci-dessus.

Quelle que soit l'origine de cette évolution, on n'a plus de diphtongue, mais un E en anc. fr. Ici encore, deux théories : pour Fouché et Straka, c'est un [e:]; pour plusieurs phonéticiens étrangers, c'est un [æ] comme dans l'angl. *cat*, plus antérieur que [a] et plus ouvert que [ɛ]. La voyelle résultante n'assonne qu'avec elle-même dans *La Chanson de Roland*; elle n'assonne pas avec [e] < ĕ (cĕrvu > cerf) ni avec le produit de ē, ĭ entravé. C'est pourquoi elle avait probablement en anc. fr. un timbre distinct de [e] et de [ɛ]. L'aboutissement en fr. mod. est un [e] en syllabe libre (ouverte) et [ɛ] en syllabe entravée (fermée) :

cantáre > [kanta͜ɛre̥] > chanter,
máre > [ma͜ɛre̥] > mer,
mátre > [ma͜ɛre̥] > mère.

En occitan, *a* long libre reste généralement intact : cf. *portar* en face de *porter* (lat. *portare*).

Ce passage n'a pas eu lieu devant nasale, ni après *k* ou *g* palatal. Dans cabállu > cheval, *a* se maintient parce qu'il est entravé. Les mots savants (2.1.4.) sont exempts de ce phénomène : cásu > cas, cáva > cave, etc.

Depuis la diphtongaison [ɛ] > [iɛ], il n'y avait plus de [ɛ] libres en gallo-roman septentrional.

Datation : pour Fouché, début du VIIe; pour Wartburg, Richter et Straka, dès le VIe s.

2.3.7. *Nasalisation des voyelles*

On conteste aujourd'hui que des voyelles nasales à valeur distinctive aient existé dès l'anc. fr. Les voyelles nasalisées étaient-elles plus fermées que celles du fr. mod. ? De toute façon, une différence d'aperture ne suffit ni phonologiquement ni phonétiquement pour expliquer la nasalisation en français. Il n'est pas du tout certain que *o* nasalisé ait été proche de *u* nasalisé comme le pensait G. Paris d'après les assonances. On doit considérer les assonances comme de simples témoignages sur l'apparition des variantes combinatoires nasalisées de chaque voyelle. Si aujourd'hui une nasale accentuée suivie de consonne est longue, ex. : *grande* [gRɑ̃:d], c'est par suite de la disparition de l'appendice nasal de [grɑ̃^{n}də] (allongement compensatoire). Ce phénomène ne s'est achevé qu'au XVIIe siècle en français non méridional.

---

1. La différence de traitement entre *a* libre et *a* entravé serait inexplicable s'il y avait seulement antériorisation.

2.3.7.1. Processus physiologique.

C'est une assimilation : si l'abaissement du voile continue alors que commence la voyelle suivante, il y a *retard* de nasalisation. Ex. : [amĩ] pour « ami » en patois messin. Si l'abaissement du voile commence trop tôt, il y a *anticipation* de nasalité : plēnu > plein. Ce dernier cas est le plus fréquent en français.

Pourquoi les voyelles de moindre aperture, *i*, *y*, *u* se sont-elles nasalisées plus tard, très peu ou pas du tout ? On a fourni une réponse de type *physiologique* : l'abaissement du voile du palais se ferait plus difficilement pour [y] que pour [ɑ], voyelle très ouverte. La position basse de la langue favorise une nette ouverture du voile du palais.

Ont été avancés aussi des arguments *acoustiques* : l'identification des voyelles nasalisées les plus fermées serait moins facile que celle des voyelles les plus ouvertes : la plus grande partie de l'air sort alors par le nez puisque le canal buccal est resserré. Cependant des expériences de perception[1] ont montré que [ĩ] est aussi bien, sinon mieux, perçu que [ã] ou [ẽ], ce qui corrobore l'avis de ceux qui estiment qu'il y a d'autant plus de nasalisation qu'il y a plus de fermeture.

Les voyelles nasalisées avaient probablement des cavités pharyngales fort inégales : pour [ĩ, ỹ, ũ] la cavité d'arrière devait être fort grande, pour [ã] très petite. P. Delattre pense que ce n'est pas essentiellement une ouverture qui a produit la *nasalité*, mais un *ajustement du volume pharyngal* susceptible de favoriser au mieux le pouvoir distinctif de la nasalité. Au contraire la simple *nasalisation* ne comporte pas cet ajustement, mais un léger abaissement du voile du palais : la prononciation bruxelloise de *même* [mɛ̃m] donne une impression de nasalité moins forte que celle de *main*. Dans *même*, c'est une voyelle nasalisée, dans *main*, c'est une voyelle nasale (cf. 1.2.2.4.). La figure 12 permet de saisir l'argumentation acoustico-auditive. Une anti-résonance due à une action en retour est située de telle façon, quand il y a nasalité, que le spectre est perturbé.

2.3.7.2. D'autres facteurs ont sans doute joué. Pourquoi les sept voyelles et les quatre diphtongues nasales du portugais n'ont-elles pas évolué comme celles du français ? Selon J. M. Barbosa (1965), elles n'ont pas un statut de phonème en portugais moderne. Cette langue a conservé sa tendance à la syllabation fermée : elle n'a donc pas perdu ses consonnes nasales implosives. Au contraire, en moy. fr., la tendance à la syllabation fermée (entravée) a fait place à une forte tendance à finir les syllabes par une voyelle. D'où la disparition complète des

1. House et Stevens, Analog Studies of the Nasalisation of Vowels, *J.S.H.D.*, 21, 1956, pp. 218-232.

consonnes nasales implosives subséquentes, ce qui a donné aux voyelles la possibilité d'évoluer vers des positions articulatoires plus favorables à la distinction phonologique nasale/orale.

2.3.7.3. On admet généralement que les voyelles nasales ne se sont phonologisées qu'à la fin du moy. fr. La première mention nette et précise de l'existence de véritables *phonèmes* vocaliques nasaux, c.-à-d. de voyelles nasales non suivies d'un segment consonantique, date des *Opuscules* de Dangeau, à la fin du XVIIe s. C'est dès le XVIe s. que commence à s'élaborer un système qui permet aux voyelles nasales de jouer le rôle qu'elles ont aujourd'hui dans le vocalisme français. Pourtant Palsgrave, « natif de Londres et gradué de Paris », enseigne en 1530 qu'il faut prononcer *mien* exactement comme *mienne*. Il est bien possible que notre voyelle [ɑ̃] ait existé 500 ans avant d'avoir un statut phonologique ! L'évolution[1] de bon/bonne serait :

pré-roman :	masc.	/bɔn/	[bɔn]
	fém.	/bɔne̥/	[bɔne̥]
anc. fr. :	masc.	/bɔn/	[bɔ̃n]
	fém.	/bɔne̥/	[bɔ̃ne̥]
fr. mod. :	masc.	/bɔ̃/	[bɔ̃]
	fém.	/bɔn/	[bɔn]

Il faut donc soigneusement distinguer phonème et réalisation (voyelle nasalisée). L'opposition nasale/orale n'est devenue phonologique que quand la disparition du *e* muet final a rendu distinctive la disparition de *n*.

2.3.7.4. Grâce aux assonances, aux rimes médiévales et au témoignage des grammairiens, on peut discerner trois séries de nasalisations.

1re *nasalisation :* celle de *a*, *e*.

a) a + n, m, ɲ était déjà nasalisé en très ancien français puisque des laisses de la *Chanson de Roland* se terminent uniquement par des mots en *an* alors que d'autres n'ont que *a* mais pas *an*. L'anglo-normand dut nasaliser dès le XIe s. comme semble le prouver la graphie de l'anglais *aunt* « tante » issu du lat. *amĭta* (sans doute [ãwt]). Les emprunts postérieurs de l'anglais ne furent plus nasalisés : *absent* ['æbsənt].

b) a libre accentué + n, m, ɲ se diphtongue et plus tard se nasalise > [ãj] : mánu > main; companio > compain, copain; sous l'influence fermante de [j], [a] s'est fermé en [e]. Au XIIe s., [plẽjn] est la prononciation commune de *plain* (*planu* : cf. *plain chant*) et de *plein (plēnu)*. On

1. A. Martinet, dans *La Linguistique*, 1965, 2, pp. 117-122, donne l'exemple de *paysan/paysanne*, mais l'anc. fr. dit : *païsant/païsante* et *païsande*; *paysanne* n'apparaît guère qu'au XVIe s. Il n'y a d'opposition ã/an en anc. fr. que dans les emprunts savants comme *plan/plane*.

observera que la nasalisation vient *après* la diphtongaison. La diphtongue nasale [ɛ̃j] devient ensuite [ɛ̃].

c) j + a + nasale > [jɛ̃] : cáne > [tʃjɛn], [tʃjɛ̃n] chien.

d) e + n + consonne > [ã]. Déjà dans la *Chanson de Roland*, *an* assonne avec *en* : ventu > [vãnt] « vent » qui évolue comme [ã] ; fĕmina > [fãmẹ] « femme » qui évolue comme *année.*

Le passage de ẽ > ã est ancien. Certaines régions picardes ont gardé [ɛ̃] : [fɛ̃m] « femme », [vɛ̃] « vent » et n'ont pas [fam], [vã].

e) ĕ accentué libre + consonne nasale > [ẽ] :

long : plḗnu [pléno] > [plɛ̃jn] > [plɛ̃] plein,
bref : sígnu [sejɲo] > [sɛ̃jn] > [sɛ̃] seing.

2.3.7.5.
2ᵉ *nasalisation :* celle de *o* principalement.
Datation : XIIᵉ siècle.

a) *o* + nasale aboutit normalement à une forme différente sous l'accent et hors l'accent. Pour Fouché, il y a eu en syllabe accentuée une diphtongaison normale devant nasale :

cŏ́mes > cuens (comte, au cas sujet),
bŏ́nu > buen (bon).

Cette dernière forme a disparu assez vite, sauf dans certaines régions (Somme, Lorraine, etc.) ; c'est à cause de son emploi proclitique qu'on a eu [bõn].

La plupart des romanistes pensent que la nasale a *fermé* [ɔ] avant l'époque de la diphtongaison. Celle-ci a été empêchée par une action fermante de la nasale. Le traitement de [ɔ] + nasale est le même que pour [o] + nasale.

b) devant [ɲ] suivi de [ẹ] :

verecundia > [vɛrgõɲ] vergogne.

c) la diphtongue nasale [o] + [ɲ] > [wɛ̃] (XIIIᵉ s.) :

cŭ́neu > [koɲo] > [kõjn] > [kwɛ̃n] coin

d) e + n > [jɛ̃] :

bĕne > [bjɛn] > [bjɛ̃n] > [bjɛ̃] bien.

[jɑ̃] s'est dit aux XVᵉ-XVIᵉ s. : *mian* « mien » ; cf. aussi le suffixe savant *-éen (Européen).*

2.3.7.6.
3ᵉ *nasalisation :* celle de *i, ü.*
[i], [y] + consonne nasale :

vīnu > [vĩn] > [vɛ̃].

Le mot *vin-aigre* porte témoignage de la dénasalisation de [ĩ] en liaison.

ūnu > [ỹn] > [œ̃] un.

Il y a désaccord sur la date, sauf pour dire que celle-ci a suivi les autres. Nyrop, Straka et Fouché la placent fin XIIIe-début XIVe. On trouve *plin* pour *plein* à la fin du XIIIe s. Le Picard Bovelle (1563) dit qu'à Paris on prononce *pin* au lieu de *pain*. Lanoue (1596) oppose *devin* à *ravir*, *importun* à *dur*. En 1700, Gile Vaudelin note la nasale de *Prince* et d'*écrivain* par le même signe.

2.3.7.7. Dénasalisation.

Quand la voyelle nasalisée était suivie d'une consonne nasale qui s'articulait, elle perdait son timbre nasal, le voile du palais se relevant plus tôt. Déjà au XVe s. [ỹnẹ̥] < una s'est dénasalisé > [ynẹ̥], [põmẹ̥] > [pomẹ̥], [fam] et non plus [fãm] et encore moins [fɛ̃m], ce que continue à noter la graphie *femme*. Aux XVIe-XVIIe s., le phénomène s'est étendu : année > [ãne] > [ane].

L'humaniste Ramus (La Ramée) écrivait p. ex. *gramère* « grammaire » (1562). Dans *Les femmes savantes* (1671), le servante Martine se moque de la « savante » Bélise qui, par archaïsme, nasalise encore ce mot [grãmɛːr]. Il y eut longtemps des hésitations, et de nos jours certaines personnes, surtout dans le Midi, disent comme jadis [ãne] pour *année*. D'autres personnes, en revanche, dénasalisent en liaison *mon enfant* [mɔnãfã], alors que la dénasalisation à la jointure externe n'affecte plus que quelques mots en fr. contemporain : *bon*, *moyen*, *vilain*, *certain*, *plein*.

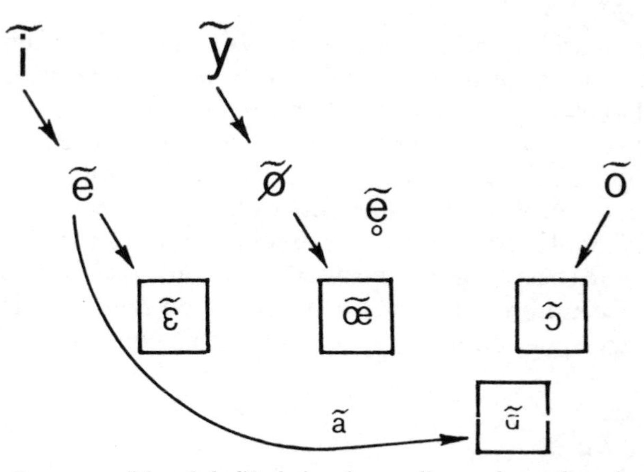

FIG. 23. — Résumé de l'évolution des voyelles nasales en français.

Telle est l'évolution des voyelles qui se sont nasalisées, selon leur lieu articulatoire, d'après G. Straka. Les phonèmes du français moderne sont encadrés pour les distinguer des voyelles nasalisées disparues.

2.3.8. *Antériorisation vocalique*

Des phonéticiens invoquent la palatalisation pour désigner le passage u > [y] et máre > mer. Il vaut mieux parler d'avancée articulatoire pour le premier et de diphtongaison pour le second. Nous avons déjà précisé qu'il vaut mieux réserver le terme de palatalisation au sens restreint du mot (2.2.7.).

Tout *ū* latin (accentué ou non) devient [y] :

cū́pa > cuve natū́ra > nature.

Les avis sont partagés sur l'origine de cette transformation. Notons qu'un phénomène analogue caractérise l'alsacien et le badois :

[gÿt] et non [gut] « bon ».

Pour Fouché, le timbre de [u] gallo-romain était à l'origine distinct de celui du [u] latin. Mais rien ne prouve que les Gaulois aient ignoré [u] et connu [y] à la place de [u], écrit G. Straka, et W. Von Wartburg s'exprime très prudemment sur ce sujet. L'hypothèse d'un substrat celtique est aujourd'hui abandonnée. Lüdtke puis Haudricourt et Juilland comparent le suédois, le grec et l'anc. fr. qui ont connu le même phénomène qu'ils considèrent comme parallèle au passage o > u. L'espace susceptible de séparer la série postérieure [ɑ, o, ɔ, u] est plus petit que pour une série antérieure [a, ɛ, e, i]. Il y avait donc plus grand danger de confusion. Quand o > u, [u] avance son lieu d'articulation et passe à [y].

Il semble plutôt que la cause principale du déclenchement de ce processus fut une *délabialisation*, phénomène à la fois acoustique et articulatoire (Lonchamp et Carton, *Trav. Inst. Phonét. de Nancy*, 1979/1). Datation : le résultat final ne peut pas être antérieur, selon Straka, au VIe ou au VIIe s.; selon E. Richter et W. Von Wartburg, après le VIIIe s. et d'abord au centre du domaine. En wallon, on a encore [u] : *pierdou* « perdu ». Les formes actuelles s'expliquent à partir d'une vélaire. Dialectalement (bourguignon, normand, gascon), on avait [œ] pour [y] devant [r]. Ce timbre est passé en fr. litt., d'où *beurre* au lieu de *burre*; par fausse régression, on eut [y] pour [œ] : *flûte* pour *fleute*.

2.3.9. *Vocalisation*

2.3.9.1. L implosif.

Quand [l] implosif constitue une entrave latine ou romane en syllabe accentuée ou contre-tonique, il se « vocalise ». Il y a un *relèvement* du dos de la langue pendant l'articulation alvéolaire (coloration secondaire [ɫ]).

Si par la suite la pointe de la langue s'abaisse davantage, il ne subsiste qu'une voyelle vélaire.
Datation : elle varie selon les dialectes, du IXe au XIIe s. Le processus a pu débuter dès le VIIe s. Ce phénomène s'est produit après toutes les voyelles sauf *ī* et *ū* > [y].
1o ɑ + l > au > o :

saltare > sauter.

album (mot savant) a la même origine que *aube*.
2o ĭ, ē + l > eu :

capíllos > [tʃe̥veɫs] > cheveux, cheveux,
illōs > els, eus > fr. mod. eux.

3o ɛ + l : bell(u)s > beaus. C'est une triphtongue secondaire (2.3.6.7.). Entre *e* et la sonante (pour laquelle la langue se creuse) s'est développé un son transitoire, puis par vocalisation de la sonante, [bẹau̯s] (début XIIIe s.) > [bẹo] (XVIe) > [bo] (XVIIe s.).
Comparer : novella > novele
novellu > novel
novellos > noveaus.

Le pluriel « irrégulier » des substantifs en *-al*, *-el* s'explique par une habitude des copistes qui remplaçaient *-us* par l'abréviation *x*; *chevaus* s'écrivait donc primitivement *chevax* prononcé [tʃe̥vaus] au XIIe s.

4o ŏ + l :

follis > fous (XIIIe s.).

5o ō + l > ou > u (XIIIe s.) :

pul(ve)re > anc. fr. poure (avec épenthèse : *poudre*).

6o les diphtongues i̯e, u̯e + *l* vocalisé ont abouti à des triphtongues (cf. 2.3.6.6.).
7o après voyelle palatale fermée (ī et y > u), [ɫ] s'est amuï :

*pūlicélla > pucelle,
fīl(i)célla > ficelle.

Ainsi la vocalisation est à l'origine de 4 diphtongues de l'anc. fr. :

au̯, eu̯, ẹau̯, ou̯.

2.3.9.2. G implosif : g > u dans quelques mots isolés :

smarágdu > esmeragde > esmeraude.

(Cf. Esmeralda, chez V. Hugo.)
Dans le groupe disjoint gm > [ɣ], il y a diminution de l'occlusion

du [g], celui-ci devient constrictif, puis γ > u (la voyelle la plus postérieure et la plus fermée) :

phantagma > fantaume, fantôme.

2.3.10. *Labialisation*

La labialisation vient à la suite de la vocalisation (Mme Borodina) :

álba > ['au͡be̥] puis [a͡obe̥] ['o:be̥).

2.3.10.1. Cette labialisation est déterminée par une assimilation anticipante partielle : [a] ou [e] (non labiaux] suivis de [u] postérieur labial issu de [ɫ] dans [au] :

tálpa > [ta͡upe̥] > taupe,
íllos > els > eus, fr. mod. eux = [ø].

2.3.10.2. *e* sourd devient labial après le XVIe s. :

[e̥] > [ø, œ] /ə/.

2.3.10.3. Sous l'influence des consonnes labiales [b, p, m, v, f], quelques assimilations se sont produites à certaines époques :

clāvu > clou : [v] labialise [a] d'où [o͡u] > [u],
patélla > paele > poele [pwal] (cf. esp. *paella*).

Fouché cite d'autres cas isolés (pp. 343, 395, 451).
Le passage actuel de [œ̃] > [ẽ] est une délabialisation dont la cause principale est probablement phonologique, non articulatoire.

2.4. ÉVOLUTION DES SYSTÈMES PHONOLOGIQUES

Essayons pour terminer d'esquisser schématiquement l'évolution de nos systèmes consonantiques et vocaliques. Ces tableaux, qui synthétisent les travaux de Pope, Gougenheim, Straka, Fouché, Martinet, ne prétendent pas, bien sûr, être définitifs. Il reste d'ailleurs à étudier, pour être complet, les problèmes de neutralisation, de distribution, etc.

2.4.1. *Pré-roman (latin « vulgaire » du Nord-Ouest)*

13 consonnes et 2 semi-consonnes :

p, f, t, s, k
b, v, d, g
m, n
l, r
j, w

variantes :

β, x, γ, ɫ, n, t̮, d̮, t͜s.

1 diphtongue : au et 8 voyelles :

i u
e o
ɛ ɔ
a (a:)

(Le latin classique avait 10 voyelles et 3 diphtongues.)

2.4.2. *Ancien français « classique » (Ile-de-France, XIIe s.)*

17 consonnes :

p, f, t, s k
b, v, d, z g
m, n ɲ
l, λ, r

variante :

ɫ

4 mi-occlusives :

t͜ʃ, d͜ʒ, t͜s, d͜z.

Cet état de langue présente /tʃ/ et /dʒ/ mais ignore [ʃ] et [ʒ] en dehors de cette combinaison : tout chuintement est automatiquement précédé d'une explosion. Ce sont donc des phonèmes uniques. Le cas de /ts, dz/ est plus compliqué à analyser.

7 (ou 8) monophtongues :

i y o
e ɔ
ɛ
(e: ou æ)
a

8 (ou 9) diphtongues :

ai, ei, oi, yi
(au), eu, ou
ie ue

2 triphtongues :

eau, ieu

Faut-il compter à part le produit de *a* accentué libre (type máre > mer) ? La distinction de deux (et peut-être trois) E semble établie par l'étude des rimes et des assonances.

Nous considérons qu'au début du XIIe s. les diphtongues ou (< o + l) et eu (< o accentué libre) ne se sont pas encore réduites respectivement à [u] et à [ø]. Au XIIIe s., on aurait 9 (ou 10) voyelles et 6 (ou 7) diphtongues.

Il est difficile de prouver que [e̥] sourd avait une valeur phonologique et de dire si ces sons étaient tous des phonèmes (ou si tel ou tel n'était qu'une variante). On peut penser que l'anc. fr. du XIIe s. avait « un système très riche, mais avec un rendement fonctionnel faible » (P. Guiraud). Les voyelles et diphtongues nasales étaient probablement à cette époque des variantes combinatoires toujours suivies d'une consonne nasale. Mais il est sans doute possible de considérer les diphtongues et les triphtongues en question comme des unités phonologiques autonomes. Le principe d'économie ne s'y oppose pas puisqu'il y a relativement peu de voyelles. Il faudrait, par commutation, établir leur valeur phonématique. Si les deux éléments des diphtongues orales étaient commutables, il faudrait les considérer comme des variantes des voyelles apparaissant en coalescence dans une même syllabe.

2.4.3. *Moyen français*

On peut supposer qu'après la Réforme de Philippe le Bel (Ordonnance de 1303), il a commencé à s'établir au point de vue phonétique deux sortes de français, qu'on appelle français « savant » et français « usuel » ou « populaire » (Fouché, *Introduction*, p. 67, donne une liste de phonétismes populaires).

2.4.3.1. Début du XIVe s.
19 consonnes :

p,	f,	t,	s,	ʃ,	k,	h
b,	v,	d,	z,	ʒ,	g	
m,		n,		r,	ɲ	
		l			ʎ	

3 semi-consonnes :

w ou u̯, ɥ ou y̯, j ou i̯

Disparition des mi-occlusives. Les semi-consonnes ne sont probablement que des variantes.
9 monophtongues :

i,	y,	u
e	ø	o
ɛ		ɔ
	a	

Les 4 nasales : ĩ, ỹ, ũ, ã n'étaient sans doute que des variantes.
4 diphtongues :

au, uɛ
ɛi, uɛ̃

La nasale uɛ̃ était sans doute une variante de uɛ.
1 triphtongue : e̥au.
[e̥] existe encore, mais n'a sans doute pas valeur de phonème.

2.4.3.2. Milieu du XVIe s.

21 phonèmes consonantiques :

p, f, t, t̮, s, ʃ, k
b, v, d, d̮, z, ʒ, g, h
m, n, ɲ
l, λ, r

8 voyelles orales, trois oppositions de quantité :

i, y u
e Œ/Œ: O/O:
ε
A/A:

Les nasales ε̃, ã, ɔ̃, ỹ, ĩ, œ̃ n'avaient sans doute pas toutes une valeur phonologique à la fin du moyen français. Les diphtongues ont disparu, sauf peut-être *au* : des orthoépistes comme Fabri (1521), Meigret (1542) recommandent encore de dire *aobe* (aube), *aotre* (autre).

On peut encore s'interroger sur la valeur phonématique de [ẹ̮]. Il y a des oppositions de durée, avec comme trait secondaire une opposition de timbre pour Œ, O, A.

2.4.4. *Français classique (vers 1700)*[1]

19 consonnes :

p, f, t, s, ʃ, k
b, v, d, z, ʒ, g
m, n, ɲ
l, λ, r, j

/j/ est phonème, mais il se neutralise devant voyelle. [ɥ] et [w] sont des variantes.

Peu de géminées, sauf à la jointure (morphologie) : /dzirrɔ̃] « désirerons ».

8 voyelles orales, 4 nasales et trois oppositions de quantité.

Martinet ne pense pas que *e* caduc ait déjà une valeur phonématique à cette époque :

i, y, u
e Œ/Œ: O/O:
ε
A/A:
ẽ, ã, ɔ̃, œ̃

Distinctions naissantes : o/ɔ, ø/œ, a/ɑ.

Les [ɑ] n'ont pas tous la même origine; beaucoup proviennent d'analogies. Au XVIIIe s., le [ɑ] postérieur commence à perdre du terrain (dialectes mis à part).

---

1. Sur l'état du français à cette importante période, cf. M. Cohen, *Le Français en 1700 d'après le témoignage de Gile Vaudelin*, 1946; A. Martinet, *La Phonologie du français vers 1700*, 1947, et J.-P. Seguin, *La Langue française au XVIIIe siècle*, Bordas, 1972.

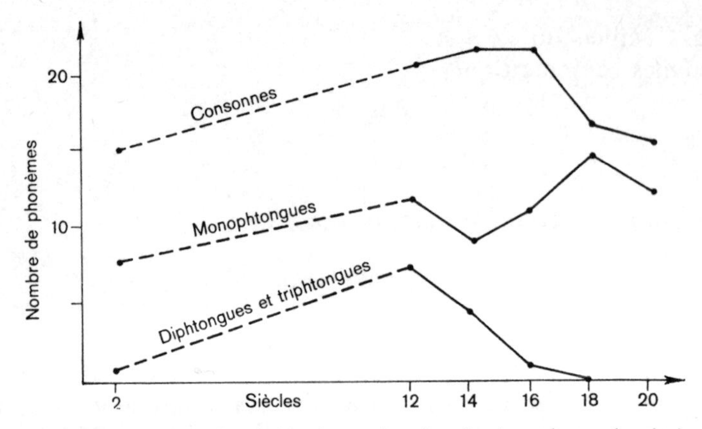

FIG. 24. — Evolution probable du nombre des phonèmes (approximation) en français.

2.4.5. *L'évolution diachronique*

La phonologie diachronique permet de superposer à la vision traditionnelle d'une évolution phonétique continue celle d'une série de ruptures, « chaque rupture surgissant quand un changement fortuit, en brisant un équilibre, valorise d'autres changements restés jusque-là sans signification »[1]. En comparant les systèmes successifs, on constate « la rupture d'équilibre en ancien français et son rétablissement en moyen français »[2]. On constate aussi depuis l'anc. fr. l'élimination des diphtongues et la simplification progressive des systèmes tendant vers une plus grande « économie ». Mais il faut aussi tenir compte du fait que nous ne disposons pour le Moyen Age que de témoignages indirects, donc que l'analyse phonologique y est plus conjecturale que pour le moyen français et le français moderne.

2.4.6. *Comment prononçait-on jadis ?*

En ancien français, « la substance phonique devait être compacte, drue, charnue... A l'oreille moderne, faite à une ligne phonique plane, allégée et comme décantée, il aurait présenté la pesanteur rustique de certains de nos patois, l'âpreté rocailleuse de certains dialectes nordiques » écrit P. Guiraud, qui cite comme exemple : « des peaus de chievres blanches » dont l'orthographe est restée relativement stable. En ancien français « classique » on comptait dans cette séquence vingt-six

1. Jean Batany, *Ancien français, méthodes nouvelles* dans *Langue française*, 10 (mai 1971), p. 36.
2. Georges Gougenheim, *Grammaire de la langue du XVI*^e^ *siècle* (1951) ; cf. U. F. Chen, *Essai sur la phonologie française : l'évolution structurale du vocalisme* (1973).

articulations : [de 'pe̥au̯s de̥ 'tʃjɛvre̥s 'blɑ̃tʃe̥s], au lieu de [de 'podʃɛvR̥ 'blɑ̃:ʃ], soit la moitié moins en français moderne. L'accent d'autre part y était sans doute plus fortement frappé et affectait tous les mots non clitiques.

Les deux extraits suivants (d'après Pope, p. 40) peuvent donner une idée de deux prononciations parisiennes au XVIe siècle. Le premier parodie celle du peuple, le second celle de la Cour.

A propo vou souvien ty poin
Du jour de la Sin Nicoula
Que j'étien tou deux si tresla*
D'avoir dancé ?... et si avoy
Touriou** l'yeu*** dessu vostre voy
Laquelle me semble depui
Aussi claize que l'iau de puy.

Epistre au Biau Fils de Pazys (1549).

* très fatigué; ** toujours; *** l'œil.

Si tant vous aimez le son doux,
N'estes vous pas bien de grands fous
De dire Chouse au lieu de Chose,
De dire J'ouse au lieu de J'ose ?
Et pour trois mois dire Troas moas ?
Pour Je fay, vay, Je foas, je voas ?
En la fin vous direz La Guarre,*
Place Maubart et frère Piarre.

Remonstrance aux autres Courtisans, par Henri Estienne (1578).

*guerre.

Voici un extrait bien connu des *Odes* de Ronsard (éd. de 1553), où nous indiquons les mots dont la prononciation différait certainement de la nôtre :

Mignonne [miɲɔ̃n] allons *voir* [vwɛr] si la *rose* (*r* roulé)
Qui ce matin *avoit* de(s)close
Sa *robe* de pourpre au *Soleil* (*l* mouillé et non yod)
A *point* perdu ce(s)te *ve(s)prée* (avec *e* sourd)
Les plis de sa *robe pourprée*
Et son *teint* [tɛ̃nt] au *vo(s)tre pareil.*

Remarquons les nasalisations vocaliques, l'articulation des consonnes finales appuyées, *r* roulé, *l* mouillé. L'écriture phonétique préconisée par le grammairien Meigret (1550) notait voęr (= voir), avoęt (= avait), poĩt (= point), etc.

La notation de Martin (1632), destinée à des Allemands apprenant le français, indique : adresser = adressehr; voir = voär; vermisseau = vermisseoh; ainsi soit-il = inssy soäty, etc.

Voici maintenant un essai de restitution du début de la fable *Le savetier et le financier* (éd. de 1678) où nous indiquons également les mots dont la prononciation différait de celle d'aujourd'hui :

Un Savetier *chantoit* [ʃɑ̃ntwɛ] du matin jusqu'au *soir* [swɛ:r].
C'e(s)toit merveilles [mɛrvɛʎə] de le *voir,*
Merveilles de l'*oui(r)* [ui:], il *faisoit* des *passages*

> Plus *content* [kɔ̃tɑ̃ŋ] qu'aucun des *Se(pt)* [sɛ] Sages.
> Son *Voisin‿au contraire* [kɔ̃trɛ:r] e(s)tant tout cousu d'*or*
> *Chantoit* peu, *dormoit* moins *encor*.

Si nous avions un enregistrement de La Fontaine lui-même, nous penserions probablement à un accent québecquois très marqué, avec une pointe d'accent du Midi. D'ailleurs, il archaïsait volontiers. Dans l'édition de 1665 des *Œuvres* de Molière, on trouve « vuider, joye, vinst, estois, receu... ». On ne lisait certes pas [vɥide], etc. Mais si la prononciation du XVIIe siècle semble plus proche de la nôtre que celle de la Renaissance, n'est-ce pas, en partie, parce qu'on orthographie Rabelais et Montaigne à peu près comme on les imprima à leur époque, alors qu'on modernise les graphies de Molière et de Pascal ?

Empressons-nous d'ajouter qu'il est pédagogiquement utile, mais quelque peu illusoire de spéculer sur l'impression que pourrait produire sur nous le français de jadis. Inversement, la diction de nos comédiens plairait-elle à Racine ? En tout cas, le témoignage de Bruno Latini, auteur français d'origine italienne, atteste le charme et la douceur « délitable » de l'ancien français.

2.5. TABLEAU RÉCAPITULATIF

Cet aide-mémoire à visée pédagogique présente les 40 mots clefs dont il faut connaître parfaitement l'évolution[1].

1	gránde > grant	2.2.3.1.
2	dŭ́plu > double	2.2.3.2.
3	finī́ta > finie	2.2.3.3.
4	cắpum > chief	2.2.3.4.
5	ínsŭla > ile	2.2.4.2.
6	rúpta > route	2.2.4.4.
7	cámĕra > chambre	2.2.5.
8	palátiu > palais	2.2.7.3.3.
9	solículu > soleil	2.2.7.3.10.
10	sígnu > seing	2.2.7.3.11.
11	fúrca > fourche	2.2.7.3.13.
12	exágiu > essai	2.2.7.4.1.
13	tíbia > tige	2.2.7.4.3.
14	pagénse > païs	2.2.7.5.
15	caélu > ciel	2.2.7.8.
16	fáctu > fait	2.2.8.1.
17	nócte > nuit	2.2.8.4.
18	vắdu > gué	2.2.8.6.
19	vidḗre > veoir	2.3.4.3.
20	máscŭlu > mâle	2.3.4.4.
21	firmăménte > fermement	2.3.4.5.
22	vĭdísti > vis	2.3.4.6.
23	coróna > couronne	2.3.5.4.
24	cṓrte > cour	2.3.5.4.
25	pĕ́de > pied	2.3.6.3.
26	bŏ́ve > buef	2.3.6.3.
27	tḗla > teile	2.3.6.5.
28	flṓre > flour	2.3.6.5.
29	mắre > mer	2.3.6.8.
30	mắnu > main	2.3.7.4.
31	cắne > chien	2.3.7.4.
32	bŏ́nu > bon	2.3.7.5.
33	bĕ́ne > bien	2.3.7.5.
34	vī́nu > vin	2.3.7.6.
35	ū́nu > un	2.3.7.6.
36	cū́pa > cuve	2.3.8.
37	saltā́re > sauter	2.3.9.1.
38	capĭ́llos > cheveus	2.3.9.1.
39	béllus > beaus	2.3.9.1.
40	álba > aube	2.3.10.

1. Pour un résumé chronologique, on consultera, dans cette collection, les ouvrages d'A. Lanly, *Fiches de philologie française*, et de J. Batany, *Français médiéval*.

TROISIÈME PARTIE

COMMENT PRONONCER LE FRANÇAIS CONTEMPORAIN ?

3.1. QU'EST-CE QUE L'ORTHOÉPIE ?

L'orthoépie (grec *orthos* « droit », *épos* « parole ») enseigne quelles doivent être « la juste répartition, l'utilisation des sons corrects dans les mots et le langage suivi » (Straka). Elle se fonde sur le fonctionnement et sur l'histoire de la langue, mais aussi sur des « règles »; par ex., quelle est la répartition des mots où le groupe *ti* + voyelle se dit [tj] ou [sj] : *nous portions/les portions*. C'est donc une discipline normative, qui diffère de l'orthophonie[1]. Celle-ci enseigne les articulations correctes, le rythme ou l'intonation convenables, par ex. comment émettre le [a] français. Ce manuel étant destiné surtout à des francophones, nous ne parlons que d'orthoépie.

Beaucoup de questions orthoépiques gagnent à être traitées *fonctionnellement*. On voit mieux ensuite pourquoi un Parisien ne prononce pas de la même façon *Ain* et *un*, numéro de la plaque minéralogique de ce département; mais il dit *Verdin* pour *Verdun*. Le temps de Vaugelas n'est plus; de nos jours, on ne pose plus d'interdits « parce que c'est comme cela » : nous voulons comprendre pourquoi il faut dire ainsi, quelles sont les tendances profondes de notre phonétique, et ce qui justifie, non seulement esthétiquement ou historiquement, mais du point de vue utilitaire (c.-à-d. fonctionnellement), les efforts que nous ferons pour parler correctement; c'est parfaitement légitime. La norme graphique est minutieusement décrite, mais les avis diffèrent beaucoup sur les règles de la norme phonétique.

---

1. L'orthophoniste ou mieux, le logopédiste (grec *logos* « parole », *paidein* « enseigner ») rééduque la parole. Son domaine recouvre tous les dysfonctionnements du langage : bégaiement, division palatine, dyslexie, dysorthographie, etc. La formation dure trois ans, avec un stage et un mémoire.

3.2. UNE NORME DU FRANÇAIS ?

3.2.1. *Critères de norme*

Pour l'allemand, la « Bühnenaussprache » (prononciation de la scène) est un ensemble de règles sur lesquelles les spécialistes se sont mis d'accord. Elle est artificielle en ce sens que, telle quelle, elle n'existe dans aucune région. C'est différent en Espagne, où la bonne prononciation se fonde sur le castillan. Mais chez nous, les choses ont pris une autre tournure. Pour des raisons politiques et sociales, la Cour puis la bourgeoisie se sont longtemps imposées.

Peut-on choisir un critère régional ? « L'époque est révolue où telle province, la Touraine notamment, pouvait prétendre, sans que s'élevassent des protestations, pratiquer le français le plus pur » (Martinet, 1949). Jusqu'au début du XVIIe siècle, on accepta cette suprématie, fondée sur le fait que la Cour résidait souvent dans les châteaux de la Loire. De nos jours, tout en étant agréable et savoureuse, la phonétique tourangelle est marquée d'archaïsmes. La notion de beauté, appliquée à une prononciation, relève d'ailleurs de stéréotypes et de préjugés divers plus que d'un jugement de valeur de type linguistique. Imiterons-nous « la » prononciation parisienne ? A Paris, dans les milieux cultivés, l'équipe d'André Martinet et d'Henriette Walter, qui prépare un *Dictionnaire de la prononciation française*, trouve bien des variations. La prononciation soignée des Parisiens cultivés nés vers le début du XXe siècle était plus stable; elle a été décrite dans le classique *Traité de prononciation française* de P. Fouché (1959). Mme Mettas prépare une thèse sur les sociolectes parisiens actuels, qui sont moins connus qu'on ne croit, et en pleine évolution.

Alors choisira-t-on un critère socio-culturel, « le bon usage » des personnes cultivées ? Ce qu'on présente comme tel, dans certaines rubriques de journaux, est un pédantisme archaïsant et dogmatique qui propose comme modèle une norme artificielle. Pour qui observe « le français tel qu'on le parle », il est plus difficile qu'on ne croit de séparer le « bon usage » des traits phonostylistiques du snobisme mondain : postériorisations et ouvertures vocaliques, relâchements articulatoires, variations de débit...[1].

Les dictionnaires de prononciation qui existent actuellement, ou bien se recopient mutuellement, ou bien se fondent sur des enquêtes. L'auteur dégage alors un minimum commun (du moins virtuellement !) aux personnes interrogées. Ce minimum se définit selon la vieille norme déjà invoquée par Vaugelas, et qui est le « bon usage ». Les enquêtes modernes

1. Etudiés par P. Léon *(Du snobisme, étude phonostylistique)*.

essaient d'apporter à cette notion traditionnelle une nouvelle dimension. Mais toute définition de « l'usage » ne peut être qu'arbitraire, car souvent plusieurs sont recommandables. La prononciation des personnes les plus cultivées est marquée de traits populaires ou régionaux, fort tenaces. Les flottements sont plus nombreux que les points solides : on peut dire [pɛ] ou [pɛj] *(paie, paye)*. Mais tôt ou tard, le second l'emportera, parce qu'il représente une innovation et qu'il s'accorde mieux avec nos tendances phonétiques générales.

Fuyons aussi le laxisme abusif, car des divergences dans la francophonie ou une évolution trop rapide nuiraient, sinon à la compréhension, du moins au « confort » des auditeurs. C'est être peu sociable que de dire : les autres doivent se débrouiller pour me comprendre. Il faut faire soi-même l'effort plutôt que de l'imposer aux autres.

Il faut aussi de l'humilité ! Ceux qui tranchent en matière de bonne prononciation doivent prendre garde au fait suivant, facilement vérifiable par un enregistrement : je sais ce que je dis, mais j'ignore comment je le dis. Persuadées qu'elles prononcent *bon* ou *puisque*, des personnes cultivées disent *ban* ou *pisque* ! Que de mirages chez ceux qui *croient* bien parler mais qui n'ont jamais « objectivé » sérieusement leur phonétisme ! On ne saurait assez recommander d'écouter des enregistrements spontanés de sa propre prononciation.

Voici un extrait de discussion improvisée enregistrée; le locuteur est professeur de français à Nancy; sa prononciation est reconnue par tous comme excellente et non marquée régionalement; le débit est assez lent, mais irrégulier :

sezety'djɑ̃: səsumetasedisi'plin // disi'plində: ladisɛRta'sjɔ̃ də dynɛsplikasjɔ̃ttɛkstɔRgani'ze loʒike: lɛ̃gɥistikmɑ̃ɲɛgzi'ʒɑ̃:t // eil'sɔ̃ dəvɑ̃ɛ̃pRofesœRpɑ̃dɑ̃œ̃tɑ̃limi'te ifokil'tjɛn dɑ̃sə'tɑ̃ eizjaRif paRfɛt'mɑ̃

« Ces étudiants / se soumet' à ces disciplines // disciplin' de / la dissertation / de / d'une
1 2 3
« esplication » d' texte organisée / logiqu(e) et / linguistiqu'ment exigeante // et ils sont /
4 5 6 7 8
devan(t) « in » professeur pendan(t) un temps limité / i faut qu'ils tiennent / dans ce temps /
9 10 11 12 13
et i zy-arrif' parfait'ment ! »
14 15 16

Le ton quelque peu passionné a amené un nombre élevé d'*écarts* par rapport à un *usage* que cet enseignant pratique parfaitement lorsqu'il lit un texte littéraire :
1 – timbre fermé; 2 – absence de géminée (pas de différence avec *soumet*); 3 – découpage insolite; 4 – réduction du groupe consonantique *(esplication)*; 5 – assourdissement du *d*; 6 – timbre fermé par harmonisation vocalique; 7 et 8 – découpage insolite; 9 et 12 – absence de liaison; 10 – nasale non arrondie, contrairement au *un* suivant; 11 – timbre fermé; 13 et 14 – amuïssement de *l* antéconsonantique; 15 – passage à yod; 16 – assourdissement total.

3.2.2. *Usages et modèle*

Tous les usagers du français possèdent implicitement une même *compétence* de leur langue, indépendante de leur culture. Cela signifie qu'ils ont tous la maîtrise d'un minimum de « règles », ce qui leur permet non seulement d'interpréter ce qu'ils entendent et de le reproduire, mais encore de combiner les phonèmes pour produire des énoncés français. Chomsky distingue compétence et performance, opération qui, mettant en œuvre les règles de compétence, aboutit à des réalisations particulières, soumises à de multiples variables (les usages), qui changent selon la situation et l'environnement. L'académicien dont on vient de cabosser la voiture prononce-t-il de la même façon que lors de son discours de réception sous la Coupole ? La compétence reste identique, les performances diffèrent !

Qui songerait à proposer comme idéal, dans la parole de tous les jours et pour tous les Français, la diction académique ? Celui qui cherche une performance à imiter trouve, non pas un bon usage, mais des usages. Il est dans une impasse s'il s'obstine à considérer exclusivement la performance (*un* usage). Ne vaut-il pas mieux considérer *d'abord* la compétence, une *aptitude* à l'intercompréhension, sans difficulté majeure, de tous les francophones ? « Le modèle se crée dans la conscience phonologique des auditeurs, comme une image générique résulte de la superposition de milliers d'images particulières. Un modèle théorique, qu'il soit de grammaire ou de phonologie, représente, à l'image du modèle mathématique, une abstraction et une généralisation. C'est l'archétype construit à partir d'une description... Une fois établies, les règles de fonctionnement du modèle permettent d'imaginer autant de réalisations qu'il y a de parleurs dans la catégorie de langue représentée. »[1]

Le système phonologique du français contemporain, c'est non seulement la liste des phonèmes, mais surtout les règles de fonctionnement indispensables (connaître le nom des pièces d'un moteur n'implique pas qu'on sache le faire fonctionner !). Les besoins fonctionnels minimaux qui ont été discutés ci-dessus (1.1.3.) constituent le fondement scientifique de la norme. Ce minimum, il faut le connaître en priorité. Les contours du phonétisme français sont flous, mais ce noyau « utile » est bien défini. L'existence de franges implique qu'on admette une hiérarchie dans les « fautes de prononciation ». Dire *l'hugu'not*, comme tel « parleur » de la télévision française, ou *du vin pire* pour *du vin pur*, c'est plus « grave » que de dire p. ex. *logique* avec un *o* fermé, comme M. Pompidou, car cela entrave la communication et oblige l'auditeur à tenir compte du

---

1. P. Léon, Modèle standard et système vocalique du français populaire de jeunes Parisiens, dans *Trends in Canadian Applied Linguistics*, 1972. Cf. D. Coste, Quel français enseigner ?, dans *Guide pédagogique*, pp. 26-27.

contexte pour deviner le sens. La phonologie synchronique permet de délimiter avec précision les exigences minimales d'une communication sans erreur. De larges latitudes sont inévitables et souhaitables à la fois. Nous savons les mérites de la langue populaire (non vulgaire), novatrice et fonctionnelle et ceux de la langue littéraire, bien rodée et riche de sa longue histoire : mais il convient d'éviter le trop populaire comme le trop archaïsant, dans la mesure où l'un et l'autre sont ésotériques. Il est possible de définir un modèle de compétence fondamental et potentiel.

3.2.3. *Une performance ?*

Doit-on proposer, complémentairement, un ou deux exemples authentiques de *performances* ? Les avis divergent. Pour certains, l'enfant peut, en améliorant sa compétence et en faisant contrôler sa propre performance, passer du spontané à un langage plus élaboré, de façon à rendre sa performance mieux compréhensible pour l'auditeur et plus fonctionnelle. Il n'est donc pas nécessaire de fournir un usage type. La contradiction entre les usages des milieux moins favorisés et les normes scolaires de performance risque de « couper la parole » à des formes d'expression spontanée. Pour d'autres, l'indispensable rayonnement culturel réclame qu'on enseigne un usage culturellement marqué, celui des personnes compétentes qui rejettent toute affectation. Mais attention ! Quand on s'observe, on exagère certaines oppositions. Interférences et marques d'hypercorrection sont très fréquentes chez qui *veut* bien parler. Il n'en reste pas moins qu'il peut être utile d'imiter un usage, entraînant parce que prestigieux. Lequel ? « Le parisien cultivé change d'une génération à l'autre » (Fouché) : n'est-il pas un mythe que l'on ne peut plus aujourd'hui définir avec précision ? Où le chercher ? Il n'est pas vrai que tous les gens cultivés aient exactement le même français. La mobilité géographique accumule les marques plus qu'elle ne les détruit, tout au moins au cours de la jeunesse.

Les « amis du bon français » exercent une influence salutaire quand, au lieu de défendre des causes perdues ou vaines, ils empêchent une évolution trop rapide en maintenant les caractéristiques d'un phonétisme soigné qui s'accordent avec l'évolution du système phonologique. Mais les bons comédiens et les étrangers francophones cultivés, dans la mesure même où ils parlent une langue *excellente* (c.-à-d. « en dehors, au-dessus »), ne peuvent représenter un usage commun.

P. Léon pense que les variations ne sont pas considérables au point qu'on ne puisse définir un *modèle standard*. Ainsi, il constate une tendance à la fermeture en syllabe libre (*billet* [bijɛ]), mais des oppositions comme o/ɔ restent solides. Les moyens de communication de masse (radio et télévision) fournissent des « modèles » accessibles, tout en étant prestigieux. Comme le constate Raymond Queneau dans *Errata* (1969), le « néo-français » (variété orale dont il avait jadis fait la théorie) n'a progressé ni dans le langage courant ni dans l'usage littéraire : « Le français écrit non seulement s'est maintenu, mais s'est renforcé. On doit en chercher la raison paradoxalement (ou dialectiquement) dans le développement de la radio et de la télévision... qui a répandu une certaine manière (plus ou moins) correcte de parler. » R. Lagane estime que la grande majorité des énoncés radiodiffusés ou télévisés est conforme à un même « modèle » de prononciation (avec évidemment des latitudes de réalisation). Si tous les Français ne le *pratiquent* pas, tant s'en faut, tous le *comprennent* sans peine. C'est celui qui franchit le plus largement nos frontières.

Un instituteur ou un professeur de français ne devrait-il pas pouvoir présenter lui-même une performance digne d'être imitée, et pouvoir la justifier ? Cela suppose qu'il n'y ait pas de distorsion flagrante entre sa prononciation réelle et celle qu'il enseigne ! Il ne lui suffit pas de savoir que *eau stag-nante* est préférable à *eau sta-gnante* : il faut qu'il dise pourquoi, donc qu'il connaisse le fonctionnement du phonétisme français (prosodie incluse). D'Olivet disait : « Parler avec l'accent français, c'est n'en avoir pas du tout. » Cette formule négative est trop absolue, puisque nous avons vu que la plupart des marques phonostylistiques d'identification sont inhérentes et inévitables. Il suffirait que la prononciation du modèle de performance ne soit pas trop marquée régionalement; p. ex. certains traits méridionaux, qui sont des archaïsmes, sont-ils à proscrire absolument ? Il faudrait aussi que la documentation de l'enseignant fût à jour. Les choses vont vite, en ce domaine comme en bien d'autres. Vers 1900, la seule prononciation admise pour *cerfs*, *ours*, au pluriel, était : [sɛ:R], [u:R], et on devait dire [ɛgza], [almana] pour *exact*, *almanach*. Sous l'influence de l'orthographe, les jeunes ont de plus en plus souvent prononcé les consonnes finales. Comme le bon sens le commande, on admettra les deux aujourd'hui : qu'on sache que la prononciation sans consonne finale existe encore, mais qu'elle est archaïsante et ne saurait être imposée comme norme unique. Un excès de conservatisme aurait pour effet d'accroître, par contrecoup, la distance avec le français trop avancé. Le souci d'une intercompréhension aisée doit l'emporter sur un respect mal compris. C'est encore plus vrai à l'école élémentaire où un enfant apprend généralement une langue et une culture artificielles, parce qu'exclusivement liées à la situation scolaire.

Le point de vue de *l'utilisateur* doit aussi être pris en considération. Selon qu'on enseigne le français à des francophones ou comme une langue seconde, qu'on parle à la radio, à la Comédie-Française ou dans une réunion publique, les exigences ne sont pas semblables. Il convient de distinguer « usage » et souci d'être bien compris. La langue doit d'abord bien fonctionner : le moyen d'y parvenir est qu'il n'y ait pas trop de divergences entre les catégories d'utilisateurs.

Aussi ne définissons-nous pas une norme phonétique unique du français, mais des registres de langue comportant divers degrés d'exigences orthoépiques. Nous préconisons d'autre part, pour le registre soigné, l'emploi d'un *parler de prestige* imitable par tous. Cette attitude nous semble être un utile compromis entre les nécessités pédagogiques et le souci d'authenticité.

3. 3. LES REGISTRES ET LES NIVEAUX DE LANGUE ORALE

3.3.1. *Quels sont-ils ?*

Le critère de la liaison facultative peut en donner une idée. Soit l'énoncé :

Des hommes importants ont attendu.

Dans une conversation familière, on ne fait presque pas de liaison facultative; on ne fait que la liaison obligatoire entre l'article et le substantif :

Des‿hommes / importants / ont / attendu (1).

Dans une conversation courante, mais plus soignée, on en fait une petite proportion :

Des‿hommes / importants / ont‿attendu (2).

Dans un discours télévisé ou dans une conférence de type littéraire on en fait la majorité :

Des‿hommes‿importants / ont‿attendu (3).

Dans la diction de vers classiques, on fait toutes les liaisons possibles (4).

Cela correspond à différents *registres de langue orale*, qu'on peut représenter ainsi :

FAMILIER	moins élaboré moins figé	↑	nombre minimal de traits caractérisants
COURANT (moyen)		│	
SOIGNÉ (soutenu, littéraire)	plus élaboré plus figé	↓	nombre maximal de traits caractérisants.

La récitation des vers classiques est archaïsante et doit être mise à part. Le français populaire est à distinguer de la vulgarité, qui ne saurait en aucun cas être admise.

Le mot « style » ayant un usage particulier en phonostylistique (cf. 1.6. : style affectif, etc.), nous préconisons le mot « registre » pour désigner les variations par lesquelles un locuteur adapte son discours à la *situation* de communication. Le « niveau de langue » correspond à la variation *sociale.* Chacun doit pouvoir user, selon les genres (cours, discussions, etc.) et selon les circonstances, de diverses variétés de langue orale en liaison avec le but poursuivi (technique, persuasion, etc.). Le registre soigné exige évidemment plus d'efforts, d'études et d'attention!

La flèche double indique que l'on use beaucoup, modérément ou peu de certains traits phonétiques caractérisants (révélateurs) dont voici une liste :

1. nombre de liaisons facultatives;
2. résistance à la neutralisation des voyelles inaccentuées (ex. le premier *o* dans *monotone*);
3. refus des harmonisations vocaliques (ex. fermeture de *ai* dans *raidir*);
4. nombre d'amuïssements de *e* muet;
5. refus de l'assimilation (Israël / Izraël);
6. tension articulatoire (netteté des timbres, des articulations, etc.);
7. relative égalité syllabique;
8. refus des traits d'identification régionale (dans certains cas);
9. maintien des groupes consonantiques (quatre/quate).
10. lenteur du débit.

3.3.2. *Emploi des registres de langue orale*

Les registres courant et familier sont à mi-chemin entre les tendances conservatrices et les tendances transformatrices. La prononciation populaire, avec ou sans substrat dialectal, variété créatrice[1] et moyen d'expression spontané de tout un milieu, est généralement située sous la ligne d'acceptabilité. Le registre doit varier en fonction du *genre* : ainsi le registre littéraire qui relève de l'écrit peut être du genre recherché (lecture de Valéry) ou du genre dépouillé (lecture de Camus). Il doit aussi varier en fonction des *situations* : le phonétisme de l'avocat qui converse avec son client n'est pas le même que lors d'une plaidoirie. Le genre « discours télévisé » peut être soigné, courant ou familier. Le parlé spontané diffère de l'écrit oralisé. Comme l'observe J. Peytard[2], bien des auteurs glissent imprudemment ou inconsciemment de l'oral à l'écrit. On fait souvent comme si l'oral spontané et l'écrit oralisé étaient la même chose. Il est pourtant évident qu'une allocution écrite capte moins bien l'attention qu'une improvisation, ne serait-ce que parce que la prosodie diffère. Il faut être rompu à cet exercice pour lire en faisant semblant de ne pas lire, même si (ce qui est rare) le texte a été préparé spécialement

---

1. P. Guiraud, *Le Français populaire*, 1965.
2. « Pour une typologie des messages oraux », dans *La Grammaire du français parlé*, Hachette, 1971.

pour l'oralisation (découpage, redondance, parataxe[1], etc.). Céline travaillait énormément son style pour que son phonétisme, populaire et littéraire à la fois, paraisse plus vrai. La communication téléphonique, l'interview radiophonique, les répliques de théâtre constituent autant de genres pour lesquels peuvent varier les règles orthoépiques. Un texte purement informatif doit-il être dit comme un texte à visée esthétique ? Ce sont justement les interférences entre les registres de langue orale qui produisent les effets phonostylistiques.

Il ne faut pas chercher dans l'orthoépie seulement des préceptes, mais surtout les éléments qui permettront aux locuteurs de résoudre eux-mêmes les questions que posent les registres de langue. Ainsi, comment prononcer la deuxième voyelle de *essayer* ? Il existe deux raisons pour qu'on dise [esɛje] :

— le timbre ouvert du nom dont ce verbe dérive;
— la pression qu'opère la graphie;

mais il existe deux autres raisons pour qu'on dise [eseje] :

— la tendance à fermer en syllabe non accentuée et à neutraliser le timbre en cette position;
— l'influence dilatrice du [e] fermé final (harmonisation vocalique).

En conséquence, on dira [esɛ'je] pour la lecture de la prose d'art de Chateaubriand par ex.; mais dans la conversation familière, on peut céder aux tendances phonétiques.

3.3.3. *Conseils de diction*

Nous allons esquisser quelques indications en tenant compte des considérations qui précèdent. Auparavant, nous nous permettrons de donner quelques conseils[2] indispensables à une époque où la communication orale est considérable. Surtout quand vous lisez à haute voix et quand vous parlez en public :

1. Ralentissez votre débit : le français d'aujourd'hui est beaucoup trop rapide.
2. Emettez correctement le souffle et « parlez sur le souffle », c'est très économique.
3. Inspirez suffisamment, faites des pauses mais sans rompre le mouvement du texte.
4. Enchaînez les voyelles sans abuser des « coups de glotte » au début des mots.

---

1. Procédé consistant à mettre côte à côte (grec *parataxis*) deux propositions en marquant par la seule intonation le rapport de dépendance qui les unit : « tu lui diras, j'espère ».

2. Cf. deux disques de Raoul Mas, *L'Art de la diction* (U.f.o.l.é.a.), et notre volume d'exercices.

5. Articulez avec précision, cela permet de vous faire parfaitement comprendre avec un minimum d'effort et de redondance, sans crier.
6. Délimitez les groupes selon le sens et la syntaxe.
7. Variez votre intonation, élargissez les registres.
8. « Posez » votre voix avec soin; aujourd'hui, on tend à trop forcer dans le grave, surtout les femmes.

Bien prononcer, ce n'est pas du snobisme ! C'est d'abord être intelligible et clair. Que de bafouilleurs ! Combien peu savent lire à haute voix ! Que de fatigue inutile ! Que de larynx qui fonctionnent mal ! Environ 1 sur 3, selon un examen vocal effectué en 1re année d'Université (1972).

3.4. LES « LOIS DE POSITION »

A vrai dire, ce sont plutôt des tendances, agissant depuis le XVIe siècle. Ces particularités de distribution (cf. 1.3.3.3.) régissent la répartition des timbres E, O, Œ.

3.4.1. Une voyelle accentuée en syllabe ouverte (libre) est en général *fermée* : *premier, idiot, les bœufs.*
3.4.2. Inversement, une voyelle accentuée en syllabe fermée (entravée) est en général *ouverte* : *première, idiote, le bœuf.*
3.4.3. Ces « lois » sont partiellement entravées par quatre facteurs :
1° l'action de certaines consonnes qui agissent dans le sens contraire : *pose, creuse...*
2° les vestiges de l'ancien état phonétique qui était dû à des évolutions antérieures, et les régressions savantes renouvelant artificiellement la prononciation d'avant le XVIe s. : *côte, aube, feutre...*
3° le maintien de la prononciation originale de mots savants empruntés au latin ou au grec : *arôme, zone, cyclone* (ces trois mots avaient un oméga reproduit par [o:] en fr.).
4° l'analogie : *grosse* d'après *gros.*

3.4.4. Ces quatre facteurs ont abouti à l'état suivant, facile à retenir :
— devant consonne, tout E est ouvert, mais des O et des Œ peuvent être fermés;
— inversement, en finale absolue, O et Œ sont fermés, mais des E peuvent être ouverts.

Devant [z] on a normalement [ø, o] : *Meuse, chose.* Ces réalisations sont très rares devant consonne autre que [z] : *meute, veule, jeûne.*

Dans plusieurs variétés de français méridional et septentrional, on applique plus largement les « lois de position » : *rose, gauche* [Rɔz, gɔʃ]. On a toujours [o] pour la graphie *au* partout ailleurs.

C'est en vertu de ces « lois » que le deuxième [e] de *événement* se prononce [ɛ] malgré son accent aigu.

3.5. QUELQUES PROBLÈMES CONCERNANT LES VOYELLES

Nous ne traitons pas de tous les problèmes d'orthoépie française, mais de ceux qui peuvent présenter le plus de difficultés.

3.5.1. *Les nasales*

[œ̃][1] est représenté par les graphies *um* au début et à l'intérieur du mot devant *b, p* (*humble...*, mais il y a neuf exceptions), et à la fin dans *parfum* (seul exemple en français); au début et à l'intérieur du mot, devant une consonne autre que *n*, il est représenté par *un (défunt, emprunt...)* sauf dans certains mots techniques comme *acupuncture*. On dit *lumbago* avec [ɔ̃]. En finale de mot, on a toujours la graphie *un* [œ̃] sauf *eun* dans *à jeun, Jean de Meun(g)*.

[œ̃], que nous avons considéré comme une variante (allophone) encore utilisée ailleurs qu'à Paris, n'est exigible que pour le registre soigné.

Ajoutons quelques remarques de détail signalant des hésitations souvent observées : *circumpolaire* [siRkɔmpɔlɛ:R]; *sempiternel* [sɛ̃pitɛRnɛl]; *referendum* [RefeRɑ̃dɔm]; *Livres Sapientiaux* [Sapjɛ̃sjo]; *épenthèse* [epɑ̃tɛ:z]; *en* se dit [ɑ̃] dans le préfixe : *enhardir, enivrer, enharmonie* comme *ennui, emmailloter*.

3.5.2. *Les deux A*

Grammont écrivait avec raison : « C'est pour le *a* que les divergences individuelles de prononciation ou de flottement sont les plus fréquentes. » Une clarification stricte en deux ou trois timbres distincts n'est pas justifiée phonologiquement : elle est vouée à ne concorder qu'avec la prononciation de bien peu de gens. Selon Fouché, il conviendrait de dire *a* postérieur, sous l'accent, dans quelques mots terminés par *-able, -abe, -abre* : *accable, diable, fable, sable, crabe, cabre, sabre, candélabre, délabre...* Mais il y a des exceptions ! *Table, arabe* « devraient » se dire avec un *a* antérieur. Le *Dictionnaire* de L. Warnant donne pour *amas, cas, haras, galetas* un *a* postérieur final. Qui est capable de connaître par cœur les

---

1. P. Fouché, *Traité de prononciation française*, p. 24.

longues listes de Fouché (*Traité de prononciation française*, pp. 56-63) ? Ne pourrait-on s'en tenir à des règles simples ? Par ex. les graphies *â* et *ase* correspondent à des [ɑ:] : *mât*, *théâtre*, *phrase*, *base*... La graphie *as* se dit avec un [ɑ] bref, suivi ou non de [s] prononcé : *repas*, *gras*, *cas*, *tas*, *Arras*, *atlas*... En position non accentuée, /A/ peut généralement s'abréger et s'antérioriser.

Le flottement est en réalité considérable selon les régions dans la prononciation courante. Si on dit [a] dans certains mots et [ɑ] dans d'autres, il faut se garder d'exagérer la différence de timbre entre ces deux A par hypercorrectisme. En cas d'hésitation, il est conseillé de prononcer un *a* antérieur.

3.5.3. *Le e muet*

Après en avoir étudié le statut phonologique (1.3.3.3.), nous considérons ici l'opportunité de son emploi. Pour être bien compris quand on parle *en public*, il est préférable de ne pas faire disparaître trop de *e*. En effet, les transitions de consonnes, dont nous avons dit l'importance pour la perception, ont ainsi la possibilité de se manifester. On maintient cet *e* chaque fois qu'un accroissement de la redondance est jugé nécessaire.

Pour éviter des chutes intempestives de consonnes, il convient de placer une légère expiration, mais sans insérer un [ə] à valeur syllabique aux jointures interconsonantiques : *à l'est / d'une ligne*, *les films / qui sont diffusés*, *un match / de coupe*, *les tracts / distribués*, *au strict / minimum*.

Les critères de son amuïssement ou de son maintien sont complexes.

3.5.3.1. Dans *nous v'nons*, la probabilité de disparition du *e* est plus grande que dans *ses gu'nilles*, bien que les deux *e* soient à l'initiale de mot. C'est sans doute une question de distribution : le groupe secondaire [vn] est plus fréquent que le groupe secondaire [gn]. Dans *vous ne s'rez* ou *vous ne f'rez*, nous n'hésitons pas à supprimer le deuxième *e* muet car les groupes résultants [nsR] et [nfR] sont habituels en français.

3.5.3.2. Selon Delattre, « *e* précédé de deux consonnes se maintiendra d'autant mieux que la première consonne sera plus fermée et inversement ». Il est plus « facile » de dire *ferm'ture* que de dire *appr'nez* (*r* est une sonante, *p* et *m* des occlusives). Mais d'autres facteurs entrent en jeu. A l'intérieur d'un groupe, ce peut être différent : dans *il demande*, *e* peut se maintenir bien que [d] soit plus fermé que [l].

3.5.3.3. On enseigne que *e* se prononce toujours devant [rj] et [lj]; or, selon un test récent (P. Léon), des enseignants non méridionaux n'ont pas dit *e* dans : *ils ne valent rien*, *ils en tiennent lieu*. Il semble donc qu'il n'y ait pas lieu de faire une exception pour les groupes en question. P. Léon[1] a montré le rôle que joue le rythme dans certains cas : dans les mots composés d'un verbe et d'un nom, [ə] à la jointure externe précédé de deux consonnes reste, si le deuxième terme n'a qu'une syllabe : *garde-meuble*, *porte-plume*, *porte-clé*; mais s'il a plus d'une syllabe, [ə] tombe presque toujours : *gard(e)-malade*, *port(e)-monnaie*...

3·5·3·4. Pour le *e* muet de monosyllabe initial, « le facteur psychologique (attraction de la position initiale de phrase) joue contre le facteur mécanique (force d'attraction combinée avec aperture consonantique) et l'emporte généralement, mais d'autant moins que ce dernier facteur lui oppose plus de résistance » (Delattre). Ex. : *je te parle* [ʃtə'paRl] et non [ʒət'paRl]. Mais il faut aussi prendre en considération des facteurs linguistiques (occurrence), sociaux et phonostylistiques : dans l'Est, une même personne dira *j'te vois* ou *je t'vois*, selon les circonstances.

3·5·3·5. On recommande, dans tous les registres, la non-élision de [ə] devant les numéraux *onze*, *un*, *onzième*. Au XVIIe siècle, on l'élidait, à preuve la vieille locution désignant un breuvage empoisonné : *le bouillon d'onze heures*. Littré préconisait *le huit* mais admettait encore *l'onzième page*. On dit aujourd'hui *le biberon de onze heures*. Comme le fait remarquer l'*Encyclopédie du bon français* (p. 1786), notre langue arrive au terme d'une évolution : « on a normalisé l'usage en faisant de *onze*, *onzième* des mots traités comme s'ils commençaient par un *h* aspiré ». Pour mieux dire, on a généralisé, pour les numéraux à initiale vocalique, un processus de jointure : la non-élision; *le un*, cela n'a pas le même sens que *l'un*.

3·5·4. *Ambiguïtés*

Il y a ambiguïté graphique, mais non phonétique, dans les homographes; ex. :

convient : [kɔ̃vjɛ̃] et [kɔ̃vi]
négligent : [negliʒɑ̃] et [negli:ʒ]
couvent : [kuvɑ̃] et [ku:v].

Nous ne pouvons énumérer tous les faits, dont beaucoup sont la pierre de touche du purisme parce qu'ils se justifient plus par l'histoire que par la logique interne de la langue : pourquoi dit-on [ɑ̃nivre], *enivrer*, mais [ɛnamuRe], *enamourer* ? La formation n'est-elle pas identique ?

On ne confondra pas *égailler (disperser)*, *pagaille* (désordre) prononcés avec [aj], avec *égayer (rendre gai)*, *pagayer* (se servir d'une pagaie) prononcés avec [ej].

---

1. *La Linguistique*, 1966, 2, p. 122.

3.6. DIVERGENCES ENTRE LA GRAPHIE ET LE PHONÉTISME

Les graphies, qui se sont à peu près stabilisées à la fin du XIIe siècle, n'étaient pas toutes des notations phonologiques, mais elles rendaient assez bien la prononciation de l'époque. La cristallisation de l'orthographe exerça une influence modératrice sur l'évolution phonétique, mais devint une source de complications qu'a soulignées C. Beaulieux, bien que sa thèse (1927 : l'orthographe est le fait des caprices de praticiens latinisateurs) ne soit plus admise aujourd'hui que partiellement.

Il faut se garder d'établir une correspondance rigoureuse entre graphies et phonèmes. Vl. Buben a cependant montré (1935) l'influence active et perturbatrice de l'orthographe sur la prononciation, p. ex. la restitution des lettres que nous soulignons dans : o*c*troyer, o*b*scur, ju*s*que, cou*l*pe, que*l*que, che*p*tel, ou celle de lettres non étymologiques : ba*s*cule, fla*s*que, u*s*tensile; et il n'est pas concevable de revenir en arrière.

Pour les homophones — une des « plaies » du français — l'ambiguïté phonétique est levée généralement par la graphie : on sait que [vɛ:R] peut s'écrire de six façons différentes : vēr/vers/verre/vert/vair. Certaines distinctions graphiques sont utiles grammaticalement (champs, champ) ou sémantiquement (chant, champ), mais seulement en lecture mentale. Il arrive qu'on soit obligé d'épeler pour éviter une confusion.

Introduits trop tard, les accents graphiques n'ont pas remplacé les procédés empiriques imaginés par les scribes pour marquer la fermeture ou l'ouverture des voyelles : ils les ont simplement doublés. F. Brunot[1] a cité p. ex. les anomalies issues de la concurrence entre le circonflexe et le grave : *deuxième* (anc. fr. deuxi*es*me) mais *extrême* (extr*e*mus).

Pour R. Thimonier, préoccupé d'enseigner rationnellement l'orthographe[2], le système graphique du français possède une cohérence interne; les valeurs de sens sont réparties entre langue écrite et langue orale. Un livre beaucoup plus critique[3] montre bien lui aussi cette cohérence, pour conclure que le système graphique diffère tellement du système phonique qu'on ne peut concevoir une réforme. Les procédés idéo-graphiques (ex. : le *d* de *poids*, non étymologique, mais renvoyant utilement à *pondéré*) ont contaminé les équivalences son-graphie. Le code écrit actuel est autonome, mais il doit perdre sa suprématie. Les auteurs souhaitent qu'on cherche une nouvelle expression écrite adéquate au code oral. Mais la communication écrite est si différente de la communication orale qu'on ne pourra sans doute jamais faire disparaître ce qu'ils appellent « bilinguisme ».

---

1. Rapport de 1905 (cf. Burney, *L'Orthographe*, 1962, p. 41).
2. *Le Système graphique du français*, 1967, et *Code orthographique et Code grammatical*, 1971.
3. Claire Blanche-Benveniste et André Chervel, *L'Orthographe*, Maspéro, 1968, rééd. 1969.

La liste que voici ne cite qu'une petite partie des correspondances entre graphies vocaliques et phonèmes. Pour /ɛ/ il y a vingt-quatre graphies possibles !

/ɛ/ : *e* sans accent (vert), *è* (tiède), *ê* (rêve), *ai* (faible), *ei* (peigne), *é* (puissé-je, événement), etc.
/e/ : *é* (charité), *e* sans accent (pied), *ai* (j'ai, je chantai, gai), *æ* (œdème), etc.
/œ/ : *eu* (peur), *ue* (accueil), *œ* (œil), *œu* (cœur), etc.
/o/ : *o* (sot), ô (tôt), *au* (saut), *eau* (seau), etc.
/ɛ̃/ : ain *(pain)*, *en (examen)*, *aim (faim)*, *ein (plein)*, *in (fin)*, *im (immangeable)* (le préfixe *im-* tend à devenir autonome).

Etablir des correspondances à partir de la graphie est donc difficile. Ainsi *en* se prononce de quatre façons différentes :

ɛ̃	ɑ̃	ɛn	a
agenda	(r)em + m	lichen	couenne
appendice	en + h ou n	hennir	solennel
benjamin	enivrer	quinquennal	rouennerie
benzine	épenthèse		
penta-	adventice		

On peut faire rimer *De Gaulle* et *Paule*, *Maures* et *mort*, *Laure* et *l'or*, mais pas *Beaune* et *Bonn*, *fantôme* et *Rome*.

Les causes de divergence sont généralement *étymologiques* : *œ* se prononce [e] et non [ø] dans les mots savants issus de *oi* grec : *œcuménique*, *œdème*, *Œdipe*, etc.

La *date d'entrée* dans la langue est souvent responsable de cet état de choses compliqué. Ainsi, à l'intérieur, comme devant consonne orale, les mots savants d'introduction relativement récente ont [ɛ̃], ceux qui ont été refaits sur le grec ou le latin ont [ɑ̃]. Stendhal voulait qu'on dise son nom avec [ɑ̃] et non à l'allemande.

Le *nombre d'occurrences* des alternances doit être pris en considération. Ex. : [ɛ̃] alterne avec [ɛn] dans sain/saine, nain/naine; avec [ɛɲ] dans bain/baigner, craindre/craignant; avec [iɲ] dans malin/maligne; avec [aɲ] dans joindre/joignant; avec [in] dans fin/fine, patin/patiner, etc. C'est cette dernière alternance qui tend désormais à l'emporter grâce à sa plus grande fréquence comme l'attestent les formations populaires Pétain/pétiniste, copain/copine, etc. Il est vraisemblable que dans les créations *en* se lira de plus en plus [ɛ̃] et que la prononciation par [a] limitée à quelques mots comme *couenne* finira par disparaître, à moins que ces mots ne soient très employés *(solennel)*.

D'autre part, certaines lettres n'ont aucune valeur phonétique :

a : S(a)ône, s(a)oul, (a)oût, curaç(a)o, to(a)st, bre(a)k.
o : ta(o)n, pa(o)n ; cependant, le risque d'ambiguïté empêche de dire pa(o)nne, quoi qu'en dise Fouché (p. 38).
e : remerci(e)ment, ass(e)oir, J(e)an : le *e* ancien a cessé depuis longtemps d'être prononcé dans ces mots; dans *g(e)ôle*, *e* se prononçait, mais, comme dans *gageure*, il sert maintenant à donner au *g* la valeur de [ʒ].

Pédagogiquement, pour des étrangers, il vaut mieux *aller des sons à la graphie*. Cependant un commentateur de radio ne peut que se fonder sur la graphie quand il n'a pas le temps de vérifier comment se dit un nom propre dans la région en question, alors que l'information « tombe » du téléscripteur : il lira donc [Rɔzɛndaɛl] pour le nom de l'agglomération *Rosendaël* que dans le Nord on prononce [Rozɑ̃dal].

Certaines personnes croient que, puisque l'orthographe de deux mots est différente, il faut les prononcer différemment et ils essayent (sans grand succès lorsque c'est artificiel) de différencier les voyelles de cornet/cornait, coq/coque, trop/trot... En réalité pour ces homophones, des réactifs grammaticaux peuvent lever l'ambiguïté. Mais là où le substrat dialectal le permet, pourquoi ne pas user d'anciennes oppositions de timbre : en Bourgogne et en Lorraine, on distingue aisément *peau* avec *o* fermé de *pot* avec *o* ouvert; un *cuissot* de sanglier et le *cuisseau* de veau.

3.7. QUELQUES PROBLÈMES CONCERNANT LES CONSONNES

3.7.1. *Ambiguïtés*

Il y a ambiguïté graphique (mais non phonétique) dans les homographes : *portions* peut être lu [pɔRsjɔ̃] ou [pɔRtjɔ̃], de même *acceptions* et *inventions*.

Sans être homographes, certains groupes consonantiques peuvent être interprétés différemment; voici les principaux cas :

3.7.1.1. *GN :* le petit nombre d'exceptions où l'on prononce encore [gn] : *gnome, agnostique, stagnant, ignifugé* fait penser à un prochain alignement sur [ɲ] ou [n + j].

3.7.1.2. Pour *SC*, la répartition est claire, car elle est fonction de l'antériorité de la voyelle subséquente : devant les voyelles *e, i,* on prononce [s] *(sceptique, sciatique)*, mais devant *a, o, u,* on prononce [sk] *(scandale, scoliose, Scudéry)*.

3.7.1.3. *ILL :* la répartition est synchroniquement arbitraire; la tendance est à l'alignement sur [ij]. Il pourrait être fonctionnellement utile de distinguer par la prononciation les homographes *pupille* (masc. et fém.) [pypil] et *pupille de l'œil* (fém.) [pypij], mais on ne le fait pas. On a plutôt [ij] dans les mots dont l'étymon latin comportait [lj] :

ij	il
gorille, scintille, vacille, artillerie, Villon, Aurévilly, Santillane...	tranquille, osciller, distiller, bacille, capillaire...

3.7.1.4. *TI* : problème de l'assibilation[1] :

ti	si
combustion, (sug)gestion, pitié, question, hématie...	impéritie, inertie, -cratie, orthoptie, gentiane, spartiate, tahitien...

Aucune tendance ne paraît se dégager. Pour un mot technique comme *homothétie*, le Robert donne les deux prononciations. Mais la prononciation la plus normale paraît être avec *t*, ce qui va à la fois avec l'orthographe et avec le dérivé *homothétique*.

3.7.1.5. *GU* :

\+ a : [gw] : iguane, jaguar, guano...
\+ i : [gɥ] : aiguille, contiguïté, linguiste...

La voyelle palatale entraîne la présence de la semi-consonne palatale.

\+ i : [g] : aiguiser, anguille, Guise...

3.7.1.6. *QU* :

Cette graphie représentait la labio-vélaire [kʷ] en latin; elle a noté en français le son [k] devant *e*, *i*, en raison de l'évolution du *k* latin devenu [s] dans cette position (ici, ce).

\+ a, o : [kw] : adéquat, aquatique, équateur, quanta, quartette, quorum, quota, squale...
\+ ɛ, i : [kɥ] : équilatéral, requiem...
\+ a, e, ɛ̃, j, i : [k] : équité, loquace, obséquieux, quasi, quiétude, quincaillier, quinquennal...

Pour les mots d'origine latine, il y a du flottement (ex. : questeur) et la répartition est synchroniquement arbitraire. Il n'y a aucun péril pour la langue : on peut laisser les usagers effectuer les regroupements en fonction de l'entourage phonétique. *Quinquagénaire* se prononce aussi bien [kɥɛ̃kwa] que [kɛ̃ka], *quadragénaire* [kwa] ou [ka]. La seconde, qui paraît se répandre, correspond à une francisation.

3.7.1.7. La graphie *X* correspond à deux phonèmes : [ks] *(fixer)* et [gz] *(exact)*, mais aussi à [s] *(Bruxelles, soixante, Auxerre)* et [z] *(deuxième)*.

On observera que *six*, *dix* ont trois prononciations :

— devant consonne : [si],
— devant voyelle : [siz],
— en finale : [sis].

3.7.1.8. *CH* :

Sauf dans les noms basques et espagnols où elle se lit [tʃ], la graphie *ch* se prononce normalement [ʃ]; mais il y a des exceptions dans des mots

1. Cas particulier de la palatalisation : développement d'une sifflante.

anciens savants ou issus du grec, introduits à une date relativement récente. Se disent avec [k] : archaïque, achéen, brachial, brachy-, catéchuménat, chaos, cochlée, dichotomie, lichen, machiavélique, manichéen, psycho-, tachy-, trachéite, etc.

En somme, chaque graphie a son histoire, souvent étonnamment compliquée. On a [ki] dans les dérivés usuels du grec *kheïr* « main » (chiromancien), mais pas dans *chirurgie*, pourtant issu du même radical : c'est que l'orthographe a agi sur la prononciation. En anc. fr., observe Nyrop, on écrivait et on disait *cirurgien* (cf. angl. *surgeon*), mais on s'est mis à prononcer [ʃ] après le remplacement de *c* par *ch* par souci étymologique. *Orchestre* est plus récent qu'*architecte* : de là vient la différence.

3.7.2. *Les semi-consonnes*

La graphie *u* précédée de [k, g] ne se prononce généralement pas : *quotidien, drogue.* C'est seulement dans quelques mots qu'elle a la valeur de [w] : *équation, lingual, adéquat,* ou de [ɥ] : *linguistique, aiguille, quiétisme.*

En Suisse romande, on dit [gRy-jɛ:R] *gruyère* (de la *grue*, oiseau emblème). Mais partout ailleurs, on a aligné : le groupe *ui* est [ɥi] : *tuile, autrui.* A Paris, on prononce par la semi-consonne (synérèse) des mots comme *buée, nuée, désuet, annuaire, affectueux, mortuaire.* Mais la séquence consonne + *l* ou *r* reste avec [y] : *flu-et, glu-ant.*

Il final est tantôt [j] : *soleil,* tantôt [il] : *péril, avril, sourcil.* Il s'agit, pour ces mots, d'une restitution : on disait aux siècles classiques : *avri, sourci, persi,* comme de nos jours on ne dit pas *l* dans *gentil, outil, fusil.*

Il convient de distinguer *fusiller* [ije] et *fusilier* [ilje].

3.7.3. *Les consonnes finales*

R et L finals après occlusives sourdes s'assourdissent normalement en [R̥, l̥], mais en français soigné, ils ne doivent pas être amuïs. On dira [RəmɛtR̥, pɔsibl̥] et non [Rəmɛt, pɔsib] qui ne sont admissibles que dans le langage familier. Il en va de même pour le L final de mot devant consonne : [il vø] et non [i vø]. Sa disparition porterait atteinte à une marque morphologique. L'amuïssement ancien d'une consonne devant le *s* de flexion est un cas différent : cerf/cerfs, œuf/œufs. Le maintien d'une marque orale différenciative est utile : [sɛRf/sɛ:R, œf/ø], mais n'en est pas moins sporadique, liée surtout à la fréquence d'emploi : on dit plus souvent *des œufs* que *des cerfs* sans *f*. L'opposition phonétique sing./plur. est solidement établie dans *un os/des os,* mais pas dans *un our(s)/des ours.* C'est encore à cause de la morphologie que dans « tous », adjectif, *s* n'est jamais prononcé, alors que dans « tous », pronom, il l'est toujours : « tous les jours » (adjectif), mais « tous l'ont vu » (pronom).

C'est encore la présence ou l'absence du [s] qui permet de distinguer phonétiquement : « ils sont tous rouges » de « ils sont tout rouges ».

« Plus » temporel se différencie, en finale de groupe seulement, du « plus » quantitatif[1] par la présence ou l'absence du [s] (la sonorisation en [z] neutralisant l'opposition devant voyelle) :

plus	temporel	quantitatif
final	je n'en veux plu(s)	j'en veux plu*s*
+ cons.	plu(s) du tout	plu(s) grand
+ voy.	ce n'est plus‿angoissant	c'est plus‿angoissant

Cf. dans Rostand : « M'accuser, justes dieux // De n'aimer plu(s), quand j'aime plu*s* ! » (*Cyrano de Bergerac*, III, 7). Nous avons même entendu dire par des jeunes : « On a pluss' de courage, on est pluss' audacieux », le quantitatif prenant un [s] final non un [z] pour le distinguer du temporel. On dit bro(c), instin(ct). Mais la prononciation des consonnes finales facultatives tend à se généraliser, comme le montre une étude statistique récente et sérieuse d'André Malécot[2] portant sur des locuteurs de la bourgeoisie parisienne; ils prononcent bu*t*, fai*t*, mœur*s* dans tous les contextes, ils en ont conscience et ils acceptent cette évolution. Lorsqu'il n'y a pas d'autre moyen d'être clair, pourquoi refuser de faire coïncider prononciation et graphie ? M. Giscard d'Estaing a dit à la télévision (1972) : « Les prix et les coû*ts* », en faisant entendre un [t] final : il créait artificiellement une opposition, bien qu'une interprétation « coups » fût quand même invraisemblable !

3.7.4. *Divergences entre graphies et phonèmes consonantiques*

La correspondance est souvent difficile à cause des graphies qui, à l'origine, correspondaient à des sons différents et se sont maintenues, bien que la langue ait confondu ces sons :

[ʒ] : *j* (déjà), *g* (gentil), *ge* (pigeon)
[s] : *s* (sang), *c* (cent), *ç* (façon), *sc* (sceau), *ss* (issue), *t* (inertie)
[k] : *c* (sac), *k* (kilog), *q* (cinq), *qu* (quart), *ch* (archétype), *cq* (acquisition).

1. Lucien Foulet, Le « plus » quantitatif et le « plus » temporel, dans *Etudes romanes dédiées à Mario Roques*, Paris, 1946, pp. 131-148.
2. André Malécot, « Optional Word-final Consonants in French », dans *Phonetica*, 26, nº 2, 1972, pp. 65-88.

L'interprétation erronée des graphies a amené bien des changements phonétiques. Dans *aiguiser*, le *u* fut compris comme une graphie, ce qu'il n'était pas à l'origine, par rapprochement avec *guide*, *gui*. Le cas de *ign* notant [ɲ] est encore plus net : *po-igne*, *Monta-igne*, [pɔɲ, mɔ̃taɲ] sont devenus [pwaɲ, mɔ̃tɛɲ]. Combien de temps dureront encore les prononciations originelles de *enco-ignure*, *o-ignon* ? Il s'agit en fait de buttes témoins résistant à une généralisation.

Pour le détail des faits, dont l'évolution est rapide, on consultera le manuel très clair de P. Léon (1966), *Prononciation du français standard* (destiné surtout à des étrangers), le célèbre *Traité* de P. Fouché (1959) (exhaustif, mais difficile à consulter), les *Dictionnaires* de L. Warnant (classement « autoritaire » commode à partir du *Traité* de Fouché), l'*Encyclopédie du bon français dans l'usage contemporain* (1972), le *Trésor de la langue française* (C.n.r.s. Nancy, sous la direction de P. Imbs, à partir de 1972). Signalons enfin qu'un *Dictionnaire phonétique du français contemporain*, dirigé par B. Quémada, est en préparation. Dans le *Dictionnaire de la prononciation française dans son usage réel*, par A. Martinet et H. Walter, la norme est entendue comme un éventail de latitudes.

3.8. QUAND FAUT-IL ALLONGER ? (PROBLÈME PROSODIQUE)

3.8.1. *Les allongements de voyelles*

Comme ils fonctionnent différemment, il faut distinguer les allongements phonétiques, régis par des règles (s*au*ve) ou explicables historiquement (traînant), et les allongements phonologiques (renne/rêne).

3.8.1.1. Allongements combinatoires.

— devant [r, z, ʒ, v, vR] (qui ferment la syllabe) *toute voyelle accentuée* s'allonge : le p*o*rt, la ch*o*se, il l*a*ve, il *ou*vre [u:vR̥], le r*ou*ge (cf. 1.5.4.). Deux conditions pour toute voyelle : accent et consonne allongeante subséquente.

— de plus, les voyelles nasales ainsi que [ɑ] postérieur, [o] et [ø] fermés sont allongés sous l'accent *devant une consonne quelconque* (ou un groupe de consonnes) qui ferme la syllabe : je me bal*an*ce (mais sans allongement : se balancer), tu r*on*fles, homme h*um*ble (cf. meuble), la p*in*ce, la gr*â*ce (mais grasse avec [a] antérieur bref), à g*au*che, heur*eu*se. Deux conditions pour [ɑ, o, ø] et les voyelles nasales : accent et consonne quelconque.

3.8.2. *Allongements phonologiques*

On enseigne encore qu'une distinction quantitative (voyelle longue/voyelle brève) concerne quelques paires de mots. Mais elle est bien instable et n'est plus guère effectuée de nos jours (ex. : [ɛ]/[ɛ:] : mettre/maître, tette/tête, etc.) que dans certaines régions[1].

Quand le substrat phonétique régional le permet, il n'y a aucun inconvénient à allonger les voyelles accentuées en syllabes ouvertes terminées par *e* muet, pour opposer masculin et féminin : venŭ/venūe, amĭ/amīe. On ne peut qualifier de distinctives les oppositions de durée suivantes (c'est le timbre qui compte, la durée étant régie par les règles combinatoires précédentes) : pomme/paume, jeune/jeûne, cotte/côte...

3.8.1.3. Selon Delattre, il doit rester une légère proéminence en cas de désaccentuation. Certaines parlent alors de *demi-accent*. Mais l'accent est un fait de langue : il est présent ou absent, il ne saurait être « à demi présent ». D'autres voient dans ce phénomène un *demi-allongement*, purement phonétique, que l'A.p.i. note par un point en haut [·] : comparer *il nous sauve* [ilnuso:v] et *il nous sauve tous* [ilnuso·v̥tus] : il reste « quelque chose » sur le [o], qui apparaît un peu allongé sur les tracés, alors que la constrictive assourdie est abrégeante.

L'entourage et la constitution syllabique modifient souvent l'allongement graduel normal. Comparer ces trois groupes prononcés sans lenteur :

— je pense [ʒəpɑ̃:s];
— je pense toujours [ʒəpɑ̃·stuʒu:R] : le [ɑ̃] est moins long que précédemment;
— je pense toujours à vous [ʒəpɑ̃stuʒu·Ravu] : le [ɑ̃] n'est plus long du tout.

3.8.1.4. Allongement expressif de voyelles.

Il convient de maintenir l'égalité syllabique quand l'énoncé n'a pas à être expressif. Ainsi l'allongement expressif, qui rompt le schéma attendu, sera vraiment efficace par contraste : homme ext*rao*rdinaire [ɔmɛks''tRɔ:Rdi'nɛ:R] s'oppose à [ɔmɛkstRaɔRdi'nɛ:R].

A part les allongements combinatoires, fonctionnels et expressifs, on veillera à ne pas allonger les dernières syllabes de groupe, surtout les pénultièmes. Ce trait est assez répandu en français régional non méri-

1. C'est un archaïsme qui se maintient dans un croissant à plus de 150 km de Paris, sauf vers le Nord : Ardennes, Bourgogne, Berry, Loire, Normandie. A l'époque classique, dit Martinet, il caractérisait au contraire le français le plus central, le plus parisien.

dional : Fais pas d'câfé (Nord)[1], J'vais à Nâncy (Est), Y-a des Parîsiens... (Cotentin). Remacle a relevé en français de Liège quatre à cinq fois plus de voyelles longues, en toutes positions, qu'en français correct. Le rythme trochaïque – ⌣ remplace le rythme ïambique attendu.

3.8.2. *Les allongements de consonnes*

On tend de nos jours à user de plus en plus de la consonne longue (1.5.4.3.) : appauvrir [appovRi:R] au lieu de [apovRi:R]. « Paris la favorise de plus en plus. »[2] Cela ne caractérise plus seulement les journalistes de l'O.r.t.f., les enseignants ou les orateurs qui, pour être mieux compris, renvoient à la graphie. C'est l'affectation qui fait dire *mon cher col-lègue !*; mais si *l'attention* prend un *t* long, c'est pour la différencier de *la tension*. A. Sauvageot a relevé « pluie di*ll*uvienne » et même, dans un grand quotidien, « conge*ll*ation » : c'est la prononciation qui a inspiré la faute d'orthographe ! Les consonnes graphiquement doubles doivent se dire normalement avec une consonne simple : *différence*, *envelopper* n'ont qu'un *f*, qu'un *p*. Dans le registre soigné, l'allongement consonantique n'est à faire comme réalisation de géminée que dans sept cas :

1. S'il y a gémination marquant une *opposition morphologique* : courait/courrait (au futur et au conditionnel présent de *courir*, *mourir*, *acquérir* et *conquérir*); c'est un type isolé qui a son rendement fonctionnel à l'intérieur du paradigme de ces verbes. Dans *pourrai*, *verrai*, il n'y a pas lieu de dire un [R] long.
2. Au présent du subjonctif et à l'imparfait indicatif de verbes comme *croire* : nous croyions [kRwaj-jɔ̃] s'oppose à *nous croyons* seulement si on veut éviter l'homonymie.
3. En jointure *interne* par suite de l'absence d'un *e* muet : *nett(e)té*. La gémination a valeur morphologique dans *éclair(e)ra* (cf. éclaira), *considér(e)rais* (cf. considérais), son rendement fonctionnel est grand.
4. Pour distinguer des couples avec ou sans *e* caduc : la dent/là-d(e)dans, tu mens/tu m(e) mens, el(le) lut/elle eut, cel(le)-la/c'est là, elle l'a dit/el(le) a dit, ils montent tous/ils m'ont tous. Ce sont des géminées secondaires qu'on trouve à la jointure *externe* entre deux mots faisant partie du même groupe accentuel : *petit(e) table.*
5. Dans les mots *savants* relativement récents dans la langue : *attique*, *appétence*; ou dont l'orthographe influence la prononciation : *illustre*, *grammairien*, *additif*.
6. Si on veut insister sur la valeur sémantique d'un *préfixe* : *irréel*, *illisible*, *irréprochable*, *immaturité*.

---

1. F. Carton, *Pente et rupture en français régional* (1967).
2. Guiti Deyhime, *La Linguistique*, 1967, I, pp. 97-108 et II, pp. 57-84 (enquête de 1962-1963).

7. Pour éviter des confusions dans les noms propres : *l'Assyrie*, avec [s:] diffère de *la Syrie*.

Dans le style affectif, c'est une consonne longue qu'on prononce dans tous les registres : *je suis accablé !* De même dans l'emphase : *l'immensité* avec « deux » *m*, c'est plus vaste ! Dans un vaudeville des années 60, il y avait cette réplique : « Cette maison est une *mm*aison » (de passe) !

L'histoire du français montre que de telles oppositions quantitatives furent éliminées parce qu'elles n'étaient pas « payantes ». Aujourd'hui, on les réintroduit. Il se peut que « l'effet Buben » (influence de la graphie), l'emphase, le snobisme et le pédantisme ne soient pas seuls en cause. Le développement des consonnes longues en français contemporain n'est-il pas l'indice d'un acheminement vers un stade où elles auraient un statut phonologique ?

3.9. QUAND FAUT-IL FAIRE LA LIAISON ?

Alors qu'une jeune actrice, chargée d'un rôle d'ingénue, prononçait la réplique : « Ces roses, nous les avions plantées-ensemble », Mme de Girardin s'écria : « Pas d'*s* ! Planté ensemble ! vous n'avez pas le droit de faire de pareilles liaisons à votre âge... cette affreuse liaison vous vieillirait de dix ans ! » Bien que nous soyons loin des conventions de 1854, ce problème de jointure continue à jouer un rôle d'indice culturel et sociologique. Les règles définies par les grammairiens concernent la langue écrite plus que la langue parlée : elles servent surtout à montrer que l'on a de l'orthographe. Témoin ce garçon qui se disait « candidat-au brevet-élémentaire » !

Les *cuirs* (addition d'un *t*), les *velours* (addition d'un *z*) et les *pataquès* (confusion de liaisons) caractérisent le « nouveau riche » du répertoire comique et l'ignorant qui s'applique à bien parler. Mais vouloir « adoucir les rencontres de sons » est une naïveté fort ancienne chez nous :

cuir : *va-t-en guerre*
velours : *quatre-z-officiers*
pataquès : *ce n'est pa(s)-t-à moi...*

Autrefois, observe P. Martinon, « *on za* ou *j'ai zété* était admis par les personnes les plus distinguées » (cf. *entre quat'zyeux*). La liaison est une des marques phonostylistiques les plus voyantes.

3.9.1. *Tendance générale*

Nous avons défini la liaison dans la première partie (1.4.9.), puisqu'elle n'est qu'un cas particulier de jointure : plus précisément, c'est la survivance d'un petit nombre d'enchaînements de consonnes finales en anc. fr. D'où la règle pour le français soigné et courant : les consonnes graphiques, muettes depuis des siècles, ne se prononcent encore que « dans la mesure où l'usage a consacré l'extrême étroitesse d'union de deux mots » (Delattre) : *des nations/unies, les Nations‿Unies.*

On fait traditionnellement la liste des cas où la liaison est obligatoire, interdite ou facultative. En fait une liste des liaisons facultatives n'est guère utile, elle dépend du registre de langue. Le francophone sent généralement si la jointure s'impose ou non : un jeune enfant ne dit *les/hommes* que s'il peine à déchiffrer un texte.

3.9.2. *Vers une utilisation fonctionnelle*

On doit jouer sur la liaison lorsque celle-ci a une valeur morphologique : [il aRi:v] mais [ilzaRi:v] : le [z] est la seule marque du pluriel, c'est un *morphème latent* (c.-à-d. qui peut ou non apparaître). La marque du pluriel phonétique n'est pas située, comme la marque graphique, après le verbe, elle est *avant.* Il y a étroitesse d'union plus grande dans *ils‿arrivent* que dans *les gens/arrivent.* Dans le groupe nominal, on fait la liaison au pluriel mais pas au singulier : *route étroite/routes‿étroites, arme égale/armes‿égales.* Les cas où l'opposition singulier/pluriel repose uniquement sur le [z] de liaison sont assez rares. Le plus souvent, il y a d'autres marques, comme le changement de forme de l'article, mais cela sert à la redondance nécessaire :

l'homme, les hommes [lɔm ~ lezɔm) : 2 marques du pluriel oral
un homme, des hommes [œ̃nɔm ~ dezɔm] : 3 marques du pluriel oral.

L'opposition d'une liaison en /t/ et d'un enchaînement en /d/ peut marquer la différence entre le masculin et le féminin : *grand ami* [gRɑ̃tami] ~ *grande amie* [gRɑ̃dami] (avec un léger allongement de [ɑ̃]).

La présence ou l'absence de liaison permet de lever des ambiguïtés, à vrai dire rares et artificielles : *parler de lit à lit* ! Pourtant des calembours comme *un des‿agréments* étaient jadis fort prisés. Si on fait la liaison après un monosyllabe, c'est qu'elle semble assurer l'intelligibilité : *est-elle, on‿a ri.*

Un curieux‿homme (1 seul accent : il excite la curiosité) n'est pas *un homme curieux* (2 accents : un indiscret). L'adjectif était en anc. fr. régulièrement placé devant le substantif : d'où ces différences de sens. On lie dans *un petit‿habit,* mais pas dans *un habit/étroit.*

La liaison doit renforcer parfois une opposition de sens : *un savant* (subst.) *atomiste* (adj.), sans liaison, n'est pas *un savant* (adj.) *atomiste* (subst.), avec liaison.

Elle joue un rôle différenciatif dans des couples où l'un des mots comporte h disjonctif comme : *l'auteur/la hauteur, l'être/le hêtre, les uns/les Huns...* Dans le doute, un procédé pratique consiste à essayer si on peut faire une pause : on fait plus facilement la liaison dans *long‿usage* que dans *long/et large.*

En ce qui concerne les mots composés, un critère de liaison est constitué par l'impossibilité de pratiquer l'*insertion* : on ne peut pas dire *des fers > pratiques < à repasser, des moulins > pittoresques < à vent.* Ces mots composés sont « compacts » et une marque du pluriel ne peut s'y insérer : *des salles/à manger.* Il ne faut pas dire des *pots-z-à confiture.* Beaucoup de liaisons ne se maintiennent que parce que la construction en est stéréotypée, lexicalisée : *respec(t)‿humain, de mieux‿en mieux...* Nous avons entendu un inspecteur parler des *accents‿aigus* : ce n'est pas un hypercorrectisme. Le syntagme n'est pas encore figé : c'est pourquoi la liaison est facultative. Dans l'ex. suivant, entendu à la radio, l'absence de liaison signale l'absence d'un mot qu'on n'a pas voulu répéter : « ... vingt prisonniers dont deux/Américains ».

3.9.3. Dans la plupart des cas, les deux règles simples suivantes (P. Léon) suffiront :

1° *Pas de liaison* après un mot accentué (fin de groupe accentuel) : *il est grand/aussi* (deux « idées », deux accents).

Ce n'est que dans la lecture et dans un registre recherché qu'on entend : *des appartements‿à louer, difficiles‿à découvrir...*

2° Liaison d'un mot inaccentué à un mot accentué (intérieur du groupe accentuel) : *c'est‿un grand‿ami* (trois mots non accentués suivis d'un mot accentué). C'est le cas quand le déterminé est précédé d'un prédéterminant (article) ou d'un déterminant (adjectif, pronom inaccentué, auxiliaire).

La réduction au minimum des cas de liaison caractérise le registre familier et populaire. L'intonation et l'accent d'insistance, signes démarcatifs, favorisent l'élimination progressive des liaisons facultatives en français contemporain. Nous recommandons cependant de ne pas abuser des coups de glotte.

3.9.4. *Les consonnes de liaison*

La consonne de liaison la plus fréquente est [z]. Puis viennent [t, n]. On ne lie avec [R] que *léger, premier, dernier*, sauf en poésie. Rappelons que, sauf devant le pronom personnel, on fait l'enchaînement avec *r*, non la liaison, dans les terminaisons *r* + *s* ou *t* : *elle par(t) encore*, mais *part-elle ?* Ce n'est que dans les vers que l'on dit : *tu dors⁀encore !* [ilparta'pje] est ambigu ! Selon le registre de langue, on fera l'enchaînement (avec *r*) ou la liaison (avec *s* ou *t*) avec *fort* et *toujours* : *for(t) utile.* On ne dit plus *sanc impur*, même en chantant la Marseillaise ! Le *p* de liaison est en voie de disparition; il n'existe plus qu'avec *trop* et *beaucoup*, dans le registre soutenu : *j'ai beaucoup aimé.* C'est encore une survivance que la dénasalisation des adjectifs ɛ̃ > ɛ : moyen, certain, ancien, plein, vilain... et ɔ̃ > ɔ : *bon* est désormais le seul (avec *mon*, *ton*, *son*, la dénasalisation est devenue une marque archaïsante ou régionale). Si la dénasalisation n'affecte plus qu'un nombre réduit d'adjectifs, c'est en partie parce qu'elle neutralise l'opposition masculin/féminin : *bon élève* et *bonne élève* sont tous deux [bɔne'lɛ:v].

3.9.5. *Le H disjonctif*

C'est seulement dans l'expressivité et dans la prononciation québecquoise, wallonne, lorraine et normande que [h] est prononcé; ce que nous nommons *h* « aspiré » ne se distingue pas du *h* muet par un trait articulatoire, mais parce que, devant lui, [ə] se maintient et qu'on ne fait jamais la liaison (on dit qu'il est disjonctif). 65 mots usuels seulement comportent cette jointure qui est une anomalie du système. La répartition peut se justifier historiquement.

Rappelons que *h* n'est pas disjonctif dans : *l'haleine*, *l'hameçon*, *l'helléniste*, *l'hémistiche*, *l'héroïne*, *l'héroïque*, *l'hiatus*, *l'huissier*. Au contraire, il l'est dans les mots suivants : la hache, la haie, la haine, le hâle, le hall, les halles, le halo, le hamac, le hameau, la hanche, les handicapés, le hangar, elle hante, je happe, harasser, harceler, hardi, le harem, le hareng, le haricot, la harpe, le harpon, le hasard, quelle hâte, la hausse, le haut, le hautbois, la hauteur, Le Havre, hérisser, la hernie, le héros, la herse, le hêtre, heurter, le hibou, le hideux, la hiérarchie, il hoche, les Hollandais, le homard, la Hongrie (et dérivés), la honte, c'est honteux, le hors-jeu, la hotte, la houille, la housse, le hublot, une huée, le huguenot, le huit(ième) (mais avec dix-huit, vingt-huit..., il y a liaison), elle hurle, il(s) hurlent, le hussard.

En fait, ces listes sont soumises à cinq pressions :

1° Conscience de l'*origine* du mot : on fait d'autant moins la liaison et l'élision qu'un mot est moins intégré à la langue et inversement. On ne dit pas *les-z-All Black* (joueurs de rugby néo-zélandais). Nous avons entendu *le/outsider* (mot importé traité comme s'il commençait par un *h* disjonctif). En revanche, beaucoup oublient que *handicapé* vient de l'anglais.

2° Tendance *phonétique* : parce qu'elles sont senties comme des consonnes, on répugne à faire l'élision et la liaison avec les semi-consonnes initiales. C'est parce qu'ils prononcent *hiatus* avec un yod [jatys] que certains disent *un/hiatus* comme *un/yaourt*. On hésite de même pour *ouate* à cause de [w], pour *huis-clos* à cause de [ɥ]. En ce cas, ce n'est pas le *h* graphique qui importe.

3° Souci d'*opposition fonctionnelle* : pour éviter une confusion, plusieurs professionnels de la radio ont distingué *l'hippisme* et *le hippysme* (phénomène hippy).

4° Besoin de *démarquer* : on détache volontiers des mots peu courants ou porteurs de beaucoup d'information. Ex. : *ce sont leurs/homologues.* Ce type de jointure est ridicule s'il est employé hors de propos.

5° *Affectivité :* pour réaliser un accent d'insistance, on recule la coupe syllabique en insérant une pause ou une laryngale : *j'étais/horripilée.* Normalement, on fait l'enchaînement : *j'étais-z(h)orripilée.* N'abusons pas d'un procédé qui n'est efficace que s'il est rare.

La liaison n'a pas grand-chose à voir avec « l'euphonie »... Permettre au locuteur de montrer qu'il connaît l'orthographe, ce n'est pas non plus une justification suffisante ! En réalité, la liaison différencie les registres de langue et assume de nombreuses fonctions proprement linguistiques.

3.10. SIGLES ET NOMS PROPRES

3.10.1. *Comment prononcer les sigles ?*

Ces assemblages d'initiales, dont l'abus tourne au ridicule, sont sybillins pour le profane si on ne les explicite pas au début d'un texte. Ceci devrait être considéré comme une politesse élémentaire pour tout sigle dont la notoriété n'est pas évidente. L'usage de donner aux noms de consonne le genre *masculin* (*le* L) se généralise (Grevisse).

Ne conviendrait-il pas de garder à la majuscule sa valeur démarcative, et de ne l'utiliser que pour la première lettre : C.f.d.t., R.a.t.p... ? On devrait tendre à user des sigles comme de « mots » non épelés, comme font les Italiens : une F.i.a.t. [fjat]; le [gaɛk] = Groupement autonome d'exploitation des cultures... Un sigle commençant par une consonne dont l'énoncé comporte une voyelle prononcée à l'initiale (ex. M = [ɛm]) devrait être traité comme s'il commençait par un *h* « aspiré » : [ləɛmɛ'lɛf] « le M.l.f. ». Si le sigle commence par une voyelle, la prononciation comporte l'élision ou la liaison : « l'I.r.a. ».

3.10.2. *Comment prononcer les noms propres ?*[1]

La prononciation correcte de certains noms propres établit une connivence entre initiés : il faut être au courant pour dire : *le duc de Castr(i)es* sans *i* ou *Broglie* [bRɔj] ! En Suisse, on dit *Clarens* [klaRã], *Warens* [waRã]; pour *Brent*, les Vaudois disent [bRã], jamais [bRɛ̃t].

---

1. F. Carton, De la prononciation des noms propres, dans *La Linguistique* (2), 1968, pp. 135-141.

Que dirait un Québecquois à qui on parlerait de [mɔ̃tReal] ou un Wallon à qui on dirait [səRɛ̃g] pour *Seraing* [sRɛ̃] ?

3.10.2.1. Noms étrangers à la langue.

Nous ne sommes pas de l'avis de Fouché qui écrit : « Les mots étrangers ne posent guère de problèmes. Ils ont été et continuent toujours, à quelques exceptions près, à être traités comme des mots français » (*Traité de prononciation*, p. v). Cette règle ne vaut guère que pour les noms introduits depuis longtemps dans la langue française : *Londres*, *Dom Juan*. Le XVIe siècle tendait à adapter systématiquement les noms de l'Antiquité (*Cyre*, *Térence*...). Montaigne, lui, aimait les laisser vêtus à la latine ou à la grecque (*Varro*, *Lysander*...) comme plus tard un Leconte de Lisle, soucieux d'exotisme (*Le centaure Khirôn*). Notre XVIIe siècle écrivait et disait *Bouquinquant* pour *Buckingham*. La tendance actuelle, qui n'est pas propre aux milieux cultivés ni au français, est de reproduire la prononciation originale le plus fidèlement possible. Les Français continuent par tradition à dire, sinon *Malbrou*, comme jadis, du moins *Malbrouk* pour *Marlborough* [ˈmɔlbro]. Mais nul n'oserait plus aujourd'hui dire [su-tã-ptɔ̃] pour *Southampton*, par crainte du ridicule. Ce phénomène, dont les causes sont aisées à discerner, se développe depuis la Première Guerre mondiale et atteint maintenant toute son ampleur.

Encore faut-il être informé : le Français qui veut lire correctement *Kotzebue* ou *Hewlett* est embarrassé, soit qu'il ignore la prononciation allemande ou anglaise, soit qu'il n'ose la reproduire de peur d'être mal compris. Quatre attitudes sont possibles :

1° Prononcer exactement les phonèmes étrangers avec leur réalisation phonétique correcte, en laissant l'accent à sa place. Ex. : *Einstein* [ˈʔae̯nʃtae̯n].

2° Prononcer moins scrupuleusement, mais selon les tendances les plus voyantes de la langue originelle : [ajnˈʃtajn].

3° Prononcer selon les habitudes articulatoires et graphico-phoniques de la langue emprunteuse : [ɛ̃sˈtɛ̃], comme *instinct*.

4° Adapter partiellement : c'est un compromis entre les habitudes de la langue originelle (en particulier l'accentuation) et celle des utilisateurs étrangers : [ɛnˈstɛn]; pour *Greenwich*, prononcé en anglais [ˈgrinidʒ], dire [gRinˈwitʃ].

La première attitude n'est pas à la portée de tous et frise l'affectation. La troisième passe pour le fait de gens incultes et semble ridicule aujourd'hui. La quatrième est adoptée par Martinon, Grammont, Fouché, Warnant. Mais il faudrait que les dictionnaires indiquent au moins *deux* prononciations, la première et la quatrième, surtout pour les langues très éloignées des habitudes phonétiques françaises. On devrait donner la prononciation qui est la plus conforme à la prononciation originale et celle qui est la plus francisée. Ex. : *Snyders* [ˈsnaj-dəz] et [ˈsnɛj-dɛrs].

Il faudrait préciser : 1° cas angl.; 2° cas belg. D'autre part, les Français qui portent ce nom disent [sni'dɛrs]. Autre ex. : *Wilde* se dit bien ['wajld], mais il faut préciser « angl. », car en France du nord, où le nom est répandu, on dit ['wild]. Non seulement la mention d'origine est nécessaire, mais aussi celle du degré de généralité des prononciations proposées.

3.10.2.2. Noms français.

Si l'on est informé, ou si le mot est très connu, on utilisera la prononciation locale. Pour les dictionnaires, une double indication s'impose : la prononciation générale et la prononciation régionale; indiquer cette dernière suppose des enquêtes multiples et approfondies. Dans *Wallers*, *Wattrelos* (Nord), *W* initial se dit [w] et non [v]. Il est indispensable de renseigner exactement et spécifiquement sur l'origine de la prononciation recommandée. Voici comment nous verrions les articles, suivant le principe de la *double indication* :

Menehould (Première Guerre mondiale) : rég. mə-nu, gén. mə-nə-uld.
Xertigny : rég. sɛr-ti-ɲi (< *serotiniacum), gén. ksɛr-ti-ɲi.
Xonrupt : rég. ʃɔ̃-ry, gén. ksɔ̃-rypt.
Bally : rég. ba-ji, gén. ba-li.
Samer : rég. sa-me, gén. samɛ:r, etc.

Il faudrait parfois distinguer toponymes et anthroponymes, car un nom comme *Aulnay* se dit avec *-l-* dans la région, quand il s'agit d'Aulnay-sous-Bois, mais sans *-l-* quand il s'agit d'une personne.

Devant les contradictions que chacun peut observer, même chez des informateurs cultivés, le principe de base doit être celui d'une large *tolérance*. D'autre part, une étude préalable doit dégager les *tendances actuelles*. On peut discerner une lutte d'influence entre cinq *facteurs*, chacun étant d'une importance variable. Il faut donc étudier chaque nom séparément; il n'y a pas de « loi » générale.

1° Tendances phonétiques contemporaines

Il faut tenir compte de la tendance à neutraliser *e* en syllabe non finale : *Weygand* avec *e* ouvert, fermé ou moyen. La réalisation de *a* aujourd'hui est souvent intermédiaire entre [a] et [ɑ] : il est donc peu utile de noter, pour *Chablis*, [ʃɑ-bli] et [ʃa-bli].

2° Réaction à la graphie

Il faut étudier la solution que des personnes cultivées apportent aux problèmes suivants : *s* implosif (De*s*queyroux, Cre*s*pin), *ti* prévocalique (Me*ti*us), *ill* (Aure*vill*y), *e* caduc (passage possible à é : Mitt*e*rand, M*e*gève, Esp*e*rey), *l* implosif (Chau(l)nes), *nt* suivi de *r* (Mont*r*ichard), consonnes finales (Borda*s*, mais Exeneve(x), groupe de consonnes ((Sauru(p)t), *oy* (Coysevox : [wa] ou [ɔj]).

La réaction à la graphie peut être positive ou négative, ce qui fait pénétrer dans les domaines de la socio-linguistique et de la psycholinguistique. Nous avons entendu trois prononciations de *Joachim* : [-ʃɛ̃] (ancien), [-kim] (conformément au phonétisme hébraïque) et [-ʃim] (conformément à l'écriture). La liturgie chrétienne actuelle a raison d'écrire *Ezékiel* et *Baruc* plutôt qu'*Ezéchiel* et *Baruch* dans les textes destinés à la lecture publique. Les personnes informées disent [kla-rã] (*Clarens*, en Suisse), [wavR] (*Woëvre*, bataille de Verdun). Mais ce serait faire preuve de pédantisme que de se refuser à renvoyer à l'orthographe là où c'est réellement celle-ci qui détermine la prononciation. Le journaliste qui improvise sa lecture devant le micro ne peut que dire « comme ça s'écrit » les noms d'actualité qu'il n'a jamais entendu prononcer. Il contribue ainsi à implanter chez ses auditeurs la prononciation de toutes les consonnes pour les groupes difficiles où il y a conflit avec le facteur n° 1.

3° Attractions paronymiques

La ressemblance d'un nom propre et d'un nom commun entraîne une attraction et plus souvent une *différenciation* : c'est le cas de *Hospital*, *Besret*, *Aubespin*, *Mesnage*. Beaucoup diront les *s* pour qu'on ne croie pas qu'il s'agit d'un nom commun. C'est encore plus fréquent quand le sens du mot n'est pas très « relevé » : *Lestable*, *Bastard* ! Là encore, c'est un problème de socio-linguistique. Un monsieur *Piedvache* se fait appeler [pivak].

4° Notoriété

Un nom peu connu a beaucoup plus de chance d'être prononcé selon les tendances phonétiques (n° 1) ou selon la graphie (n° 2) que selon la tradition. Ici, ce sont des études de fréquence d'emploi qui s'imposent.

5° Prononciation locale

Celle-ci résulte de la phonétique dialectale, ancienne ou actuelle. Un autre type d'enquête, dans chaque région, est nécessaire, avec les modalités suggérées par Martinet[1]. Il faut préciser soigneusement les sources et faire des statistiques. Il faut travailler en liaison avec les dialectologues et les équipes des Atlas linguistiques, et s'appuyer sur les travaux des étymologistes. On cherchera dans quelle mesure et pourquoi telle prononciation est tombée en désuétude.

On ne peut donc plus fonder un dictionnaire de prononciation sur un idiolecte, ni sur les observations d'un petit nombre de linguistes. Il faut encore bien des enquêtes, appuyées sur des monographies locales, pour préparer de plus amples travaux qui nécessitent un personnel nombreux et les techniques complexes de l'informatique, comme celles que le *Trésor de la langue française* met en œuvre à Nancy.

---

1. Pour un dictionnaire de la prononciation française, *Mélanges Daniel Jones*, 1961, pp. 349-356.

ANNEXES

RÉFÉRENCES BIBLIOGRAPHIQUES

Nous mentionnons seulement ici les ouvrages que nous jugeons les plus utiles pour compléter une initiation à la phonétique du français. La plupart comportent d'amples bibliographies. Des indications sur des points de détail figurent dans les notes infrapaginales.

I. PHONÉTIQUE GÉNÉRALE et INSTRUMENTALE

L. J. Boë, *Introduction à la phonétique acoustique*, Travaux de l'Institut de Phonétique de Grenoble, série A : Manuels, Grenoble, 1972 (ronéotypé).
(Exposé très technique, mais qu'un non-spécialiste peut aborder facilement.)

Catherine Brichler, *Les Voyelles françaises*, Mouvements et positions articulatoires à la lumière de la radiocinématographie, Klincksieck, Paris, 1970.
(Fait pendant au travail de P. Simon.)

Pierre Delattre, *Studies in French and Comparative Phonetics*, Mouton, La Haye, 1966.
(Recueil de 32 articles sur la phonétique française, articulatoire et acoustique.)

Peter B. Denes et Elliot N. Pinson, *La Chaîne de communication verbale*, Physiologie et Biologie du Langage, Laboratoires du Téléphone Bell, éd. Thérien Frères, Montréal, 1963.
(Bon ouvrage de vulgarisation pour l'acoustique, l'audition et la perception.)

Maurice Grammont, *Traité de Phonétique*, Delagrave, Paris, 1933.
(Traité complet de phonétique instrumentale, un peu vieilli; les chapitres sur la description des sons et sur la phonétique impressive sont encore utilisables.)

Peter Ladefoged, *A Course in Phonetics*, H.B.J., New York, 1975.
(Excellente initiation; ex. surtout anglo-américains.)

Jean-Claude Lafon, *Message et Phonétique*, Introduction à l'étude acoustique et physiologique du phonème, P.U.F., Paris, 1961.
(Encore utile pour une initiation à l'audiologie.)

Albert Landercy et Raymond Renard, *Eléments de phonétique*, Didier, Bruxelles, 1978.
(A jour pour l'aspect acoustico-perceptif et la correction phonétique.)

Jean-Sylvain Liénard, *Les processus de la communication parlée*, Masson, Paris, 1977.
(Claire initiation par un ingénieur.)

Bertil Malmberg, *Les Domaines de la Phonétique*, Presses Universitaires de France, Paris, 1971 (Coll. « Sup », série « Le Linguiste »).
(Trad. du suédois; peu d'ex. français, mais vues claires et précises dans tous les domaines de la phonétique générale.)

Bertil Malmberg, *La Phonétique*, Presses Universitaires de France, Paris, 9e éd. mise à jour, 1971 (Coll. « Que Sais-je ? », no 637).
(Manuel de base en phonétique générale, succinct mais très clair; les chap. 9 et 10 sont vieillis.)

Pélagie Simon, *Les Consonnes françaises*, Mouvements et positions articulatoires à la lumière de la radiocinématographie, Klincksieck, Paris, 1967.
(Nombreux croquis tirés de films.)

Georges Straka, *Album phonétique*, Les Presses de l'Université Laval, Québec, 1965, rééd. 1972, 188 pages.
(Riche recueil de schémas et de figures explicatives.)

Georges STRAKA, « La division des sons du langage en voyelles et consonnes peut-elle être justifiée ? », Travaux de Linguistique et de Littérature (C.p.l.r.), Strasbourg, nº 1, 1963, pp. 17-74.

Georges STRAKA, *Système des voyelles du français moderne*, Bulletin de la Faculté des Lettres, Strasbourg, 1950, pp. 1-41 et 220-233.

II. PHONÉTIQUE COMBINATOIRE et PHONOLOGIE

François DELL, *Les règles et les sons*, Herrman, Paris, 1973.
(Bonne introduction à la phonologie générative.)

Jean DUBOIS et coll., *Dictionnaire de linguistique*, Larousse, Paris, 1973.

Eli FISCHER-JØRGENSEN, *Trends in phonological Theory*, Akad. Forlag, Copenhague, 1975.
(Introduction historique claire et complète.)

Roman JAKOBSON, *Essais de Linguistique générale*, trad. et préfacé par N. Ruwet, éd. de Minuit, Paris, 1963.
(Vues pénétrantes sur quelques problèmes de phonologie; tendance binariste.)

Pierre LÉON, Henry SCHOGT et E. BURSTYNSKY, *La phonologie : 1. Les écoles et les théories*, Klincksieck, Paris, 1977.
(Claire présentation de textes bien choisis.)

La Linguistique, Guide alphabétique, dirigé par André MARTINET, Denoël, Paris, 490 pages.

André MARTINET, *La Prononciation du français contemporain*, témoignages recueillis en 1941 dans un camp d'officiers prisonniers, Paris, 1945 (rééd. 1972).
(Introduction à une étude fonctionnaliste.)

André MARTINET, *La Description phonologique*, avec application au parler franco-provençal d'Hauteville (Savoie), Droz, Genève, 1956.
(Méthode de l'analyse phonologique avec un exemple d'application.)

André MARTINET, *La Linguistique synchronique*, Presses Universitaires de France, Paris, 1965 (Coll. « Sup », série « Le Linguiste »). (Recueil d'articles; les sept premiers chapitres traitent de phonétique fonctionnelle.)

André MARTINET, *Eléments de linguistique générale*, Armand Colin, Paris (Coll. U²), 9ᵉ éd. revue et augmentée, 1971.
(Le plus dense et le meilleur manuel d'initiation; trois chapitres concernent la phonologie.)

Sandford A. SCHANE, « Phonologie générative », trad. N. Ruwet, *Langages*, VIII, Paris, 1967.
(Clair aperçu de quelques applications.)

N. S. TROUBETZKOY, *Principes de Phonologie*, trad. J. Cantineau, Klincksieck, Paris, 1949 (réimpr. 1964).
(Ouvrage fondamental, parfois difficile; les pages 16-29 ont jeté les bases d'une phonostylistique moderne; les pages 314-379 présentent un appendice sur quelques problèmes généraux par R. Jakobson.)

Henriette WALTER, *Phonologie du français*, P.U.F., Paris, 1977 (Coll. « Sup »).
(Point de vue fonctionnaliste, à partir d'un vaste corpus.)

III. PHONÉTIQUE HISTORIQUE

Jean BATANY, *Français médiéval*, Bordas, Paris, 1972 (Coll. « Etudes », série bleue).
(Bons tableaux chronologiques de l'évolution phonétique, pp. 23-44; commentaire de 45 textes, index alphabétique de phonétique.)

Melitina A. BORODINA, *Phonétique historique du français*, avec éléments de dialectologie, Manuel à l'usage de l'Enseignement supérieur, Ed. Scolaires d'Etat, Leningrad, 1961.
(Ouvrage pédagogique clair et entraînant, malheureusement difficile à trouver; classement explicatif intéressant; certaines indications à revoir; on souhaite une réédition.)

Edouard et Jean Bourciez, *Phonétique française*, Etude historique, Klincksieck, Paris, 1967, nouveau tirage 1971 (Coll. « Tradition de l'Humanisme »).
(Fut longtemps le manuel de base; remis à jour et remanié; présente les faits de façon atomistique.)

Jacques Chaurand, *Introduction à la dialectologie française*, Bordas, Paris, 1972 (Coll. « Etudes », série rouge).
(Cet ouvrage a été conçu comme complémentaire du présent travail; il contient les perspectives dialectales diachroniques qui ont été omises ici.)

Albert Dauzat, *Phonétique et grammaire historique de la langue française*, Larousse, Paris, 1950.
(La première partie constitue une initiation claire et entraînante, de type chronologique, mais certains aspects sont vieillis.)

Pierre Fouché, *Phonétique historique du français :* I. Introduction, 1952, II. Les voyelles, 1958, III. Les consonnes et Index général 1961, Klincksieck, Paris. 2e éd. revue et corrigée, 1966.
(Très complet et bien informé; manque de vues instrumentales et phonologiques.)

André Haudricourt et Alphonse Juilland, *Essai pour une étude structurale du phonétisme français*, Klincksieck, Paris, 1949.
(Etudes stimulantes, parfois contestées, de quelques problèmes de phonétique historique.)

André Lanly, *Fiches de philologie française*, Bordas, Paris, 1971.
(Essai de chronologie des principaux changements phonétiques, pp. 20-33; faits généraux, pp. 37-59; étude détaillée de 120 mots rangés par ordre alphabétique.)

André Martinet, *Economie des changements phonétiques*, Francke, Berne, 1955.
(Ouvrage d'ensemble ouvrant des perspectives fonctionnelles très riches.)

M. K. Pope, *From Latin to modern French*, with especial consideration of Anglo-norman, Phonology and Morphology, Manchester University Press, 1934.
(Gros ouvrage en anglais, bien documenté; histoire de la phonétique et de l'orthographe françaises, pp. 49-293.)

Georges Straka, « Durée et timbre vocalique », Observations de phonétique générale appliquées à la phonétique historique des langues romanes, dans *Zeitschrift für Phonetik und allgemeine Sprachwissenschaft*, XII, 1959, pp. 276-300.

Georges Straka, « L'Evolution phonétique du latin au français sous l'effet de l'énergie et de la faiblesse articulatoire », *T.L.L.*, Centre de Philologie romane, Strasbourg, II, 1964, 1, pp. 17-78.

Georges Straka, « Naissance et disparition des consonnes palatales », Travaux de Linguistique et de Littérature, III, Strasbourg, 1965, 1, pp. 117-167.

IV. PROSODIE et PHONOSTYLISTIQUE

Hélène Coustenoble et Lilias Armstrong, *Studies in French Intonation*, Heffer, Cambridge, 1937.
(Description complète et précieuse mais en anglais; un peu vieilli.)

Marguerite Durand, *Voyelles longues et voyelles brèves*, Essai sur la nature de la quantité vocalique, Paris, 1946.
(Etude devenue classique.)

Georges Faure et Mario Rossi, « Le Rythme de l'alexandrin : analyse critique et contrôle expérimental d'après *Le Vers français* de Maurice Grammont », *Travaux de Linguistique et de Littérature*, Strasbourg, 1968, no 1.

Ivan Fónagy éd., *L'accent en français contemporain*, Didier, Paris-Montréal, 1979 (Coll. « Studia Phonetica »).

Ivan Fónagy, « Les Structures rythmiques de la poésie », dans *Les Rythmes*, Colloque (1967) de l'Institut d'Audiophonologie de Lyon, J.F.O.R.L., VII, 1968, pp. 307-323.
(Ouvre d'intéressantes perspectives.)

Paul Fraisse, *Les Structures rythmiques*, éd. Erasme, Paris, 1956.
(Ouvrage qui fait toujours autorité.)

Paul Garde, *L'Accent*, Presses Universitaires de France, Paris, 1968 (Coll. « Sup », série « Le Linguiste »).
(Etude fonctionnelle d'ensemble, aperçus nouveaux; manque de bases instrumentales.)

Nicole Gueunier, Paul Genouvrier, A. Khomsi, *Les Français devant la norme*, Picard, Paris, 1977.
(Intéressante enquête socio-linguistique.)

Pierre Léon et Philippe Martin, *Prolégomènes à l'étude des structures intonatives*, Didier, Paris-Montréal, 1970 (Coll. « Studia Phonetica »).
(Ouvrage de base, bibliographie abondante; à compléter par la communication de P. Léon au Congrès de Phonétique de Montréal en 1971, éd. Mouton, La Haye : Où en sont les études sur l'intonation ?).

Pierre Léon, *Essais de phonostylistique*, Didier, Paris-Montréal, 1971 (Coll. « Studia Phonetica »).
(Recueil d'articles clairs et documentés qui fait le point sur cette question; bibliographie abondante et à jour.)

Jules Marouzeau, *Précis de stylistique française*, Masson, Paris, 5e éd. 1963.

André Martinet et Henriette Walter. *Dictionnaire de la prononciation française dans son usage réel*, France-Expansion, Paris, 1974.
(Pour 4 000 mots, plusieurs prononciations sont admises.)

Henri Morier, *Dictionnaire de poétique et de rhétorique*, Presses Universitaires de France, 1961, 2e éd. 1973.
(Terminologie et définitions souvent propres à l'auteur.)

Jean Mazaleyrat, « Pour une étude rythmique du vers français moderne », *Lettres modernes*, 1963.
(Notes bibliographiques par un spécialiste.)

V. PHONÉTIQUE NORMATIVE du FRANÇAIS

P. Dupré, *Encyclopédie du bon français dans l'usage contemporain*, sous la direction de Fernand Keller et Jean Batany, Ed. de Trévise, Paris, 1972, 3 vol.
(Indications souvent intéressantes à propos des controverses des puristes.)

Pierre Fouché, *Traité de Prononciation française*, Klincksieck, Paris, 1959.
(Gros ouvrage exhaustif, encore utile mais d'accès difficile.)

Maurice Grammont, *La Prononciation française, Traité pratique*, Paris, 1958.
(La première édition est de 1914; vieilli mais encore intéressant pour plusieurs questions.)

Pierre et Monique Léon, *Introduction à la phonétique corrective, à l'usage des professeurs de français à l'étranger*, Hachette et Larousse, Paris, 1964 (souvent réédité).
(Ouvrage d'initiation pratique et précis.)

Pierre Léon, *Prononciation du français standard*, Didier, Paris, 1966.
(Destiné d'abord à des non-francophones, il est le plus commode, le plus à jour et le plus clair des manuels d'orthoépie.)

Bertil Malmberg, *Phonétique française*, Hermods, Malmö (Suède), 1969.
(Bon manuel, bref mais précis et d'accès facile, destiné aux étudiants étrangers.)

Aurélien Sauvageot, *Français écrit, français parlé*, Larousse, Paris, 1962 (Coll. « La Langue vivante »).
(Intéressantes positions sur la norme; les pages 142-163 traitent de la phonétique.)

Albert Valdman et coll., *A Drillbook of French Pronunciation*, New York-Londres, 1963.
(Excellent recueil d'exercices, en anglais.)

Léon Warnant, *Dictionnaire de la prononciation française*, Gembloux-Munich, 1962, rééd. 1970.
(Deux volumes réunis ; le second, sur les noms propres, est moins utile que le premier; commode classement alphabétique; reproduit sans commentaire la norme du français parisien décrite par P. Fouché.)

REVUES

Le Français aujourd'hui, Revue de l'Association française des Enseignants de Français. Rédacteur en chef Jean Guillermou. 4 n^os^ par an (depuis 1968).

Le Français dans le monde, Revue de l'Enseignement du Français. Hachette et Larousse. Rédacteur en chef J. Reboullet (depuis 1961).

Le Français moderne, Revue de Linguistique française. Directeurs G. Antoine et P. Imbs. D'Artrey, Paris. 4 n^os^ par an (depuis 1933).

The French Review, Revue des Professeurs de Français (en Amérique du Nord). Chapel Hill (Caroline du Nord) (depuis 1935).

Langue française, Secrétaire général J.-Cl. Chevalier, Larousse. 4 n^os^ par an, numéros spéciaux sur des questions particulières (depuis 1969).

La Linguistique, Revue internationale de Linguistique générale. Directeur A. Martinet. 2 n^os^ par an. P.U.F., Paris (depuis 1965).

Phonetica, Journal international de Phonétique (en allemand, français, anglais). 4 vol. par an (depuis 1953).

Revue de Linguistique romane, publiée par la Société de Linguistique romane, Fac. des Lettres de Strasbourg. Comité de rédaction : P. Gardette et G. Tuaillon (depuis 1925) (2 tomes par an).

Travaux de Linguistique et de Littérature (T.L.L.) publiés par le Centre de Philologie romane de l'Université de Strasbourg, Klincksieck, Paris (depuis 1963).

PETIT LEXIQUE DE PHONÉTIQUE

ACCENT : mise en valeur d'une syllabe et d'une seule dans ce qui représente, en une langue donnée, l'unité accentuelle.

ACCENT D'INSISTANCE ou EXPRESSIF : procédé prosodique facultatif (non imposé en langue) qui met en relief une syllabe : in*cro*yable !

ACCENT RYTHMIQUE : mise en valeur syllabique envisagée du point de vue du rythme.

ACCENT SECONDAIRE : mise en valeur pouvant affecter certaines syllabes de mots longs (fait de rythme).

ACOUSTIQUE : partie des sciences et de la technique qui englobe tout ce qui concerne la production, la transmission, les effets des sons et des bruits.

AFFRIQUÉE : synonyme auditif de mi-occlusive.

AGGLUTINATION : soudure de deux mots, qui perdent ainsi leur individualité : l'ierre > lierre (de même *l*endemain, *l*oriot).

ALLITÉRATION : répétition de consonnes à des fins stylistiques.

ALLONGEMENT : accroissement de durée objective ou subjective, syllabique, vocalique ou consonantique, qui peut être 1° *phonétique*, déterminé par des règles combinatoires (il nous s*auve*) ou explicable historiquement (tra*î*nant); 2° *phonologique*, avec une valeur distinctive (ma*î*tre); 3° *expressif*.

ALLOPHONE : cf. VARIANTE.

ALVÉOLAIRE : désigne une articulation réalisée au niveau des alvéoles (mot masculin), zone du palais située immédiatement derrière les incisives et les canines supérieures.

AMPLITUDE : en acoustique, éloignement maximum de sa valeur d'équilibre d'une quantité qui varie de façon oscillatoire autour de cette valeur. La quantité d'énergie transportée par une onde est liée à son amplitude : c'est l'intensité acoustique.

AMUÏSSEMENT : le fait de ne plus être prononcé, en parlant d'un son : le *e* de *eage* s'est amuï.

ANACROUSE : prélude. En versification, sorte de « temps pour rien », hors mesure, qui précède le premier temps marqué. Selon Morier, syllabe accentuée qui dans le vers libre sert de prélude à la cadence rythmique.

ANTICIPATION : désignation traditionnelle, en phon. historique, de la réfraction d'une consonne palatale (cf. en fr. mod. peigne [pɛɲ] et peign(e) sale [pɛjn]).

ANTI-FORMANT : effet de résonance qui provoque, à l'inverse d'un formant, un *affaiblissement* de certains harmoniques d'un spectre.

APERTURE : distance minimale entre l'organe qui articule et le lieu d'articulation au point d'application.

APHÉRÈSE : abréviation par ablation d'une ou de plusieurs syllabes initiales de mot : (h)emicrania > migraine.

APICALE : se dit d'une articulation réalisée à l'aide de la pointe de la langue.

APOCOPE : coupure qui affecte la finale d'un mot soit par disparition d'un élément phonétique, soit par abrégement arbitraire : *vélo*(cipède).

ARCHIPHONÈME : « ensemble de traits pertinents communs à des phonèmes qui sont dans un rapport exclusif » (Martinet) : /e/ et /ɛ/ qui ne se distinguent que par l'aperture sont remplacés ailleurs qu'en finale absolue par leur archiphonème réalisé comme [e], ou comme [ɛ], ou comme voyelle d'aperture intermédiaire.

ARRONDI : employé parfois comme synonyme de « labial », désigne un son obtenu avec la participation des lèvres; le contraire est écarté.

ARTICULATION : 1° découpage en segments dits phonèmes, comme on dit que la patte d'un crabe est articulée (ce mot dérive du latin articulus « membre », « partie »). La phonétique constitue la deuxième articulation du langage; 2° en physiologie de la parole, mouvements des organes vocaux qui déterminent dans l'énoncé des suites de voyelles et de consonnes.

ASSIBILATION : développement d'une sifflante.

ASSIMILATION : différentes sortes de changements dont un son est susceptible d'être affecté quand il subit l'influence d'un son voisin; en particulier, modification d'une consonne au contact immédiat d'une autre : *Is*lande prononcé [izlã:d].

ASSONANCE : répétition de voyelles à des fins stylistiques. En versification ce mot désigne plus précisément l'homophonie de la dernière voyelle accentuée des vers.

AXE PARADIGMATIQUE : conjuguer un verbe, c'est énoncer ses paradigmes. En phonologie, on dit que les commutations s'opèrent par le remplacement sur un axe « vertical » d'un phonème par un autre dans un même mot : le *p* de *pile* peut être commuté avec le *b* de *bile* sur l'axe paradigmatique (ou axe des concurrences).

AXE SYNTAGMATIQUE : les permutations s'opèrent par le remplacement, sur un axe « horizontal » selon lequel les mots s'organisent dans le discours (axe des combinaisons), d'un élément par un autre; ex. l'accent : italien *ancóra* « encore » et *áncora* « ancre ».

BANDE de FRÉQUENCE : en acoustique, gamme continue de fréquences comprises entre deux limites.

BRUIT : en acoustique, signal aléatoire, c.-à-d. dont on ne peut prévoir les valeurs à un instant donné. Le bruit est donc un signal non périodique.

BRUIT COLORÉ : bruit dont la composition spectrale présente des valeurs privilégiées; ex. le bruit des voyelles assourdies.

CADUC : (qui peut « tomber ») désignation du *e* instable dit « muet ». On dit aussi *e* résurgent, neutre, féminin, etc.

CANAL VOCAL : série de cavités s'étendant de la glotte aux lèvres (on dit aussi conduit vocal).

CAVITÉ : en acoustique, tout volume excité par une source sonore.

CÉSURE : en versification, coupe obligatoire dans certains vers classiques réguliers; elle fait suite à un accent fixe sur la 6e syllabe de l'alexandrin, sur la 4e (ou la 6e) du décasyllabe.

CHUINTANTE : désigne, du point de vue auditif, les sons du type *ch* (cf. sifflante).

CLAUSULE : variation rythmique clichée en fin de groupe pouvant caractériser des parlers régionaux ou nationaux.

CLIC : type de consonne indépendant de la respiration : ex. clappement de langue pour exciter les chevaux. Dans certaines langues, c'est un phonème.

CLITIQUE : mot non accentogène : on distingue des proclitiques et des enclitiques.

COALESCENCE : soudure de deux voyelles en contact dans une même syllabe, qui forme une voyelle nouvelle : dans *autre*, *a* et *u* se sont fondus en *o* par coalescence.

COARTICULATION : phénomène causé par le manque de simultanéité des mouvements articulatoires, aboutissant à des influences réciproques; comparer [s] dans *six* et dans *son*.

COLORATIONS SECONDAIRES : changements que peuvent subir les sons dits primaires : vélarisation, labialisation, palatalisation. Elles peuvent se combiner.

COMMUTATION : remplacement dans un mot d'une tranche phonique par une autre attestée dans la même langue, de façon à obtenir un autre mot de la langue. Cette opération est destinée à dégager les phonèmes d'un parler.

CONSTRICTION : resserrement en un point quelconque du canal vocal. Une constrictive est une consonne dont le bruit caractéristique est produit de cette manière (cf. occlusion).

CONTINUATION : trait démarcatif (intonation).

CONTOÏDE : son consonantique étudié du point de vue de la substance.

CONTRASTE : rapport syntagmatique (horizontal) dans un énoncé.

CONTRE-FINALE : certains romanistes appellent ainsi la syllabe qui précède immédiatement la syllabe accentuée, parce que, dans le passage du latin au roman, elle se comporte comme la finale. Synonyme : prétonique (dans les mots de quatre syllabes et plus).

CONTREPET : jeu phonique qui repose sur un système d'interversions et de métathèses : maire de Paris / père de Marie.

CONTRE-TONIQUE : pour le passage du latin au roman, il faut plutôt entendre par là la syllabe qui précède l'accentuée à deux syllabes de distance et qui portait en lat. vulg. un accent secondaire, ainsi l'initiale dans *dórmitóriu*.

CONTOUR : courbe intonative complexe.

CORONAIRE : lieu articulatoire situé immédiatement au-dessus de la pointe de la langue.

CORPUS : ensemble des énoncés sur lesquels travaille le linguiste.

COUPE : en versification, séparation entre deux mesures rythmiques. On peut parler de coupe quand la séparation est nette (présence d'une pause), mais le phénomène essentiel est celui de l'accent qui détermine les mesures.

DÉBIT : rapidité plus ou moins grande avec laquelle on parle. En versification : nombre de syllabes qu'on profère durant une mesure.

DENTALE : désigne une consonne dont le lieu d'articulation est situé au niveau des incisives supérieures.

DÉSACCENTUATION : le fait pour une syllabe de perdre la proéminence : *pars* est désaccentué dans « je pars en train » prononcé rapidement, avec un accent final. Il ne reste qu'un « demi-allongement » du *a*.

DIACHRONIE : une étude diachronique envisage la langue du point de vue de l'évolution interne des systèmes, indépendamment de tout fait extra-linguistique.

DIACRITIQUE (signe) : signe ajouté à un symbole phonétique pour lui conférer une valeur particulière.

DIALECTE : forme particulière prise par une langue dans un domaine donné. Les *patois* s'en distinguent dans la mesure où leur domaine est plus restreint, où ils particularisent tel milieu social et où ils n'ont généralement pas de littérature écrite.

DIÉRÈSE : en versification, prononciation d'un groupe de voyelles en deux syllabes : *mystéri-eux*. Le contraire est *synérèse*.

DIFFÉRENCIATION : tendance par laquelle on évite de conserver la même position articulatoire au cours de l'énoncé de deux sons consécutifs, et qui conduit ainsi à créer une différence entre ces deux sons : anc. fr. *mei > moi.

DILATION : transfert à distance de certaines caractéristiques d'un son à un autre son : lat. v*e*ni > anc. fr. v*i*n.

DIPHTONGAISON : si les organes articulatoires changent constamment de position pendant la tenue d'une voyelle allongée, le timbre change graduellement, la voyelle est diphtonguée : ex. le *é* qui tend vers *i* dans des patois lorrains : [kyˈre:i̯] curé.

DIPHTONGUE : si le point de départ et le point d'arrivée rappellent assez nettement les timbres de deux voyelles différentes de la langue, sans qu'il y ait deux syllabes, c'est une diphtongue : ex. anc. fr. *bois*; angl. *boy* [ˈbɔe̯]. Il n'y a pas de diphtongue en fr. mod.

DISCOURS : actualisation du code linguistique.

DISJONCTIF : qualifie un *h* dit « aspiré » (jointure).

DISSIMILATION : on réserve généralement ce terme à la tendance par laquelle deux sons identiques non contigus se différencient : lat. divisa > devise.

DISTRIBUTION : ensemble des positions dans lesquelles peut apparaître un phonème.

DISTRIBUTION COMPLÉMENTAIRE : position dans laquelle deux variantes combinatoires s'excluent réciproquement : en fr. méridional [o] apparaît dans des positions où [ɔ] n'apparaît jamais et *vice versa*.

DORSALE : désigne une articulation réalisée avec la participation du dos de la langue.

DOUBLET ÉTYMOLOGIQUE : mot qui a la même étymologie qu'un autre mot de forme différente (ex. : avoué, avocat).

ÉCARTÉ : synonyme de « non labial », désigne tantôt un son obtenu sans participation des lèvres, tantôt un son pour la réalisation duquel les commissures des lèvres sont étirées horizontalement.

ÉCHO : trait démarcatif (intonation).

ÉLISION : phénomène phonétique en distribution complémentaire avec la liaison, consistant en une disparition de voyelle finale devant une voyelle initiale.

ENCLITIQUE : mot non « accentogène » qui prend appui sur un mot accentué le précédant.

ENTRAVÉE : se dit d'une voyelle suivie d'une consonne finale de syllabe : ex. *a* et *i* dans *partir*. On l'applique parfois à une syllabe terminée par une consonne : c'est alors l'équivalent de syllabe fermée.

ÉPENTHÈSE : apparition d'un son à l'intérieur d'un groupe, en particulier d'une consonne à l'intérieur d'un groupe consonantique (cen-re > cendre). Parfois synonyme d'anaptyxe (cf. voyelle d'appui).

EXPLOSION : désigne la phase finale d'une occlusive correspondant à la détente des organes. Dans un mot comme *opter*, le *t* est dit explosif parce que sa phase explosive est plus importante que sa phase implosive; explosive est aussi parfois synonyme d'occlusive.

EXPRESSIVITÉ : désigne ce qui n'est pas une simple information dans un énoncé oral : quand on dit « il va pleuvoir », on peut impliquer en même temps de l'irritation (identification émotive, caractérielle), etc.

ÉTYMON : mot-source fournissant l'état le plus anciennement accessible d'un mot donné, du point de vue sémantique comme du point de vue phonétique.

FAUSSE PAIRE : deux mots d'une même langue dont on rapproche deux segments en vue d'établir l'indépendance phonologique de deux phonèmes : /a/ et /ɔ/ : ani*mal*/bé*mol*.

FERMÉE : désigne une articulation d'aperture relativement petite, ou une syllabe terminée par une consonne.

FILTRE ACOUSTIQUE : appareillage qui ne transmet que certaines bandes de fréquence. Les diverses cavités résonantes de la bouche fonctionnent comme des filtres acoustiques.

FINALITÉ : trait démarcatif (intonation).

FONDAMENTAL (masc.) : sous-entendu « son » : premier terme de la somme des sons simples qu'on obtient quand on décompose un son périodique complexe. On dit la fondamentale (fém.) si on sous-entend « fréquence ». Certains désignent parfois par ce terme l'harmonique d'ordre un (le plus bas). Le son fondamental peut être considéré comme le principal responsable de la sensation subjective de hauteur.

FORMANT : en acoustique, fréquence de résonance maximum de l'enveloppe spectrale du signal de la parole à un instant donné. Sur un spectrogramme, un formant apparaît comme une gamme de fréquences où des harmoniques ont une amplitude relativement plus grande (zone plus noire). La répartition des deux ou trois premiers formants caractérise en particulier les sons vocaliques. Par analogie, on parle aussi de formants de bruit (gamme de fréquences renforcées dans un bruit dit « coloré »).

FORME : dans la terminologie de Hjelmslev, ce qui est proprement linguistique (cf. substance).

FRÉQUENCE : nombre de vibrations par seconde d'un signal périodique. Elle s'exprime en hertz (nombre de périodes par seconde). La fréquence formantique est la fréquence d'un formant (calculée en son centre).

FRICATIVE : terme auditif correspondant à constrictive (cf. spirante).

GÉMINATION : redoublement d'une consonne : ex. dans « gran*d*(e) *d*écouverte ». Après disparition du *e* muet la coupe syllabique tombe entre les deux *d*.

GLOTTE : fente circonscrite par les cordes vocales inférieures et par laquelle passe l'air phonateur. On qualifie de glottal tout ce qui met en jeu la glotte considérée comme organe phonatoire. Un son est dit *glottalisé* quand il s'accompagne d'un accolement complet des cordes vocales.

GRAPHIE : représentation des formes linguistiques par l'écriture.

GRASSEYÉ : désignation, du point de vue auditif, du *r* d'arrière. Le sens du mot a évolué : on en fait généralement le contraire de « roulé ».

GROUPE ACCENTUEL : une ou plusieurs syllabes intégrées par un seul accent (imposé en langue) : « il est par*ti* par le tr*ain* » comporte deux groupes accentuels (point de vue phonologique et grammatical), ou deux groupes rythmiques (point de vue du rythme), ou deux mots phonétiques (si on veut montrer que ses limites ne coïncident pas avec celles des mots graphiques).

GROUPE DE SOUFFLE : du point de vue physiologique, un ou plusieurs groupes accentuels qui se terminent par une reprise de respiration. On dit aussi groupe de respiration.

HAPLOLOGIE : s'applique au fait de prononcer une seule fois une syllabe ou un groupe de sons au lieu de les dire deux fois : « a'vous vu ? » pour « avez-vous vu ? ».

HARMONIQUE : composante d'un signal périodique dont la fréquence est un *multiple entier* de la fréquence fondamentale.

HARMONISATION VOCALIQUE : influence à distance du timbre d'une voyelle sur une autre voyelle. On dit aussi harmonie vocalique. C'est un cas particulier de la dilation : éb*è*ne > éb*é*niste.

HAUTEUR TONALE (ou musicale) : sensation liée à la perception d'un son de fréquence fondamentale donnée.

HIATUS : fait de jointure, désigne la rencontre de deux voyelles. En versification, désigne la rencontre (jadis proscrite) d'une voyelle finale prononcée avec la voyelle initiale du mot suivant *(tu es)*. L'hiatus intérieur *(tuer)* ou masqué par l'orthographe *(à hauteur)* était cependant toléré.

HOMORGANIQUE : se dit généralement de deux ou de plusieurs consonnes réalisées à l'aide d'un même organe mobile, ex. *d* et *n* en contact dans *Saint D(e)nis*.

ICTUS : pour les rythmiciens, battement de la mesure considéré généralement comme lié à un accroissement d'intensité vocale sur la syllabe frappée.

IDIOLECTE : habitudes verbales d'un individu. Ce terme permet de désigner les particularités individuelles, par opposition aux sociolectes et aux dialectes.

IMPLICATION : suggestion de quelque chose que le locuteur ne dit pas expressément (p. ex. par l'intonation).

IMPLOSION : désigne la phase initiale d'une consonne correspondant à la mise en place des organes. Dans un mot comme *opter*, le *p* est dit implosif parce que sa phase implosive est plus importante que sa phase explosive.

IMPRESSIVITÉ : désigne ce qui dans un énoncé oral correspond à un désir d'agir sur l'auditeur, de faire impression sur lui, ex., si, en disant à quelqu'un « il va pleuvoir », on lui suggère de prendre son parapluie.

INTENSITÉ : ce terme doit toujours être accompagné d'une épithète : l'intensité physiologique est la quantité d'énergie fournie par le travail d'un ou de plusieurs organes phonateurs.

INTERVERSION : changement de place de deux sons contigus : anc. fr. formage > fromage.

INTONATION : linguistiquement, c'est ce qui reste de la courbe mélodique une fois qu'on a fait abstraction des tons et des faits accentuels. L'intonation assume des fonctions diverses. La mélodie, c'est la ligne musicale globale étudiée du point de vue perceptif.

INTONÈME : fait intonatif à valeur fonctionnelle renseignant sur l'état du procès; un intonème descendant marque p. ex. l'achèvement et on le note par une flèche descendante : *il partira*.

ISOCHRONIE MÉTRIQUE : restitution par la diction d'une égalité subjective de durée pour les mesures inégales d'un vers.

JOINTURE : ensemble de procédés d'enchaînement des sons de la chaîne parlée. La jointure entre deux groupes accentuels est plus lâche qu'entre deux syllabes d'un même mot. La différence entre « le papa dit » et « le pape a dit » est un fait de jointure externe qu'on peut réaliser par la hauteur, la pause, la force d'explosion du *p*, etc.

LABIALE : désigne une articulation réalisée avec la participation des lèvres. Pour les voyelles on dit parfois en ce sens *arrondie*, mais ce terme est impropre car il y a une avancée des lèvres et pas seulement un arrondissement. La labialisation est la qualité conférée à un son par une action des lèvres.

LANGAGE : faculté spécifiquement humaine de communiquer.

LANGUE : code, système linguistique appartenant à un ensemble d'individus.

LATÉRALE : consonne pour la production de laquelle l'air phonateur s'échappe de part et d'autre d'un barrage médian, p. ex. le [l].

LEXÈME : unité fonctionnelle de lexique (ex. *mang* dans *mang-i-ons*; *pomme de terre* est un paralexème).

LIAISON : cas particulier de jointure, survivance de quelques enchaînements de consonnes de l'anc. fr. Sa présence ou son absence peut avoir une fonction démarcative (les housses), grammaticale (bois immenses), distinctive (les êtres).

LIBRE : se dit d'une voyelle finale de syllabe, ex. *i* dans *fini*. On l'applique parfois à une syllabe terminée par une consonne; c'est alors l'équivalent de la syllabe ouverte.

LIEU D'ARTICULATION : endroit du canal buccal où l'air phonateur rencontre un obstacle partiel ou total, ou en face duquel la langue se masse pour produire une voyelle.

LIQUIDE : qualifie les sons du type [l], du point de vue auditif (*r* est une vibrante).

LOCUS : point virtuel du spectre acoustique vers lequel tend F2 de la voyelle précédant ou suivant la consonne considérée.

LOGATOME : mot artificiel qu'on utilise en audiométrie. Il respecte la structure phonologique de la langue de l'auditeur, mais il est dénué de signification.

LOIS DE POSITION : particularités de distribution régissant la répartition des timbres E Œ O.

MARQUE : caractéristique positive susceptible de distinguer deux types de faits.

MÉDIANE : se dit surtout des constrictives et sonantes pour la formation desquelles le canal vocal est ouvert au milieu, ex. le *yod*.

MÉLODIE : sensation liée aux variations de hauteur musicale (tonale) des parties voisées (sonores) de la chaîne parlée. C'est la ligne musicale globale envisagée du point de vue acoustique et perceptif.

MESURE : unité rythmique du vers français, déterminée par sa dernière syllabe (accentuée).

MÉTALINGUISTIQUE : se dit de la fonction qui « commente » l'énoncé. Une métalangue est une langue qu'on utilise pour « parler » des langues.

MÉTATHÈSE : passage d'un son de sa place originaire à une autre place. On réserve généralement ce terme au changement qui s'effectue d'une syllabe à une autre : lat. scintilla > *stincilla.

MI-OCCLUSIVE : articulation unique qui comprend une phase occlusive et une phase constrictive.

MODÈLE : parfois employé au sens de l'anglais *pattern*, patron (ex. : imaginez une autre phrase sur le « modèle » de *vous venez?*). En sciences humaines, représentation simplifiée d'un processus ou d'un système : on peut utiliser le modèle mathématique : 1° pour *représenter* les mécanismes de production des sons; 2° pour *expliquer* ces mécanismes.

MONÈME : terme proposé par A. Martinet : unité de 1re articulation qui englobe les morphèmes et les lexèmes. Il recouvre à peu près en français la notion de mot.

MONOPHTONGAISON : le fait pour une diphtongue de ne plus comporter qu'un seul élément vocalique au lieu de deux.

MORPHÈME : unité fonctionnelle de morphologie (ex. *i* dans *mang-i-ons*).

MOT PHONÉTIQUE : terme parfois employé comme synonyme de groupe accentuel en français (comportant un seul accent de groupe). On dit aussi *mot phonique* en ce sens.

MOUILLÉ : terme auditif parfois employé comme synonyme de palatal.

NASALITÉ : trait qui caractérise une voyelle et une consonne pour lesquelles le voile du palais est abaissé et le volume pharyngal ajusté, ce qui confère une résonance et un amortissement particuliers. Le contraire est *oral*. Ne pas confondre avec voyelle *nasalisée* (variante combinatoire; seulement léger abaissement du voile).

NEUTRALISATION : selon l'Ecole de Prague, une opposition est neutralisée quand la différence entre deux phonèmes ne peut plus servir, dans certaines positions, à des fins distinctives : en syllabe fermée, l'opposition /e/ ~ /ɛ/ est neutralisée : aucun mot /tet/ ne peut s'opposer à /tɛt/ en français.

NIVEAU DE LANGUE : usages de la langue liés à la variation sociale.

OCCLUSION : fermeture momentanée en un point quelconque du canal vocal. Une *occlusive* est une consonne dont le bruit caractéristique est produit de cette manière (cf. constriction).

OCTAVE : intervalle compris entre deux fréquences dont l'une est le double de l'autre. Une octave comprend 5 tons et 2 demi-tons.

OPPOSITION : différence phonétique susceptible de servir à différencier des signifiants; rapport entre deux phonèmes commutables (Martinet).

ORALE : se dit d'une voyelle et d'une consonne pour lesquelles le voile du palais est relevé. L'air sort seulement par la bouche, non par le nez. Le contraire est nasal.

ORTHOÉPIE : définition des règles d'une prononciation choisie comme norme à l'intérieur d'un système donné.

ORTHOPHONIE : correction des défauts de prononciation (bégaiement, zézaiement, etc.); on désigne aussi en France par ce terme la rééducation du langage en général (logopédie).

OSCILLOGRAMME : tracé d'un signal réalisé p. ex. à l'aide d'un oscilloscope et d'une caméra ou d'un mingographe inscripteur à encre ou ultra-violet. L'oscilloscope cathodique permet l'observation et la mesure de signaux électriques qui varient ou non dans le temps.

OUVERTE : qualifie une voyelle d'aperture relativement grande; ou une syllabe terminée par une voyelle (= libre, non couverte).

OXYTON : mot qui porte l'accent sur la dernière syllabe.

—

PAIRE MINIMALE : mots quasi homophones qui ne diffèrent que par un seul phonème : chameau/rameau.

PALATALE : désigne une articulation réalisée au niveau du palais dur. La palatalisation est un élargissement du contact lingual à ce niveau.

PARAGOGE : addition d'un son ou d'une syllabe : ex. ours*e* blanc (cf. voyelle d'appui); (syn. : épithèse).

PARENTHÈSE : trait démarcatif (intonation).

PAROLE : « actualisation, réalisation individuelle de la langue, usage particulier par un individu donné » (F. de Saussure).

PAROXYTON : mot qui porte l'accent sur l'avant-dernière syllabe.

PARTIEL : en acoustique fréquence qui participe à la composition d'un spectre.

PATTERN : mot anglais signifiant « patron, modèle ». L'oreille d'un Français entend les sons anglais en fonction des « patterns » de sa langue (cf. modèle).

PAUSE : arrêt dans la chaîne parlée. Elle peut être réelle (mesurée en cs) ou virtuelle (= possible, mais non réalisée).

PÉRIODE : en acoustique, intervalle de temps (exprimé en secondes) qui sépare deux points identiques d'un phénomène périodique.

PERMUTATION : changement de place de deux segments sur l'axe syntagmatique (horizontal).

PERTINENT : qui joue un rôle fonctionnel (plus général que « distinctif »).

PHARYNX : en phonétique, série de résonateurs situés au-dessus de la glotte, dans l'arrière-bouche et au niveau du voile du palais.

PHATIQUE : se dit de la fonction phonostylistique servant non à communiquer, mais à garder le contact entre le locuteur et l'auditeur.

PHONÈME : unité de langue (2e articulation) ayant une valeur fonctionnelle; il peut être considéré comme un faisceau de traits distinctifs réalisés simultanément.

PHONOLOGIE : partie de la phonétique qui envisage les sons du point de vue de leur fonction dans une langue donnée (synonyme : phonétique fonctionnelle). Il n'y a pas isomorphisme entre le niveau phonétique proprement dit et le niveau phonologique.

POSITION de PERTINENCE : position dans laquelle une opposition est attestée, ex. pour /e/ ~ /ɛ/, la syllabe ouverte. Le contraire est position de neutralisation.

POST-TONIQUE : syllabe qui suit la syllabe accentuée.

PRÉ-TONIQUE : (parfois protonique), syllabe qui précède la syllabe accentuée.

PROCLITIQUE : mot non accentogène qui précède le mot accentué dont il dépend.

PROÉMINENCE : s'applique généralement à une syllabe quand un complexe de durée, d'intensité et de hauteur la met en relief par rapport aux syllabes voisines.

PROPAROXYTON : mot qui porte l'accent sur la syllabe antépénultième.

PROSODIE : partie de la phonétique qui traite de l'accentuation, de l'intonation, de la quantité (faits parfois appelés suprasegmentaux).

PROSTHÈSE (ou prothèse) : addition d'une voyelle devant un groupe de consonnes initiales : scala, escale.

QUANTITÉ : longueur des sons (cf. ce mot) considérée du point de vue linguistique.

RADICALE : désigne une articulation réalisée à l'aide de la racine de la langue (partie postérieure).

RAPPORT EXCLUSIF : deux phonèmes sont en rapport exclusif quand ils sont seuls à être définis d'une certaine façon : ex. /p/ et /b/.

RÉALISATION : (ou actualisation) une séquence de sons est la *réalisation* d'une suite de phonèmes.

REDONDANCE : se dit d'un trait phonique non inutile, mais « en trop » en ce sens qu'un autre trait est considéré comme suffisant pour une distinction fonctionnelle.

RÉDUCTION : en phonétique acoustique se dit d'une voyelle phonologiquement bien déterminée qui n'atteint pas la « valeur de cible ».

REGISTRES DE LANGUE : variétés soignée, familière, etc. On appelle registre intonatif une bande de fréquences à valeur pertinente (on dit parfois niveau dans ces deux sens).

RÉGRESSION : retour à un état phonétique antérieur (en diachronie). Au plan articulatoire, une assimilation est dite régressive quand il y a anticipation de certains traits : *Izraël* (Israël).

RENDEMENT FONCTIONNEL : fréquence d'emploi d'une opposition phonologique.

RÉSONATEUR : volume ayant une fréquence de résonance déterminée. D'une façon générale, il y a résonance d'un système quand la fréquence des oscillations libres est sensiblement la même que celle des oscillations forcées.

RÉTROFLEXE : désigne une réalisation articulatoire où la pointe de la langue se retrousse légèrement en arrière (syn. : cacuminal, cérébral).

RHOTACISME : passage d'une consonne à R.

ROMANISTE : qui étudie les langues romanes, issues principalement du latin.
ROULÉ : désignation, du point de vue auditif du *r* réalisé à l'aide de la pointe de la langue (cf. grasseyé).
RYTHME : structuration d'une suite de stimulations.

SANDHI : modifications phonétiques que peut subir l'initiale ou la finale d'un mot.
SEGMENTAL : au niveau des phonèmes.
SÉMANTIQUE : qualifie ce qui a trait au sens.
SEMI-CONSONNE : désigne [j, ɥ, w] : elles se rapprochent des consonnes parce qu'elles ne peuvent être un noyau de syllabe et des voyelles parce qu'elles paraissent correspondre à une prononciation plus rapide des trois voyelles les plus fermées : [i, y, u]. Elles diffèrent de celles-ci par un degré plus grand de constriction et par les limitations de leur distribution. En angl. : *glide* (glissante).
SIFFLANTE : désigne, du point de vue auditif, les sons du type [s, z] (cf. chuintante).
SOCIOLECTE : ensemble des façons de parler d'un groupe de personnes interprétant de la même façon tous les énoncés linguistiques (cf. idiolecte).
SON PUR : son produit par les variations de pression acoustique sinusoïdales en fonction du temps.
SON PÉRIODIQUE : son caractérisé par une certaine régularité : il possède une période (cf. ce mot). Le contraire est *bruit* (son aléatoire).
SONANTE : consonne caractérisée par un important phénomène de résonance : *n*, *m*, *r*, *l* sont des sonantes.
SONIE : caractère subjectif d'un son qui détermine la grandeur de la sensation auditive (synonyme : force sonore).
SONORE : appellation traditionnelle mais impropre d'une articulation qu'accompagnent des vibrations périodiques des cordes vocales (voisée). Acoustiquement, la *sonorité* présente un spectre de raies superposées ou non à un spectre de bruit.
SOURDE : désigne une articulation réalisée sans accompagnement de vibrations périodiques des cordes vocales. Acoustiquement, qualifie un signal de la parole présentant un spectre de bruit (syn. de non voisé). Le e dit *sourd* de l'anc. fr. était une sorte de e central.
SPECTRE ACOUSTIQUE : représentation graphique de l'amplitude des composantes d'un son ou d'un bruit en fonction de la fréquence. Contrairement à un spectre « continu », le *spectre de raies* présente des composantes réduites à un certain nombre de fréquences déterminées appelées partiels.
SPECTROGRAMME : tracé représentant le spectre acoustique d'un signal obtenu à l'aide d'un analyseur dit spectromètre (par ex. le Sonagraph : le tracé est appelé sonagramme).
SPIRANTE : synonyme de fricative (point de vue auditif).
STRUCTURE : ensemble organisé; le contraire est agrégat.
SUBSTANCE : dans la terminologie de Hjelmslev, l'ensemble des faits physiques et physiologiques par lesquels s'actualisent les faits de *forme*.
SUBSTRAT : parler supplanté par un autre parler (à la suite d'une colonisation, d'une conquête, d'une migration), ex. pour le gallo-roman, on peut chercher le substrat celtique.
SUPRASEGMENTAL : à un niveau « supérieur » à celui des phonèmes (cf. prosodie)
SYLLABE : type de combinaison élémentaire de la chaîne parlée, constituée d'un noyau et éventuellement d'éléments marginaux. Elle ne se définit avec rigueur qu'au plan phonologique.
SYLLABATION : découpage d'un énoncé en syllabes, qu'il soit opéré spontanément par le sujet parlant ou reconnu par le phonéticien d'après la définition qu'il adopte de la syllabe.
SYNCHRONIE : une étude synchronique envisage la langue à un moment déterminé.
SYNCOPE : 1° en versification, le fait qu'une syllabe terminée par *e* muet termine une mesure et précède une pause; 2° en phonétique historique, disparition d'un ou de plusieurs sons à l'intérieur d'un mot.
SYNÉRÈSE : en versification, prononciation d'un groupe de voyelles en une syllabe : *mystérieux* (3 syllabes); le contraire est diérèse.
SYNTAGME : unité de syntaxe, élément fonctionnel solidaire, susceptible de constituer un élément d'un ensemble plus vaste et d'être en relation avec d'autres structures. Le syntagme nominal est formé, p. ex., d'un déterminant et d'un substantif *(la phonétique)*; le syntagme verbal, d'un verbe assorti ou non d'un adjectif, d'un adverbe *(est très passionnante)*.
SYNTHÈSE : processus qui consiste à générer des sons à partir de leur analyse acoustique, à l'aide d'un synthétiseur.

TEMPO : intervalle de durée plus ou moins grand qui s'étend d'un accent à un autre accent.

TENSION ARTICULATOIRE : énergie musculaire employée pour l'émission des sons.

TIMBRE : qualité subjective caractéristique d'un son, en particulier couleur sonore que prend le son laryngien modifié par les résonateurs du canal vocal. La place des formants sur le spectre acoustique est responsable des différents timbres vocaliques.

TONIQUE : synonyme d'accentué (bien qu'étymologiquement *tonique* ne puisse se référer qu'à la hauteur musicale).

TRAIT DISTINCTIF : particularité phonétique dont la combinaison permet de distinguer un phonème d'un autre phonème d'une même série : c'est la sonorité qui distingue /b/ de /p/; selon Jakobson, ultime unité distinctive du langage.

TRANSITION : en phonétique, changement rapide de la fréquence des formants de la voyelle au point de jonction de la voyelle et de la consonne. En termes articulatoires, les positions des organes changent quand on passe de la voyelle à la consonne et *vice versa*; le mouvement rapide d'une position à une autre produit habituellement un changement d'égale rapidité dans le résultat acoustique. L'interprétation en termes de perception est que ces changements rapides dans l'onde sonore sont les transitions entre les sons qui servent à identifier les phonèmes successifs.

TRIPHTONGUE : union dans une même syllabe de trois segments vocaliques.

UVULAIRE : qualifie une articulation réalisée avec la participation de la luette (ou uvule).

VARIANTE : au sens général, réalisation d'un phonème. Il y a des variantes combinatoires (conditionnées) et des variantes individuelles (libres, expressives). Le *r* de *libre* est sonore, celui de *litre* ne l'est pas, ce sont des variantes combinatoires liées à la sonorité de *b* et à la non-sonorité de *t*. Le *r* de *libre* peut être roulé ou grasseyé : ce sont des variantes individuelles.

VÉLAIRE : désigne une articulation réalisée au niveau du voile du palais.

VIBRANTE : désigne les sons où un organe produit un vibrement (point de vue auditif), ex. la luette pour le R d'arrière de *part*.

VOCALISATION : passage d'une sonante à une voyelle.

VOCOÏDE : son vocalique étudié du point de vue de la substance.

VOISÉ : synonyme physiologique de sonorité, ex. [z] par rapport à [s]; la *voix* étant produite par les vibrations des cordes vocales.

V.O.T. : relation temporelle entre le début des vibrations glottales et la détente d'une occlusive initiale (Voice Onset Time = durée d'établissement du voisement).

VOYELLE CARDINALE : point de référence fixe, choisi parmi tous les timbres vocaliques possibles, avec lequel peut être mis en relation directe n'importe quel autre son vocalique.

VOYELLE D'APPUI : son vocalique qu'on ajoute à l'intérieur d'un groupe de consonnes, ce qui rend l'articulation plus conforme aux habitudes de la langue (match*e* nul) (cf. paragoge). On l'appelle aussi parfois svarabhaktique (mot sanscrit). L'anaptyxe est le phénomène qui fait qu'un élément vocalique se développe à l'intérieur d'un groupe consonantique : *théât(e)re* (faits de jointure).

ZÉRO : quand on dit que [p] a une « aperture zéro », cela signifie que la distance entre les deux lèvres est nulle. En phonologie commuter avec zéro, c'est constater que l'on peut former un autre mot en supprimant un phonème : /pɛ/ « paie » peut être opposé à /pɛj/ « paye », le phonème /j/ est absent dans le premier et présent dans le 2e.

TABLE DES FIGURES

TABLE DES MATIÈRES

Extrait de notre catalogue

Série « Langue française »

Français médiéval
par JEAN BATANY
Plus qu'un manuel pratique de linguistique, cet ouvrage permet au lecteur d'appréhender des méthodes et des domaines différents (littérature, histoire) qui se rencontrent autour d'un thème unique : le Moyen-Age.
368 p. 13 × 22 broché.

Fiches de philologie française
par ANDRÉ LANLY
Ouvrage pratique, apportant aux étudiants une méthode et des exemples concrets d'application des données les plus sûres de la linguistique.
364 p. 13 × 22 broché.

Introduction à la dialectologie française
par JACQUES CHAURAND
Destiné aux étudiants désireux de s'orienter vers un travail de recherche sur les idiomes régionaux, ce livre leur apporte une vue d'ensemble des problèmes relatifs à l'expression dialectale.
288 p. 13 × 22 broché.

Introduction à la phonétique du français
par FERNAND CARTON
Cette synthèse pédagogique comporte trois éclairages essentiels : la description du phonétisme actuel, l'esquisse de l'évolution des mots et la discussion des problèmes de norme.
252 p. 15,5 × 24 broché.

Histoire de la langue française aux XIVe et XVe siècles
par CHRISTIANE MARCHELLO-NIZIA
Fruits des nombreuses études réalisées depuis trente ans et des recherches personnelles de l'auteur, ce livre apporte une bonne vision synthétique d'une période de la langue française restée longtemps en friche.
384 p. 15,5 × 24 broché.

Série « Vie littéraire »

Introduction à la vie littéraire du Moyen-Age
par PIERRE-YVES BADEL
Situé au point où se rejoignent la synthèse historique et l'analyse critique de texte, cet essai précise le milieu social, l'univers mental et la tradition littéraire qui modèlent toute création poétique au Moyen-Age.
242 p. 13 × 22 broché.

Introduction à la vie littéraire du XVIe siècle
par DANIEL MÉNAGER
Invitation à mieux connaître un siècle qui vécut et pensa avec passion, cet ouvrage est également un outil de travail indispensable à ceux qui désirent explorer les richesses d'une littérature quelque peu oubliée.
204 p. 13 × 22 broché.

Introduction à la vie littéraire du XVIIe siècle
par J.-C. TOURNAND
Cet ouvrage veut réinsérer dans leur contexte social et au sein des courants de pensée constituant la vie profonde de leur époque, les œuvres et les écrivains que la postérité tend inévitablement à isoler.
192 p. 13 × 22 broché.

Introduction à la vie littéraire du XVIIIe siècle
par MICHEL LAUNAY et GEORGES MAILHOS
Analyse des genres et études des thèmes majeurs du siècle des Lumières, cet ouvrage propose au lecteur une interrogation rigoureuse des œuvres étudiées et l'invite à poursuivre le dialogue avec les grands noms littéraires de l'Ancien Régime.
176 p. 13 × 22 broché.

Introduction à la vie littéraire du XIXe siècle
par JEAN-YVES TADIÉ
Ce livre apporte au lecteur des catégories — permettant de saisir les constantes et les variables littéraires d'une époque — ordonnées autour d'une passion : celle de la synthèse, et d'un conflit : entre le réel et l'imaginaire.
146 p. 13 × 22 broché.

Introduction à la vie littéraire du XXe siècle
par FRANÇOISE et PAUL GERBOD
Bien que sensible à des traditions issues des siècles précédents, la vie littéraire apparaît au XXe siècle profondément marquée par son intégration à une culture de masse internationalisée.

Imprimerie GAUTHIER-VILLARS, France
7579 - Dépôt légal, Imprimeur, n° 3295
Dépôt légal : juin 1988 *Imprimé en France*
Dépôt légal 1re édition : 2e trimestre 1974